Die *Kunst* des Zeichnens

INHALTSVERZEICHNIS

DIE *große* ZEICHENSCHULE

Wenn Sie sich zum ersten Mal mit Zeichnungen beschäftigen wollen oder wenn Sie einfach nur länger nicht mehr gezeichnet haben, werden Sie in diesem Kapitel wertvolle Tipps und Hilfen finden. Sie sollen Ihnen den Einstieg in die Techniken des Zeichnens erleichtern und Ihnen von Anfang an den Spaß an dieser wunderbar kreativen Beschäftigung vermitteln.

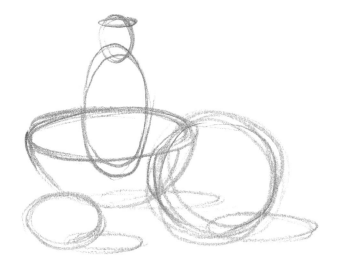

MATERIAL

Zeichnen macht Freude! Zudem ist es eine der wichtigsten Kunstformen, und sie hat den großen Vorteil, dass Sie im Grunde immer und überall künstlerisch tätig sein können und dass das Material überaus erschwinglich ist. Beginnen Sie am besten mit einer günstigen Grundausstattung und kaufen Sie sich nach und nach besseres Material dazu.

Damit Sie aber von Anfang an schöne Bilder zeichnen können, sollten Sie wissen, welche Ausstattung besonders für Anfänger geeignet ist. Etwas Materialkunde hilft Ihnen auch, gleich zu Beginn gutes Material zu erstehen.

Skizzenbücher Skizzenhefte mit praktischer Bindung erhalten Sie in vielen Größen und mit unterschiedlichem Papier. Für zu Hause eignen sich große Formate, auf denen Sie ein Bild in Ruhe vorzeichnen können. Auf Reisen und für die Arbeit im Freien ist ein kleines Heft ideal. Immer eine gute Wahl sind Blöcke mit Spiralbindung und schwach gekörntem Papier von mittlerem Papiergewicht.

Arbeitsplatz Am besten ist es, wenn Sie sich einen Platz am Fenster mit genug Ablagefläche für Ihr Material einrichten. Ideal sind natürlich ein eigenes Zimmer mit Licht von Norden und ein Zeichentisch. Nur wenn Sie sehr häufig nachts arbeiten, brauchen Sie eine Glühbirne mit sanftem gelblichem Licht und eine Quelle für bläulich-weißes Licht.

Beim Zeichnen mit Kohle haften die Kohlepartikel nur lose auf dem Zeichengrund; sie verwischen also leichter als Bleistiftzeichnungen. Für Kohle eignen sich am besten spezielle Papiersorten, die Sie im Fachhandel finden. Viele haben eine raue Oberfläche, die Zeichnungen noch interessanter macht.

Zeichenpapier Für die Reinzeichnung Ihres Motivs wählen Sie ein Einzelblatt. Solche Blätter sind in unterschiedlicher Ausführung erhältlich. Von feinstem weißem Papier mit leichter Körnung bis zu Papier mit hohem Holzgehalt und grober Körnung gibt es viele Zwischenstufen und Varianten. Sie haben die Wahl!

DAS HANDWERKSZEUG ZUSAMMENSTELLEN

Für die ersten Versuche brauchen Sie nur wenig: ein Bleistift in Härte 2H, einer Härte HB, ein Spitzer, ein Radiergummi und ein Stück Papier genügen. Zusätzliche Bleistifte, einen Papierwischer, Kohlestifte und anderes kaufen Sie nach und nach. Bei Bleistiften achten Sie darauf, dass sie je nach der Härte der Mine in unterschiedliche Härtegrade eingeteilt sind. H sind immer harte Minen. B sind weiche Minen und besser für die dunkleren Striche geeignet. Die Härte HB liegt dazwischen und ist enorm vielseitig. In der Abbildung rechts sehen Sie einige der wichtigsten Stifte – und eine Abbildung der Striche, die Sie mit jedem anfertigen können. Im Lauf der Zeit lernen Sie, die Spitze verschieden zu formen und mit unterschiedlichem Druck zu zeichnen. Je besser Sie mit Ihren Utensilien umgehen können, desto breiter werden natürlich Ihre Ausdrucksmöglichkeiten.

IHR WERKZEUG OPTIMAL EINSETZEN

Es hat sich bewährt, jede Zeichnung zunächst mit Bleistiften zu beginnen. Doch vergessen Sie nicht, dass es noch andere Stifte und Mittel gibt, um die Zeichnung fertig zu stellen. Kreidestifte oder Kohle(stifte) zaubern wunderbar weiche Übergänge – vor allem, wenn Sie Kanten absoften wollen. Dagegen springen Umrisse, die Sie mit Tusche nachzeihen, jedem Betrachter förmlich ins Auge. Schwarze Wasserfarbe oder verdünnte Tusche, die Sie mit dem Pinsel auftragen, erschaffen ungewöhnliche Schattierungen.

HB, mit scharfer Spitze

HB, mit abgerundeter Spitze

HB Ein Bleistift mit der Härte HB erlaubt feine Linien und lässt sich gut kontrollieren. Wenn Sie die Spitze abrunden, können Sie etwas dickere Linien zeichnen und kleine Bereiche schraffieren.

4B, mit flacher Spitze

breite Mine

Flach Für breite Striche ist nichts besser als ein Zimmermannsbleistift. Wenn Sie die meißelförmige Spitze umdrehen, können Sie aber auch sehr dünne, scharfe Linien ziehen.

Radiergummis
Einen knetbaren Radiergummi brauchen Sie in jedem Fall. Er lässt sich zu kleinen Stücken und Kügelchen formen, und Sie können mit ihm auf kleinster Fläche arbeiten; Kunststoffradiergummis sind besser für größere Flächen geeignet. Wichtig: Nie zu stark rubbeln, sonst beschädigen Sie das Papier.

Papierwischer Mit der Spitze dieser Papierstifte können Sie die kleinen Bereiche verwischen, für die Finger und Tücher zu dick und zu grob sind. Mit der Seite eines Papierwischers können Sie größere Flächen schnell und einfach verwischen. Wenn das Papier verschlissen ist, trennen Sie einfach einen entsprechenden Streifen ab.

Künstlermesser Diese kleinen Präzisionscutter sind unschlagbar, wenn es um das Schneiden von Papier oder Zeichenkarton geht. Man kann mit ihnen auch Bleistifte spitzen (▸ Kasten Seite 8). Die Messerblätter gibt es in unterschiedlichen Stärken. Seien Sie vorsichtig im Umgang: Die Messer sind scharf wie ein Skalpell.

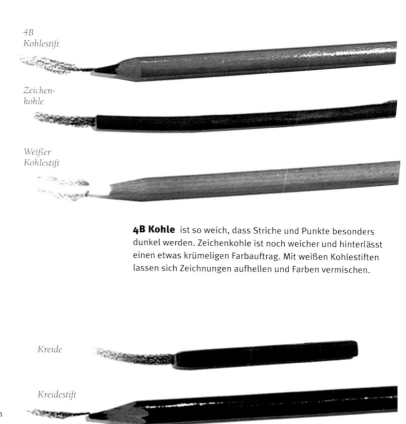

4B Kohlestift

Zeichenkohle

Weißer Kohlestift

4B Kohle ist so weich, dass Striche und Punkte besonders dunkel werden. Zeichenkohle ist noch weicher und hinterlässt einen etwas krümeligen Farbauftrag. Mit weißen Kohlestiften lassen sich Zeichnungen aufhellen und Farben vermischen.

Kreide

Kreidestift

Kreide und Kreidestift Kreide wird aus sehr feinem Kaolin hergestellt. Früher gab es nur wenige Farben wie Schwarz, Weiß oder Rot – heute sind viele Pastelltöne zu haben. Kreide ist wasserlöslich und lässt sich mit einem feuchten Schwämmchen oder Tuch verwischen.

BLEISTIFTE SPITZEN

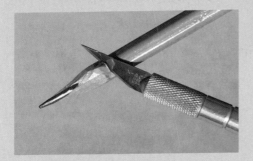

Künstlermesser sind bestens geeignet, um Stifte anders als mit dem Spitzer zu formen und ihnen eine meißelförmige, stumpfe oder flache Spitze zu geben. Sie halten das Messer schräg zum Stift und schnitzen vom Körper weg. Immer nur wenig von der Mine und vom Holz abschneiden.

Sandpapier formt eine Bleistiftmine ganz schnell in jede gewünschte Form. Es nimmt auch etwas vom Holzmantel mit. Je feiner die Körnung, desto besser können Sie das Ergebnis kontrollieren. Sie müssen den Bleistift beim Schärfen in der Hand rollen, damit die Mine gleichmäßig wird.

Raues Papier ist sehr gut geeignet, um eine Mine, die Sie mit Sandpapier gespitzt haben, ganz fein abzureiben. So erhalten Sie einen ganz spitzen Bleistift für winzig kleine, feine Details. Auch hierbei müssen Sie den Bleistift die ganze Zeit drehen.

Eine Zeichnung fixieren Fixiersprays machen eine Zeichnung haltbarer. Obwohl einige Künstler kein Spray benützen, weil es dunkle Grautöne fast schwarz macht und leichtere Grauschraffuren verschwinden lässt, gibt es nichts Besseres, um Kohlezeichnungen haltbar zu machen.

ZEICHENBRETT

Wer keinen Zeichentisch hat, macht sich ein Zeichenbrett. Das muss überhaupt nicht teuer sein und leistet hervorragende Dienste. Schneiden Sie einen Griff an einer Seite hinein, dann können Sie es auch ganz bequem mitnehmen, wenn Sie im Freien arbeiten.

STARTSET FÜR ANFÄNGER

Wenn Sie mit dem Zeichnen beginnen, brauchen Sie nur wenig Material. Mit dieser Liste können Sie einkaufen gehen und Ihre Vorräte ergänzen.

- Harter Bleistift (H)
- Bleistift in Härte HB
- Zeichenblock und/oder Skizzenpapier
- Künstlermesser
- Spitzer
- Knetradiergummi
- Zeichenbrett

DEN STIFT HALTEN

Locker Aus der Hand und mit locker gehaltenem Stift zeichnen Sie kräftige Linien von verschiedener Stärke – je nachdem, wie stark Sie aufdrücken. Obwohl *Sie* so präzisere und detailliertere Striche zeichnen können, wirken diese immer noch relativ locker und frei. Diese Technik ist geeignet, um schnelle Scribbles vor Ort anzufertigen oder um kleinere Flächen zu schraffieren.

Aus dem Handgelenk Wenn Sie aus dem Handgelenk arbeiten, können sich Ihr Arm und Ihre Hand frei bewegen. Das ist notwendig für große, lockere Striche. Sie brauchen das vor allem, wenn Sie Tiere nach der Natur zeichnen. Aus dem Handgelenk können Sie auch wunderbar flache Striche ziehen, mit denen Sie größere Flächen wie Fell oder Haut schraffieren können. Auch für den Hintergrund ist diese Technik geeignet.

Im Schreibstil Den Bleistift so zu halten wie beim Schreiben ermöglicht die beste Kontrolle. Sie gestalten damit feine, präzise Linien für Details und Akzente. Legen Sie ein Stück sauberes Papier unter den Handballen, damit Sie Ihre Zeichnung nicht selbst verschmieren. Spitzen Sie den Stift oft, damit die Linien klar und scharf bleiben.

BASISTECHNIK: STIFTE RICHTIG EINSETZEN

Bevor Sie jedoch mit einzelnen Motiven beginnen, sollten Sie nicht nur aus dem Handgelenk heraus zeichnen können – sondern die Kraft und Geschicklichkeit des ganzen Arms zum Zeichnen nutzen. Zeichnungen, die nur aus dem Handgelenk heraus erarbeitet wurden, wirken immer etwas steif und verkrampft. Üben Sie deshalb, Arm und Schulter zu gebrauchen, indem Sie zunächst möglichst weiche und freie Linien auf ein Stück Papier auftragen. Entspannen Sie sich dabei und halten Sie den Stift nur ganz leicht in der Hand. Sie müssen keine speziellen Formen oder Motive zustande bringen. Es reicht völlig, wenn Sie sich zunächst nur an das Gefühl, einen Stift zu halten und zu zeichnen, gewöhnen.

DEN STIFT RICHTIG EINSETZEN

Sobald Arm und Schulter aufgewärmt sind, können Sie einige der hier gezeigten Kreise, Linien, Punkte und Schraffuren versuchen. Über diese zunächst vielleicht sinnlos erscheinenden Übungen lernen Sie die zwei wichtigsten Grundlagen des anspruchsvollen Zeichnens: Kontrolle und Präzision. Probieren Sie auch aus, wie es sich auf die Zeichnung auswirkt, wie Sie den Stift halten. Je mehr Sie diese verschiedenen Dinge üben, umso sicherer und schneller wird Ihre Hand!

Kanten Beim Zeichnen sind es oft Kleinigkeiten, die Ihr Motiv noch lebendiger erscheinen lassen. So sind Bleistiftstriche, die kantig abgestuft werden, ideal, um Streifen in einem Fell abzubilden. Ein weiches Fell darf dagegen nicht in solchen scharfen Kanten enden. Es braucht lockere Kanten, sonst wirkt es steif und eckig. Wenn Sie Kanten und Enden mit einem Radiergummi auflockern, können Sie harte Unterschiede zwischen Grautönen oder Oberflächenstrukturen verwischen.

Radierte Kante

Lockeres Ende

Harte Kante

Locker und leicht Obwohl beim Zeichnen natürlich Präzision wichtig ist, braucht man sehr häufig auch freie Linien. Solche freien, ganz leicht wirkenden Linien sind zum Aufwärmen ebenso gut wie für ein schnelles Scribble.

Unterschiedliche Striche Die Länge, Dichte und Struktur von Fell gestalten Sie, indem Sie mit der jeweils passenden Strichtechnik arbeiten: kurze Borsten zeichnen Sie mit kleinen Punkten; für dickes, krauses Haar eignen sich gekritzelte Linien. Längere, geschwungene Linien sind gut, wenn das Haarkleid weich ist. Nehmen Sie den Stift und probieren Sie andere Linien und Striche aus, um zu sehen, welche Fellstrukturen, Schuppen, Federn usw. sich noch darstellen lassen.

Übung MIT STIFTEN EXPERIMENTIEREN

Wer gut zeichnen können will, muss sich an den Stift in seiner Hand gewöhnen und lernen, ihn zu führen und richtig einzusetzen. Machen Sie deshalb zu Beginn oft kleine Experimente: Probieren Sie unterschiedliche Stifte aus, und beobachten Sie, wie sich mit jedem die Striche ändern, die Sie zeichnen. Sie können fein detaillierte Zeichnungen am besten mit einem spitzen Stift anfertigen, den Sie wie beim Schreiben halten. Größere Flächen schraffieren sie dagegen am leichtesten mit der Seite eines Stifts, den Sie aus dem Handgelenk halten (▶ Seite 8). Seien Sie neugierig und probieren Sie alles aus: Unterhand-, Schreib- und Überhandpositionen – und seien sie auf die unterschiedlichen Ergebnisse gespannt!

Auch die Spitze des Stifts hat Einfluss aufs Ergebnis. Mit einem gut gespitzten Bleistift lassen sich Feinheiten festhalten; je härter der Stift ist, desto länger bleibt er spitz und zeichnet sauber. Mit einem stumpfem Stift oder einer meißelförmigen Spitze lassen sich größere Partien am leichtesten schraffieren. Wie Sie die unterschiedlichen Spitzen formen, ist ebenfalls auf Seite 8 erklärt.

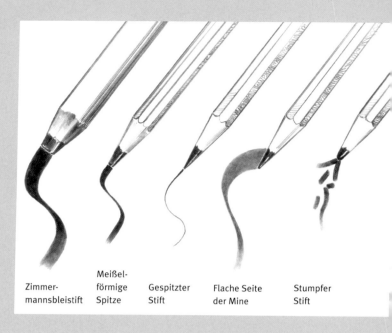

Zimmer- | Meißel- | Gespitzter | Flache Seite | Stumpfer
mannsbleistift | förmige Spitze | Stift | der Mine | Stift

GRUNDTECHNIKEN

Wenn Sie die Basistechniken wieder und wieder üben, wird das Arbeiten mit den Stiften mehr und mehr etwas ganz Normales für Sie und Sie können ohne lange zu überlegen, ganz unterschiedliche Effekte erzielen. Mit Bleistiften können Sie das flauschige Fell eines Angorakaninchens ebenso darstellen wie die schimmernde Außenhaut einer Rakete. Sehen Sie sich also am besten die Grundtechniken auf dieser Seite immer wieder einmal an. Üben Sie mit unterschiedlichen Stiften – und Sie werden auch lernen, wie Sie den Stift so einsetzen, dass alles, was Sie zeichnen, dreidimensional wirkt.

Schraffieren

Die wichtigste Grundtechnik ist die klassische Schraffur (▶ Seite X). Sie arbeiten dabei mit parallelen Strichen.

Kreuzschraffuren

Dichter werden Schraffuren, wenn Sie über die erste Lage eine zweite in entgegengesetzter Richtung zeichnen.

Dunkle Schraffuren

Je fester Sie beim Schraffieren aufdrücken, desto dunkler wird die Fläche, die Sie zeichnen.

Verreiben

Um dunkle Schraffuren abzusoften, reiben Sie mit einem Papierwischer darüber.

Struktur

Struktur lässt sich am besten mit der Seite der Mine zeichnen und mit kurzen unregelmäßigen Strichen.

Abstufungen

Abstufungen in den Grautönen schaffen Sie, indem Sie unterschiedliche Bereiche mit unterschiedlich starkem Druck zeichnen.

Schraffieren

Durch das Üben der wichtigsten Grundtechniken werden Sie im Umgang mit dem Stift zunehmend sicherer und können immer besser die Effekte erzielen, die Sie zeigen wollen. Mit Bleistift können Sie alles zeichnen von der dünnen trockenen Haut einer Schlange bis zum weichen Fell eines Kaninchens, von der rissigen Borke eines alten Baums bis zu glattem Metall. Dafür jedoch müssen Sie gut schraffieren können. Unter Schraffuren versteht der Zeichner das Erschaffen eines Geflechts aus einzelnen Linien. Je nachdem wie diese Geflechte beschaffen sind, wirken sie hell oder dunkel, flach oder dreidimensional.

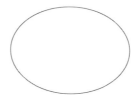

Umriss

Körper

Körper schraffieren Das Geheimnis der wahren Verwandlung eines Umrisses in einen Körper ist das richtige Schraffieren. Mit wenig Druck schaffen Sie hellere Stellen, mit mehr Druck werden die Stellen dunkler. Überlegen Sie beim Schraffieren vor allem, woher das Licht kommt. Bei runden oder ovalen Formen denken Sie bitte an den Schlagschatten, also den Schatten, den Ihr Objekt wirft. Direkt über der dunkelsten Stelle des Schlagschattens ist das Objekt sehr hell - wie hier das Ei.

Grautöne bestimmen
Auf dieser Skala sehen Sie alle Grauwerte auf einen Blick – von Schwarz, dem dunkelsten Ton, über die verschiedenen Grautöne bis hin zu Weiß, dem hellsten Wert.

Schraffieren mit Köpfchen

Selbst so detaillierte und schwierig aussehende Motive wie dieses Blatt lassen sich mit etwas Planung und Übung in mehreren Schritten gut gestalten.

Als Erstes nehmen Sie einen Bleistift in Härte HB und halten wie in Schritt A den Umriss und die Hauptadern des Blattes möglichst genau fest. Dann zeichnen Sie wie in Schritt B die kleineren Adern ein. Mit der Bleistiftseite beginnen Sie die ersten leichten Schraffuren wie in Schritt C. Wenn Sie einige Stellen weiß lassen oder nach dem Schraffieren mit dem Radiergummi wieder *herausradieren*, können Sie die Struktur des Blattes am besten darstellen. So dunkel und ausdrucksstark wie in Schritt D sieht das Blatt zum Schluss aus, wenn Sie es mit der Spitze eines Bleistifts in Härte 2B fertig zeichnen.

Letzte Vorbereitungen

Ehe Sie nun beginnen, sollten Sie alles, was Sie zum Zeichnen brauchen, bereit legen. Wichtig ist auch ein ergonomisch günstiger Stuhl, da Sie oft viele Stunden lang sitzen werden.

Noch ein Tipp: Wenn Sie Ihr Blatt auf dem Zeichenbrett oder auf dem Schreibtisch festmachen, kann es nicht verrutschen. Ein kleiner Rand, den Sie mithilfe des Lineals rund ums Papier ziehen, hilft Ihnen bei der Einteilung des Motivs auf dem Papier – das ist besonders dann günstig, wenn Sie die Zeichnung später rahmen möchten.

SEHEN LERNEN

Versuchen Sie einmal etwas, das Sie wirklich gut kennen, wie Ihre eigene Hand, zu zeichnen, ohne sie dabei zu betrachten. Wenn die fertige Hand nicht so wirklichkeitsnah aussieht, wie Sie dachten, liegt das an einem typischen Anfängerfehler: Sie haben nicht das zu Papier gebracht, was Sie tatsächlich sehen, sondern das, was Sie zu sehen und zu kennen glauben. Es gibt zwei sehr gute Techniken, um zu lernen, wie man nur das zeichnet, was man tatsächlich vor sich sieht oder auf einem Foto erkennen kann.

UMRISSE ZEICHNEN
Zeichnen Sie von einem bestimmten Punkt ausgehend die Umrisse eines ausgewählten Motivs auf – ohne aufs Papier zu sehen! Mit dieser Technik üben Sie, dass Ihre Hand das zeichnet, was Ihr Auge sieht. Sie werden vermutlich erstaunt sein, wie gut Sie die Umrisse treffen.

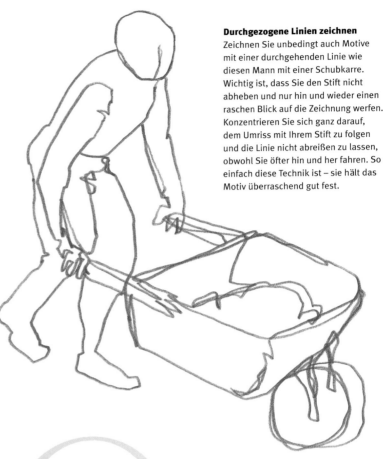

Durchgezogene Linien zeichnen
Zeichnen Sie unbedingt auch Motive mit einer durchgehenden Linie wie diesen Mann mit einer Schubkarre. Wichtig ist, dass Sie den Stift nicht abheben und nur hin und wieder einen raschen Blick auf die Zeichnung werfen. Konzentrieren Sie sich ganz darauf, dem Umriss mit Ihrem Stift zu folgen und die Linie nicht abreißen zu lassen, obwohl Sie öfter hin und her fahren. So einfach diese Technik ist – sie hält das Motiv überraschend gut fest.

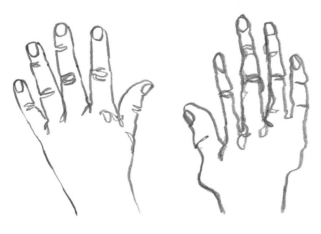

Blind zeichnen Im Beispiel oben sehen Sie, wie jemand die Konturen seiner Hand zeichnet, der gelegentlich auf die Hand und aufs Papier sieht. Rechts daneben ist eine Hand, die derselbe Zeichner „blind" abgebildet hat – ohne dabei auch nur einmal aufs Papier zu schauen. Auch wenn Ihre Hand bei Ihnen noch mehr verzerrt sein sollte – üben Sie solche „blinden" Konturen so oft es geht.

Ihre Beobachtungsgabe können Sie ganz einfach testen: Betrachten Sie einmal einige Minuten lang einen beliebigen Gegenstand. Zeichnen Sie ihn dann nur aus der Erinnerung heraus, indem Sie Ihre Hand dem inneren Bild folgen lassen.

Kinder zeichnen
Mit einem trainierten Auge und einer trainierten Hand ist es ganz leicht, selbst solche rasch aufeinander folgenden Momentaufnahmen festzuhalten wie hier das Kind, das sich zuerst über die Tasche beugt und dann hineingreift.

BEWEGUNGEN ZEICHNEN

Um beim schnellen Zeichnen sicherer zu werden, können Sie Auge und Hand auch durch das Darstellen von Bewegungen trainieren. Dabei gehen Sie nicht vom Umriss einer Figur aus, sondern Sie müssen zunächst die Hauptrichtung der Bewegung bestimmen, die Aktionslinie (► Seite 175). Dazu zeichnen Sie die Linie, die bei der jeweiligen Körperhaltung vom Kopf, über die Wirbelsäule bis zu den Beinen verläuft. Auf dieser Basis bringen Sie anschließend die groben Umrisse der Figur zu Papier. Diese schnellen Skizzen sind ein perfektes Arbeitsmittel, um das Zeichnen von raschen Bewegungen zu lernen und um Ihre Beobachtungsgabe zu schulen.

Die Aktionslinie Sobald Sie die Aktionslinie definiert haben, zeichnen Sie schnell eine Art Strichmännchen auf dieser Basis. Wichtig sind dabei die genau Haltung der Schultern, der Wirbelsäule und des Beckens zueinander. Dann setzen Sie Arme, Knie und Füße ein und die grobe Anmutung des Körpers.

Schnell arbeiten Um eine Bewegung wirklichkeitsgetreu einzufangen, müssen Sie sehr schnell arbeiten – ohne auf Details zu achten. Wenn Sie eine Linie korrigieren wollen, halten Sie sich nicht mit Radieren auf – zeichnen Sie einfach drüber.

Bewegungen erkennen Alle Mannschaftssportarten sind ideal, um das schnelle Zeichnen von Bewegungen zu lernen. Die Sportler führen dieselbe Bewegung immer wieder einmal aus, und so haben Sie die Chance, sich diese Körperhaltung einzuprägen und schließlich richtig zu zeichnen.

Eine Gruppe zeichnen Sobald Sie mehrere Bewegungen naturgetreu darstellen können, ist es leicht, ein packendes Bild voller Action zu zeichnen.

Skizzieren

Skizzen sind die beste Methode, um sich einen schnellen Eindruck vom Motiv zu machen oder um es überhaupt erst einmal auf Papier festzuhalten. Mit dem richtigen Härtegrad des Bleistifts und der gewählten Technik können Sie in Minutenschnelle die unterschiedlichsten Formen, Oberflächen, Stimmungen und Bewegungen einfangen. Mit schnellen, kräftigen Strichen erhält die Skizze Kraft und Dynamik. Mit leichten, kurzen Strichen wirkt ein Motiv zarter – lange, schwungvolle Linien drücken Bewegung aus. Viele Künstler zeichnen mehrere Skizzen eines Motivs, ehe sie es sorgfältig ausarbeiten. Doch Skizzen sind vor allem eine wunderbare Methode, um Zeichnen zu üben. Sie werden sehen, dass Ihre Hand von Skizze zu Skizze immer sicherer wird.

Eindrücke festhalten
Diese vier Seiten geben einen guten Eindruck von einem Skizzenbuch wieder. Außer den vielen interessanten Dingen, die Sie sehen, halten Sie in Ihrem Büchlein auch Informationen fest wie die verwendete Methode, Licht und Schatten, Stimmungen, Tageszeit usw. Notieren Sie alles, was Ihnen später beim Ausarbeiten des Motivs helfen kann. Nehmen Sie doch einfach immer Ihr Skizzenbuch und einen Stift mit.

Kreise zeichnen Mit lockeren Kreisen können Sie einfache Gegenstände ganz schnell zeichnen oder ein Stillleben entwerfen. Sie brauchen nur die Grundformen der Gegenstände zu zeichnen und die Schatten anzudeuten. Achten Sie in diesem Stadium nicht auf die Details. Sehen Sie, wie leicht und luftig dieses Still wirkt – verglichen mit der Darstellung im Skizzenbuch rechts daneben?

Gekritzelt Freie, rasch hingekritzelte Linien sind ideal, um Wolken, Baumwipfel oder Steine zu skizzieren. Für Wolken nehmen Sie am besten einen weichen Bleistift der Härte B mit einer gerundeten Spitze. Deuten Sie dunklere Stellen nur an – dabei den Stift kaum vom Papier heben. Sehen Sie, wie mit dieser Technik solche Sommerwölkchen mit weichem, luftigem Charakter entstehen?

Wilde, starke Striche Mit dieser Technik lassen sich raue Oberflächen oder tiefe Schatten bestens darstellen. Sie ist besonders gut geeignet für Laub, Haar und Baumrinde. Für den Busch rechts nehmen Sie einen Bleistift der Härte 2B, verändern den Druck und den Winkel, mit dem Sie zeichnen. So entstehen wie von selbst helle und dunkle Bereiche und unterschiedliche Strichstärken.

Motive vorskizzieren Dieses Beispiel zeigt sehr gut, wie aus der Rohskizze links eine fein ausgearbeitete Narzisse wird. Sie brauchen zunächst nur den Grundriss und den Eindruck der Gestalt eines Motivs mit wenigen Strichen festzuhalten. Auf dieser Basis arbeiten Sie dann das Motiv weiter aus.

Bewegung vortäuschen Wenn Sie Bewegungen zeichnen wollen, müssen Sie das menschliche Auge täuschen und so tun, als würde sich das Objekt nach oben, unten oder zur Seite bewegen. Im Beispiel oben weisen die Pfeile in die Richtung der Bewegung. Mit Ihrem Bleistift aber machen Sie Striche genau in die entgegengesetzte Richtung! Drücken Sie bei jedem Strich zuerst fest auf, geben Sie dann weniger Druck und heben Sie am Ende des Strichs den Stift vom Papier ab.

Wellen Wellen skizzieren Sie mit schnellen, weichen Strichen, die den Bogen des Wassers beschreiben. Die Gischt der sich brechenden Woge stellen Sie in gekritzelten Bögen dar. Wie im Beispiel links wählen Sie auch hier Striche, die in die entgegengesetzte Richtung der Fließbewegung des Wassers weisen. Mit einigen wenigen wandernden Strichen zeigen Sie im Vordergrund das Wasser, das zurückfließt.

Übung DER TRICK MIT DEN ZWISCHENRÄUMEN

Manchmal ist es einfacher, das Objekt selbst nicht zu zeichnen, sondern das, was darum herum ist. Man nennt die Stellen zwischen Objekten auf einem Bild Zwischenräume. Wenn etwas, das Sie zeichnen wollen, sehr komplex und schwierig ist oder wenn Sie das Objekt nicht wirklich „sehen", dann konzentrieren Sie sich auf die Zwischenräume. Zuerst macht es eventuell etwas Mühe, doch wenn Sie die Augen zusammenkneifen, können Sie die ganzen Details ausschalten und das Motiv und seine Zwischenräume besser erkennen. Wenn Sie diese Stellen schraffieren, erhalten Sie automatisch die Umrisse des Objektes. Versuchen Sie das einmal mit unterschiedlichen Gegenständen aus Ihrem Haushalt oder gehen Sie hinaus und suchen Sie eine Gruppe von Gebäuden oder einen Zaun. Probieren Sie die Technik aus und erleben Sie, dass Gegenstände wie von Zauberhand „auftauchen".

Zwischenräume Füllen Sie den Raum zwischen den Latten mit der Breitseite der Bleistiftmine. Sobald der Zaun Gestalt angenommen hat, setzten Sie noch einige Schraffuren auf den oberen Holm. So wird das Spiel von Licht und Schatten noch intensiver.

Silhouette Diese kleine Baumgruppe ist etwas schwieriger zu zeichnen als der Zaun links. Doch sobald Sie die Stämme skizziert haben, wird die Aufgabe leichter. Die Schatten zwischen den Stämmen sind von unterschiedlicher Dichte und machen das Bild besonders interessant.

GRUNDFORMEN

Wer gelernt hat, ein Motiv in einfachste Grundformen zu zerlegen, kann eigentlich alles zeichnen. Es gibt kein Motiv, das sich nicht in Kreise, Rechtecke, Quadrate und Dreiecke zerlegen lässt. Wenn man eine Linie um das Motiv herum zeichnet, erhält man seinen Umriss. Um aber die Räumlichkeit (also die 3. Dimension) wiederzugeben, muss man die geometrischen Körper herausarbeiten: Erst wer aus einem Kreis eine Kugel zeichnen kann, aus einem Rechteck einen Quader oder Zylinder, aus einem Quadrat einen Würfel oder aus einem Dreieck einen Kegel, kann Gegenstände formen oder Lebewesen wirklich zum „Leben erwecken". Deshalb ist es der erste Schritt, diese Formen zu erkennen und zu zeichnen. So beginnt die Zeichnung eines Balls oder einer Grapefruit mit einer Kugel. Ein Fass oder ein Baumstumpf sind im Grunde Zylinder, so wie in einer Schachtel oder in einem Haus simple Quader „versteckt" sind. Bäume oder Trichter beruhen auf Dreiecken. Haben Sie diese Grundformen erkannt und gezeichnet, besteht der Rest der Arbeit nur noch aus den Details.

Körper So werden Umfang und Form gezeichnet: Die Ellipsen zeigen die Vor- und Rückseiten von Kugel, Zylinder und Kegel. Der Würfel entsteht durch die Verbindung von zwei Quadraten mit Seitenlinien.

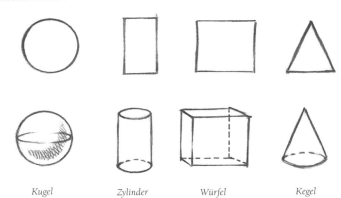

Kugel Zylinder Würfel Kegel

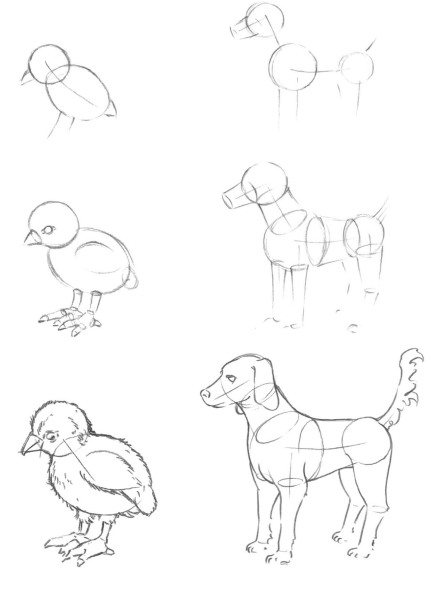

Grundform So einfach fängt man Zeichnungen an. Sie zeichnen zuerst eine Art „Lebenslinie". Dann zeichnen Sie wie beim Küken oder beim Hund – mit einfachen Kreisen, Dreiecken, Ovalen den Grundriss sowie die Striche, die diese Formen verbinden.

Körper Sobald die Umrisse stehen, zeichnen Sie Kugeln, Kegel usw. daraus – und schon entstehen Tiefe und Dimension.

Durchzeichnen Wenn Sie die Formen miteinander verbinden und die Hilfslinien einzeichnen, die später überzeichnet oder radiert werden, entsteht das Motiv in seiner ganzen Körperlichkeit. Beim Küken brauchen Sie nur ein paar Striche für die Daunen, der Hund erhält eine Andeutung von Fell.

FORMEN UND GESTALT ERKENNEN

Sie üben das Zeichnen räumlicher Gegenstände am besten, indem Sie möglichst viele Gegenstände um sich herum genau betrachten, die Grundformen darin suchen und dann zeichnen. Sie können aber auch so einfache Stillleben arrangieren wie das unten stehende oder nach Fotos und Gemälden arbeiten. Trauen Sie sich ruhig auch an komplizierte Aufgaben heran – auch die schwierigsten Motive bestehen aus einfachen Grundformen!

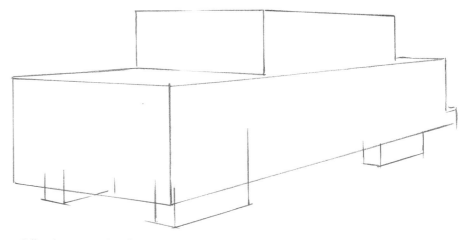

1 Fangen Sie mit dem Krug an (ein Viereck und eine Mittellinie) und einem Viereck fürs Buch. Dann ergänzen Sie beim Krug die Ellipsen und beim Buch die Seiten. Vom Apfel ist der ganze Kreis gezeichnet – nicht nur das Stück, das man sieht.

1 Selbst ein so anspruchsvolles Motiv wie dieser Oldtimer ist ganz einfach zu zeichnen. Lassen Sie zunächst alle Details beiseite und zeichnen Sie nur die wichtigsten Rechtecke. Dies sind natürlich nur Hilfslinien, die ausradiert werden, sobald die Zeichnung fertig ist. Also drücken Sie nicht zu fest auf – Sie müssen in diesem Stadium nichts Perfektes zeichnen.

2 Am Krug zeichnen Sie jetzt eine Ellipse für den Bauch, ein Dreieck für den Hals und einen kleinen Zylinder für die Öffnung. Dem Buch geben Sie mit ein paar Strichen die ersten Seiten und trennen Deckel und Buchblock.

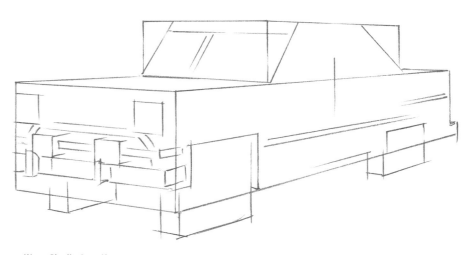

2 Wenn Sie die Grundform einmal haben, geht es mit kleineren Rechtecken weiter: So entstehen Scheinwerfer, Stoßstange und Kühlergrill. Die Windschutzscheibe zeichnen Sie mithilfe von Winkeln und markieren dann mit ein paar Strichen die Position der Türgriffe und der Chromleisten.

3 Nun können Sie schon die Umrisse des Krugs und des Apfels feiner ausarbeiten. Beim Buch runden Sie den Buchblock ab und zeichnen die Bindung. Nun radieren Sie nur noch die Hilfslinien weg, und schon ist die Zeichnung fertig.

3 Jetzt haben Sie das Wichtigste richtig zu Papier gebracht. Sie können die eckigen Grundformen auflösen und die Details nach und nach einzeichnen. Die Hilfslinien bleiben noch dort, wo sie sind, und werden erst entfernt, wenn Sie mit der Zeichnung fertig sind.

KÖRPER SCHRAFFIEREN

Zeichnen hat viel mit richtigem Sehen zu tun. Wenn Sie einen Gegenstand oder ein Lebewesen richtig sehen, haben Sie schon das Wichtigste überhaupt – der Rest ist Technik und Übung. Üben Sie daher so oft wie möglich das Zeichnen der Grundformen und der Körper – auch mit einfachen Schraffuren. Am besten holen Sie einige Gegenstände aus Ihrer Wohnung zusammen oder Sie zeichnen Formen von dieser Seite. Wenn Ihnen das noch zu schwer ist, dann legen Sie Pauspapier über die hier abgebildeten Formen und zeichnen sie durch. Das ist kein Betrug – das ist der Anfang.

LOCKER BEGINNEN

Am besten halten Sie den Bleistift aus dem Handgelenk (▶ Seite 8). Dann zeichnen Sie eine Reihe lockerer Kreise und arbeiten dabei nicht nur aus dem Handgelenk, sondern mit dem ganzen Arm. Wichtig bei diesen Übungen ist es, wirklich mit dem ganzen Arm aus der Schulter heraus zu zeichnen. Halten Sie auch den Bleistift nicht krampfhaft fest, sonst ermüdet die Hand schnell. Und nun fangen Sie einfach an. Nichts muss perfekt werden – Sie können alle Gegenstände später immer noch feiner ausarbeiten.

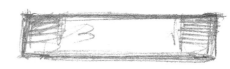

Skizzieren Skizzieren Sie die Objekte nur ganz locker aufs Papier. Deuten Sie dabei die dunklen Stellen ganz leicht an. Zeichnen Sie auch die Schatten und denken Sie daran, hier die dunkelsten Bereiche zu schaffen. Probieren Sie auch Bleistifte mit verschiedenen Härtegraden aus und experimentieren Sie mit unterschiedlich starkem Druck, um ein Gefühl dafür zu bekommen.

Übung SCHRAFFUREN AUFTRAGEN

Durch das Zeichnen unterschiedlicher Schraffuren verwandeln Künstler Linien und Striche auf dem Papier in räumliche Gegenstände. Unterschiedliche Grautöne entstehen durch das mehr oder weniger starke Verteilen heller und dunkler Stellen mit dem Bleistift. Mithilfe der Grautöne nehmen Gegenstände und Lebewesen mehr Form an als durch ihren Grundriss. Um dieses Ziel zu erreichen, kann man ganz unterschiedliche Techniken verwenden, wie die hier gezeigten.

Flache Schraffuren erhalten Sie, wenn Sie mit einem Stift in der Unterhand-Position größere Flächen gleichmäßig grau einfärben.

Abstufungen Mit dem Stift in der Unterhand-Position drücken Sie leicht (rechts) oder stärker (links) auf.

Verreiben Sehr feine Übergänge schaffen Sie, wenn Sie eine schraffierte Stelle mit dem Finger oder mit dem Papierwischer verreiben.

Radiergummi-Striche Um scharfe Kanten abzuschwächen oder um die Grautöne einer Linie zu durchbrechen, nehmen Sie den Radiergummi.

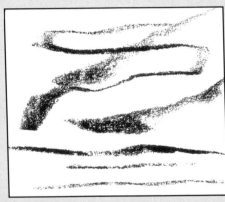

Starke Linien Dynamische, bewegte Linien zeichnen Sie aus der Mittelhand-Position; drehen, ziehen, kreisen Sie mit dem Stift und mit unterschiedlichem Druck.

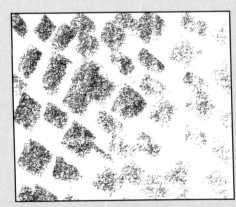

Flecken Einen Teppich oder eine Wand im Hintergrund schraffieren Sie mit solchen kleinen unregelmäßigen Flecken in unterschiedlicher Stärke.

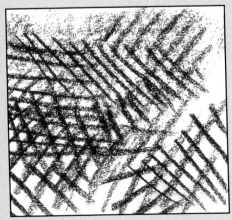

Kreuzschraffuren Sie verstärken Schatten oder verdeutlichen Formen mit Kreuzschraffuren. Je mehr Striche sich überlappen, desto dunkler wird der Bereich.

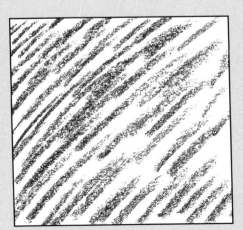

Klassische Schraffur Mit parallelen Strichen können Sie fast jede Form, Wölbung sowie Wuchs- oder Fließrichtung einer Oberfläche zeichnen. Durch unterschiedlich starken Druck erzielen Sie unterschiedliche Grautöne.

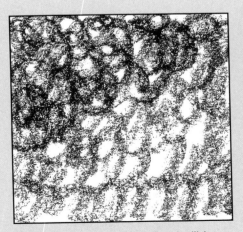

Gekritzel Lockere kleine Kreise oder Kritzellinien bringen Leben in jede Oberfläche. Wer solche Flächen gut zeichnen kann, wird immer interessante Oberflächen gestalten.

Obst

Z u den einfachsten Stillleben (Stills) gehören Darstellungen von einzelnen Gegenständen. Sehr beliebt sind jedoch auch Früchte und Obst – alleine oder vor einem (natürlichen) Hintergrund.

Birne

Betrachten Sie Ihr Motiv so lange, bis Sie die einfachsten Grundformen gefunden haben, die Sie aufzeichnen. Dann erst folgen die Details. Die Birne unten ist aus einem kleinen und einem großen Kreis entstanden, die miteinander verbunden wurden. Danach setzen Sie passende Schraffuren, mit denen Sie die runden Formen der Birne wiedergeben.

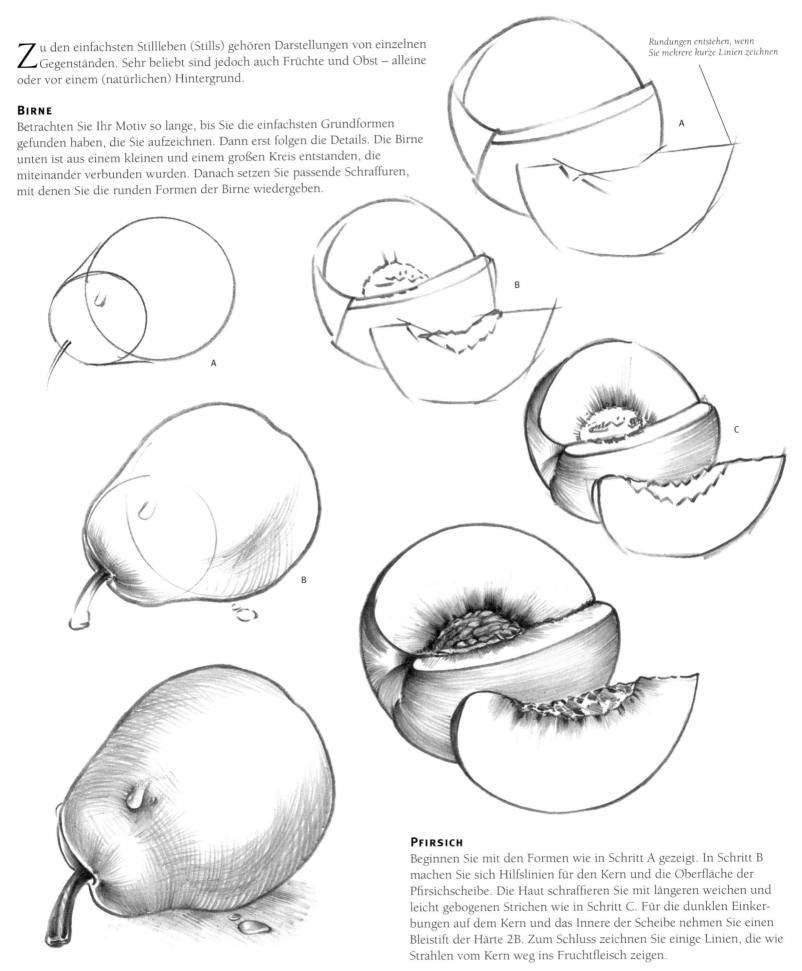

Rundungen entstehen, wenn Sie mehrere kurze Linien zeichnen

Pfirsich

Beginnen Sie mit den Formen wie in Schritt A gezeigt. In Schritt B machen Sie sich Hilfslinien für den Kern und die Oberfläche der Pfirsichscheibe. Die Haut schraffieren Sie mit längeren weichen und leicht gebogenen Strichen wie in Schritt C. Für die dunklen Einkerbungen auf dem Kern und das Innere der Scheibe nehmen Sie einen Bleistift der Härte 2B. Zum Schluss zeichnen Sie einige Linien, die wie Strahlen vom Kern weg ins Fruchtfleisch zeigen.

NÜSSE

Nehmen Sie einen Zirkel, machen Sie mehrere Kreise und zwei sich schneidende Geraden wie in Schritt A und B. Zeichnen Sie wie in Schritt C einige Hilfslinien für die Schale.

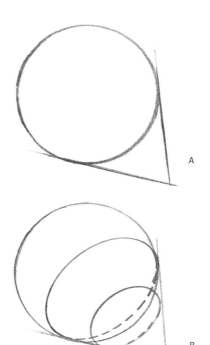

Arbeiten Sie die schimmernde Schale der Nüsse mit weichen, gleichmäßigen gebogenen Strichen in Längsrichtung heraus. Zum Schluss setzen Sie einige kleine Punkte. Nicht den Schatten rechts vergessen, der die dunkelste Stelle der Zeichnung ist. Schatten wie dieser verleihen jedem Motiv räumliche Tiefe.

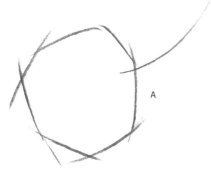

KIRSCHE

So eine Kirsche beginnen Sie mit kleinen Strichen für die runde Grundform und den Stiel wie in Schritt A.

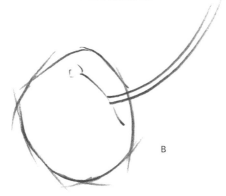

In Schritt B verfeinern Sie die Linien zu einer annähernd runden Form und zeichnen den Stielansatz ein. Dann folgen die ersten Schraffuren wie in Schritt C.

Die kleinen Pfeile zeigen Ihnen, wie die Schraffuren angeordnet sein müssen. Weiße Stellen bleiben für die Wassertropfen.

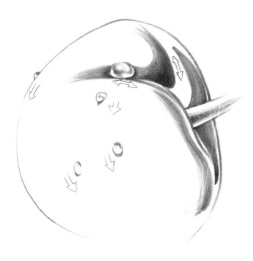

Die Tropfen neben der Kirsche zeichnen Sie zunächst als Fünfecke aus Strichen, dann folgt die Form, die Sie in hellen Grautönen ausmalen. Mit einem Radiergummi setzen Sie Lichtreflexe.

Sie schraffieren weiter, bis die Kirsche rund und weich aussieht. Mit einem Radierer nehmen Sie alle Striche und übermalten Stellen aus den Lichtreflexen.
Zum Schluss zeichnen Sie die dunkelsten Stellen ein. Achten Sie darauf, die Strichrichtung so zu variieren, dass die Kirsch kugelrund erscheint.

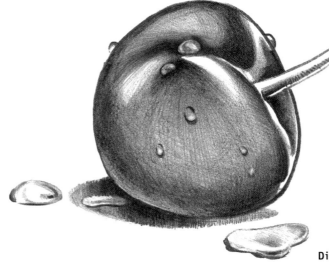

ERDBEEREN

Für diese Bilder verwenden Sie am besten dicken Zeichenkarton und einen Bleistift in Härte HB. Wie in den Schritten A und B rechts zeichnen Sie zunächst den Umriss mit wenigen leichten Strichen vor. Setzen Sie dann erste wenige, großzügige Schraffuren in die Mitte und an die untere Seite der Beere wie in Schritt C. Im nächsten Schritt (D) verteilen Sie ein Muster von kleinen Samenkörnchen über die ganze Erdbeere. Anschließend beenden Sie die Schraffuren rund um die Körnchen.

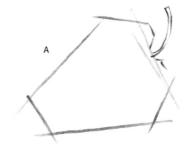

A

C

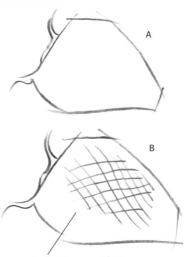

A

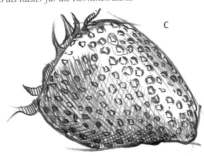

B

Sie können auch ein Gitter vorzeichnen, das als Raster für die Körnchen dient.

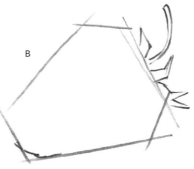

B

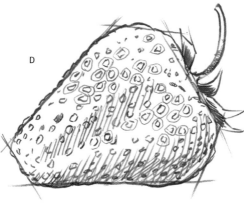

D

Das Gitter ist eine große Hilfe, denn es wölbt sich über die Frucht und bringt nicht nur die Körnchen an den richtigen Platz – es hilft auch, die räumliche Perspektive jedes Details richtig zu zeichnen.

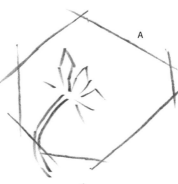

C

Beim letzten Schraffieren sollten Sie gut darauf achten, sauber um die Körnchen herum zu arbeiten und dabei Licht und Schatten in kleinen Kreisen zu verteilen. Denken Sie auch daran, dass jede Erdbeere in sich noch einmal Lichtreflexe und Schatten hat, in denen sich die natürliche unregelmäßige Form der Beere zeigt.

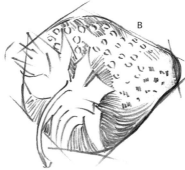

A

B

Diese kleinen Kreise um die Samenkörnchen helfen Ihnen, die dunklen Partien rund um jedes Körnchen zu formen.

Ananas

Auch eine Ananas hat eine sehr interessante Oberfläche, denn sie ist, wie die Erdbeere, in Wirklichkeit ein „Fruchtverband", der aus vielen einzelnen Früchten besteht. Für dieses Motiv nehmen Sie Zeichenkarton, einen Bleistift in Härte HB sowie einen Stift Härte 2B für die dunklen Partien.

Sie können mit jedem Stück Obst oder Gemüse üben, wie man die völlig unterschiedliche Form, Größe und Oberflächenbeschaffenheit unserer Lebensmittel am besten darstellen kann. Auch hier macht die Übung den Meister.

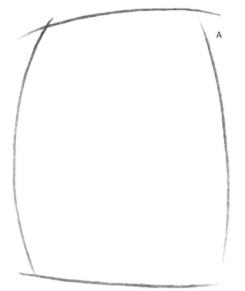

Der Schatten, den die Ananas wirft, muss dunkler und weicher aussehen als die Frucht. Die Saftspritzer vorne wirken appetitlich.

Die grobe Form der Ananas zeichnen Sie wie in Schritt A mit wenigen Strichen vor. Dann werden einige wenige Details des äußeren Randes und das Muster, das die einzelnen Früchte auf der Oberfläche bilden, festgelegt – wie in Schritt B und C. Mit einem frisch gespitzten Bleistift in Härte 2B schraffieren Sie anschließend jede Fruchtparzelle – nicht gleichmäßig, sondern in möglichst natürlichen Winkeln. Am Ende jeder Linie den Stift absetzen!

FORMEN ENTWICKELN

Die Farbtöne einer Zeichnung sagen uns oft mehr als die Umrisse. Bei einer Bleistiftzeichnung gehören alle Grautöne bis zum tiefsten Schwarz dazu. Sie alle tragen – ebenso wie die Lichtreflexe - dazu bei, dass aus einem Motiv ein dreidimensionaler Gegenstand wird. Achten Sie beim Zeichnen darauf, Licht und Schatten so zu gestalten, dass die abgebildeten Objekte räumlich anmuten.

Grundformen zeichnen
Beginnen Sie mit den Grundformen (▶ Seite 16) wie hier bei dem dreieckigen Stück Käse.

Formen ausarbeiten Hier kommt das Licht von links, also fällt der Schatten nach rechts. Beginnen Sie mit den mittleren Grautönen auf der Seite des Käsestücks und setzen Sie dann die ersten dunklen Stellen dort, wo die Löcher im Käse sind und das Licht nicht hinkommt.

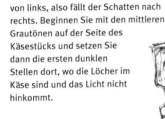

Schatten gestalten
Betrachten Sie jede Weinbeere als eine Kugel. Zeichnen Sie bei jeder den Bereich ein, der im Schatten liegt, dann den Schatten, den jede Beere auf die anderen wirft. Zum Schluss folgt der Schatten auf dem Untergrund.

SCHLAGSCHATTEN

Der Schatten (Schlagschatten), den ein Objekt wirft, verhindert, dass es in der Luft zu schweben scheint. Zudem macht er die Zeichnung interessanter und verbindet unterschiedliche Gegenstände miteinander. Studieren Sie die Beispiele unten und Sie erkennen, wie die Form eines Gegenstandes und die Lichtquelle die Form und die Beschaffenheit des Schattens beeinflussen: Je niedriger die Lichtquelle, desto länger der Schatten.

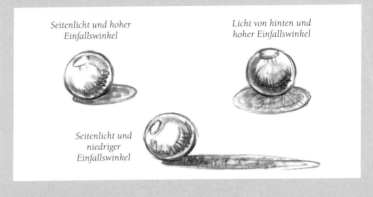

Seitenlicht und hoher Einfallswinkel

Licht von hinten und hoher Einfallswinkel

Seitenlicht und niedriger Einfallswinkel

ÜBER LICHT UND SCHATTEN

Nur wenn Sie wissen, wie Sie helle, mittlere und dunkle Grautöne beim Abbilden eines Objekts richtig einsetzen, kann Ihr Motiv eine überzeugende Räumlichkeit entwickeln. Das wichtigste ist dabei die Lichtquelle. Je nachdem, woher das Licht kommt, wie weit es entfernt und wie hell es ist, formt es unterschiedliche Schatten auf dem Objekt sowie den Schatten (Schlagschatten -> Kasten oben). Am besten üben Sie das Zeichnen von Schatten, wenn Sie verschiedene runde und eckige Objekte direkt unter eine helle Lampe legen, so dass alle Schatten gut zu erkennen sind.

Lichtreflexe setzen
Die glänzenden hellen Stellen, an denen sich das Licht auf einem Stück Obst fängt, lassen Sie entweder gleich weiß – oder Sie radieren den Lichtreflex später heraus. Sie können auch etwas Deckweiß nehmen.

Gekonnt Schraffieren
Die mittleren Grautöne dieser Träubchen schraffieren Sie zunächst mit der Seite eines weichen Bleistifts und schnellen weichen Strichen. Geben Sie dann mehr Druck für die dunkleren Stellen und lassen Sie den Rest weiß.

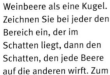

Fotovorlage
Viele Zeichner machen zunächst ein Foto von ihrem Arrangement, ehe sie dann auf der Basis des Fotos das Still zeichnen. Natürlich müssen Sie das Foto aber nicht haarklein nachzeichnen: Sie können es beliebig interpretieren.

ARBEITEN MIT DEM STIFT

Auch wenn viele Künstler zum Vorzeichnen nur einen Stift nehmen, werden die wenigsten ein ganzes Bild mit nur einem Stift fertigstellen. Fast jeder wechselt von H zu HB oder zu H, um die verschiedenen Partien eines Bildes angemessen darzustellen. Wenn Sie gerne mit nur einem Stift arbeiten, dann können Sie durch den unterschiedlichen Druck, den Sie ausüben, die Grautöne variieren – auch das Zeichnen verschiedener grauer Ebenen übereinander verändert den Ton. Meist werden Sie beim Schraffieren den Stift aus dem Handgelenk halten (▶ Seite 8), doch feine Details lassen sich am besten mit der Spitze des Stifts und in der Schreibposition platzieren.

Glaubwürdigkeit Ganz wichtig ist es, beim Schraffieren immer daran zu denken, aus welcher Richtung das Licht kommt. Nur wenn z. B. bei nur einer Lichtquelle alle Schatten in dieselbe Richtung fallen und alle Lichtreflexe auf einer Seite sitzen, wirkt das Bild glaubwürdig.

Überlegen Sie Tasten Sie sich vor: Mit kleinen, schnellen Skizzen können Sie immer wieder neu ausprobieren, wie Ihr Arrangement im Bild am besten zur Wirkung kommt. So können Sie mit Formaten, Ausschnitten und Gegenständen spielen, bis Sie zufrieden sind. Arbeiten Sie diese kleinen Zeichnungen nicht zu fein aus. Sie werden sie ja später nicht mehr verwenden – sie sind eher eine Art „Spickzettel".

DER *Zauber* DER BLUMEN

Wer die Welt der Blumen einmal entdeckt hat, dem kann es passieren, dass ihn diese zarten Lebewesen nie mehr loslassen. Auch ohne botanische Kenntnisse ist es möglich, nur mit dem Zeichenstift einprägsame Porträts von Blumen zu erschaffen. Wie Sie Blüten Schritt für Schritt gestalten, das zeigen Ihnen die vielen unterschiedlichen Motive dieses Kapitels.

Wer sich zunehmend mehr mit der Vielfalt der Blumen beschäftigen will, findet im Freien ebenso Anregungen wie in Bildbänden.

BLUMEN

Um ein gelungenes Blumenporträt schwebt immer so etwas wie Magie. Besonders wenn das Bild eine Bleistiftzeichnung ist, zwingt die Abwesenheit der Farbe dazu, die zarten Formen und die vielen Nuancen der Töne genau wahrzunehmen. Das ist wie bei Schwarz-Weiß-Fotos, die es uns erlauben, alles Wesentliche besser zu erkennen als bei Farbfotos, bei denen man sich automatisch auf hervorstechende, aber unwichtige Details konzentriert. Beim Zeichnen von Blumen gehen Sie ebenso schrittweise vor wie bei allen anderen Motiven auch: Zuerst wird die Grundform skizziert, dann erhalten die Linien mehr Präzision und zum Schluss entsteht durchs Schraffieren die Gestalt.

SCHRAFFUREN

Blüten und Blätter schraffiert man am besten mit einer speziellen Methode, den Fächerschraffuren. Dabei werden einfache lockere Striche nebeneinandergesetzt wie bei einem Fächer. Je dunkler die Stellen sind, die man zeichnen will, desto enger werden die Striche gesetzt. Sollen die Stellen hell sein, lässt man Luft und Platz dazwischen. Auf diese Weise sehen Blumen lebendig und leicht aus. Nur für eher formale Arrangements und wenn Sie Blumen präzise und mit vielen genauen Details zeigen wollen, sollten Sie kontrollierte, sehr eben wirkende Schraffuren verwenden.

Weiche Schatten
Für solche weichen Hintergründe halten Sie den Stift in der Unterhand-Position (▶ Seite 8) und ziehen ganz leicht gerade und senkrechte Streifen. Verändern Sie den Druck, um unterschiedliche Helligkeit zu gestalten. Dunklere Stellen erhalten Sie durch mehrere, übereinanderliegende Schichten. Zum Schluss nehmen Sie die Seite eines gespitzten Bleistifts und zeichnen die Zwischenräume zwischen den einzelnen Blütenblättern dunkel.

Fächerschraffuren Fangen Sie mit einem Bleistift in Härte H oder HB an und tragen Sie gefächerte, leichte Striche auf. Entsprechend der Gestalt der Blüte oder des Blattes verdichten Sie entsprechende Flächen. Nur für die dunkelsten Stellen nehmen Sie zusätzlich die Seite und die Spitze eines 2B Stifts.

Vorzeichnen Zeichnen Sie die Rose zunächst mit wenigen, lockeren Strichen vor, um die Blüte, den Stängel und die Blätter im Großen und Ganzen zu erfassen.

Verfeinern Als Nächstes zeichnen Sie die Umrisse und Hauptadern der Blätter. Dann folgen die Blütenblätter, wobei Sie die Hilfslinien ausradieren, die Sie nicht mehr brauchen.

Ausarbeiten
Für die letzten Schraffuren verwenden Sie die Seite und die Spitze eines 2B Stifts. Mit ihm setzen Sie dunkle Stellen an die äußeren Enden von Blättern und Blütenblättern, denn so lassen sie sich besser voneinander unterscheiden. Damit das natürlicher aussieht, verreiben Sie die Kanten mit einem Papierwischer. Zum Schluss deuten Sie die Struktur der Blätter ganz leicht an, damit auch sie lebendiger wirken.

FREIES SPIEL DER LINIEN

Manche Pflanzenzeichnungen erinnern an Abbildungen in Malbüchern. Das liegt an der Einförmigkeit durchgezogener Linien. Wer diesen Effekt vermeiden will, muss öfter die Zeichentechnik wechseln, denn nur so lässt sich ein eintöniger Stil zu vermeiden. Machen Sie auch Umrisslinien nie gleich dick oder dünn, wechseln Sie die Bleistiftstärken. Entscheiden Sie schon vorher, welche Stimmung Ihr Blumenbild ausstrahlen soll und wählen Sie dann die passende Technik.

Weiche Blätter
Passen Sie Ihren Zeichenstil immer an die Blüte an, die Sie zeichnen wollen. Die inneren Blätter der Narzisse sind am Rand „ausgefranst", deshalb zeichnen Sie ihn am besten mit winzigen Kritzelstrichen. Den Rand der äußeren Blütenblätter halten Sie dagegen klarer und deutlicher.

Kontraste Die Blütenblätter dieser Rose sind viel weicher als die der Narzisse. Damit sie weich, aber nicht lappig aussehen, drücken Sie beim Zeichnen mal mehr, mal weniger fest auf erhalten dickere, dünnere, hellere und dunklere Stellen. Wechseln Sie auch zwischen geraden Linien und lockeren, damit die Blüte mehr Ausdruck erhält.

Grenzenlos Manchmal muss man etwas zeichnen, das keine klar definierte Begrenzungslinie hat. In diesen Fällen hilft es wieder, nur die Zwischenräume zu zeichnen (▶ Seite 15), so wie bei diesem Blumenstrauß. Die dunklen Schraffuren im Hintergrund heben die Leichtigkeit der Blüten heraus, die ohne klare Umrisse aus dem Dunkel leuchten.

BLÜTENFORMEN

Wie man hier sehr gut erkennen kann, lassen sich selbst die komplexesten Blüten aus ganz einfachen Grundformen entwickeln. Sobald Sie sich dafür entschieden haben, eine bestimmte Blüte zu zeichnen, betrachten Sie sie eine ganze Weile genau und versuchen Sie den Umriss zu erfassen. Zeichnen Sie diesen Grundriss zuerst, und suchen Sie dann nach den weiteren Strukturen. Diese skizzieren Sie nach und nach und achten dabei auch auf die kleinen Details wie Blütenblätter oder Staubgefäße. Wenn das gelungen ist, arbeiten Sie die Linien aus und beginnen anschließend mit den Schraffuren.

Ansicht von vorne

Dreiviertel-Ansicht

Seitenansicht

A. Den Umriss skizzieren.

C. Die ersten Details eintragen.

B. Die Struktur einzeichnen.

D. Die Linien ausarbeiten.

E. Die Gestalt ausschraffieren.

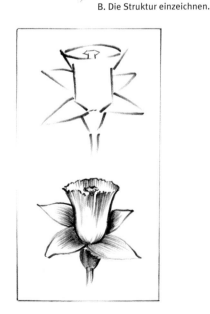

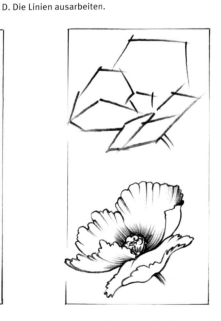

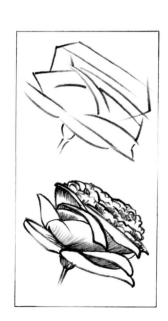

Mit einem HB wird zunächst der kelchförmige Grundriss skizziert; es folgen anschließend die Blütenblätter, der Blattansatz und der Stiel. Dann wird die Blüte behutsam mit Blick auf die Details ausschraffiert.

Mit einem Zirkel wird der Grundriss einer runden Blüte vorgezeichnet. Die Größe bestimmen Sie mit einem größeren Kreis, dann zeichnen Sie einen kleineren in die Mitte. Mit diesen Hilfslinien können Sie die Details schraffieren.

Diese Dreiviertel-Ansicht sieht kompliziert aus. Gehen Sie auch hier wieder Schritt für Schritt vor und skizzieren Sie zunächst den Grundriss und die Struktur. Zeichnen Sie jedes Blütenblatt mit kurzen Strichen vor; achten Sie auf die Perspektive.

Bei so einer gefüllten Blüte mit vielen überlappenden Blütenblättern brauchen Sie etwas Geduld. Sobald die ersten Grundformen stehen, geht das Zeichnen genauso einfach weiter wie bei allen anderen Blüten auch.

BLUMEN ZEICHNEN FÜR EINSTEIGER

Das Wichtigste, wenn man mit dem Zeichnen von Blumen beginnt, sind zwei Dinge: Sie müssen lernen, eine Blume genau zu betrachten, und Sie müssen lernen, wie man sie so schraffiert, dass Sie ihre Gestalt optimal wiedergeben. Für diese einfachen Beispiele brauchen Sie nur zwei Schraffurtechniken, klassische Schraffuren und Kreuzschraffuren (▶ Seite 10).

Erster Schritt Gardenien sind etwas schwieriger zu zeichnen als Prunkwinden, doch der Anfang ist ähnlich. Sie beginnen mit einem Polygon (Vieleck). Daraus entwickeln Sie von der Mitte aus die Umrisse jedes Blütenblatts und ergänzen einige Dreiecke für die Blätter.

Gardenie

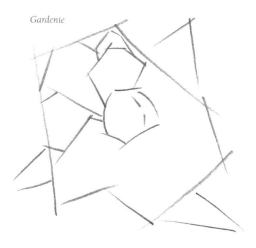

Erster Schritt Sehen Sie sich diese Blüte einer Ackerwinde ganz genau an. Dann zeichnen Sie mit leichten Strichen und einem spitzen HB Hilfslinien in Form eines Vielecks (Polygon). In dieser Dreiviertelansicht kann man die Blütenblätter gut sehen. Zeichnen Sie also auch die fünf Hauptadern ein, die im Zentrum der Blüte entspringen. Dann fehlen nur noch die Blätter und der Stielansatz.

Prunkwinde

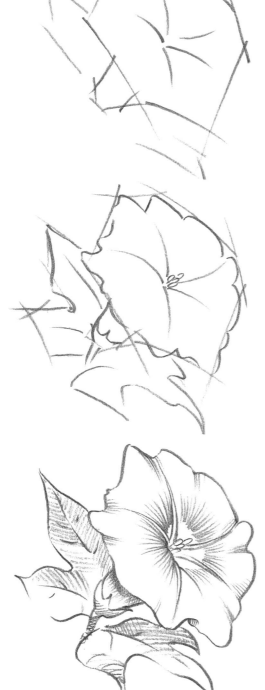

Zweiter Schritt Zeichnen Sie dann mit geschwungenen Linien die Umrisse der Blüte und der Blätter. Dabei können Sie durch den Druck auf den Stift die Stärke der Striche und Linien nach eigenem Geschmack gestalten. Zeichnen Sie zum Schluss die Staubgefäße in der Mitte der Blüte ein.

Zweiter Schritt Achten Sie bei den Blütenblättern genau auf die Proportionen und darauf, wo sie sich überlappen. Versuchen Sie auch die unterschiedlichen Größen richtig zu treffen. Das Zusammenspiel der Blütenblätter ist der Schlüssel zu jeder gelungen Blumenzeichnung. Erst wenn alle Umrisse stimmen, schraffieren Sie.

Dritter Schritt Mit der Seite und der abgerundeten Spitze eines Bleistifts in Härte HB legen Sie die ersten Grautöne an. Folgen Sie dabei den vorhandenen Linien. An den Kanten heben Sie den Stift vom Papier, damit die Striche luftig enden. Tiefere Schatten zeichnen Sie mit einem Bleistift in Härte 2B und Kreuzschraffuren (▶ Seite 10) darüber.

Dritter Schritt Jetzt können Sie mit den Schraffuren beginnen. Runden Sie die Spitze Ihres Stiftes etwas ab (▶ Seite 10) und zeichnen Sie saubere parallele Schraffuren, die den Formen der Blüte und der Blätter folgen. Stellen, die eher im Schatten liegen, schraffieren Sie dunkler, durch das Setzen engerer Linien mit einem dickeren Stift (2B).

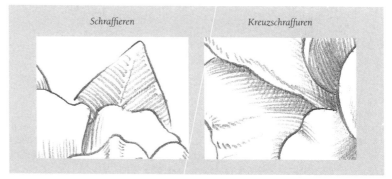

Schraffieren

Kreuzschraffuren

TULPEN

Es gibt sehr unterschiedliche Tulpensorten und sehr verschiedene Blütenformen. Die Blüte in der linken Spalte ist eine so genannte Papageientulpe und wesentlich komplexer gebaut als die Tulpe rechts.

Bei dieser Tulpe fällt der harmonische Fluss der Linien ins Auge. Ziehen Sie wie in 1 zuerst drei Linien für die Wuchsrichtung. Schritt 2 zeigt, wie Sie mit wenigen Linien die Grundform finden und festlegen. In Schritt 3 nimmt die zarte Blume Gestalt an. In Schritt 4 zeichnen Sie die ersten Details und Schraffuren.

A

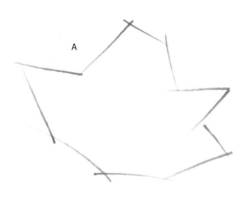

A

B

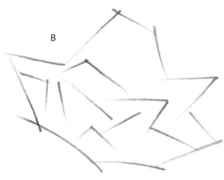

B

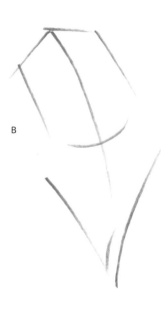

Mit wenigen Strichen entsteht hier ein Schatten, der zeigt, dass sich die Blütenblätter überlappen.

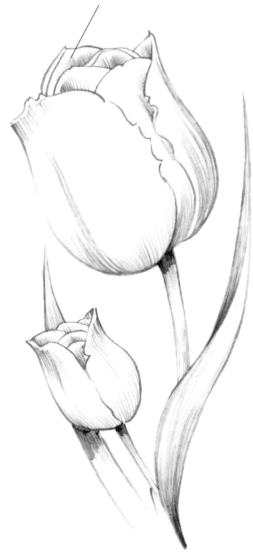

C

C

D

Eine Papageientulpe zeichnen Ziehen Sie zuerst einfache Striche zwischen den äußersten Punkten der Blüte, um den Gesamteindruck festzuhalten. Dann skizzieren Sie den Stand der einzelnen Blütenblätter, zeichnen anschließend die Blätter und schraffieren sie leicht.

KEINE ANGST VOR ROSEN

Viele Einsteiger schrecken vor dem Zeichnen von Rosen und ähnlich komplexen Blüten zurück. Zu Unrecht. Selbst eine gefüllte Blüte ist nicht schwieriger zu zeichnen als jedes andere Motiv auch. Sie müssen sich nur Schritt für Schritt vortasten.

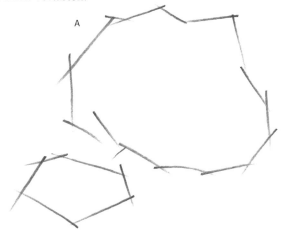

In Schritt A zeichnen Sie zunächst nur die groben Umrisse der Blüte und des einzelnen Blattes vor. Nehmen Sie einen HB und machen Sie zarte Striche, die Sie jederzeit ausradieren oder überzeichnen können.

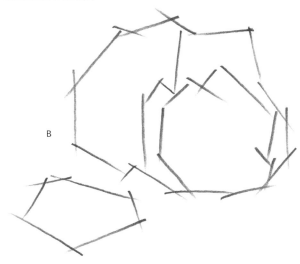

In Schritt B und C zeichnen Sie mit weiteren Hilfslinien das Innere der Blüte und konzentrieren sich dabei auf die Winkel der Blütenblätter.

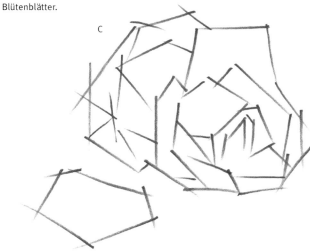

Starten Sie in Schritt D mit den ersten Schraffuren: Zeichnen Sie dabei von innen nach außen.

Nun kommt der letzte Schritt: Sie schraffieren nun jedes einzelne Blütenblatt und verwenden Striche, die diesmal vom Rand des Blattes nach innen laufen und sich dort mit den Schraffuren aus Schritt D treffen. Zusätzlich achten Sie bei jedem Strich darauf, mit Druck anzusetzen, immer weniger stark anzudrücken und den Stift am Ende sogar abzuheben.

Der Schatten der Rosenblüte soll die dunkelste Partie des Bildes sein.

NARZISSE

Diese Narzisse mit dem regelmäßigen offenen Kelch ist eine besonders schöne Sorte. Wenn Sie alle Schritte in Ruhe nachzeichnen, haben Sie am Ende ein perfektes Bild. Beginnen Sie mit Schritt A und zeichnen Sie den Kelch.

A

B

C

D

E

In den Schritten B und C deuten Sie die äußeren Blütenblätter als Kreise an, die sich um den Kelch herum gruppieren. Fügen Sie zu den Kreisen Dreiecke hinzu wie in Schritt D. Auf diese Weise lassen sich viele Blütenkelche zeichnen.

Für den Hintergrund und die Blätter halten Sie den Bleistift möglichst flach. Tragen Sie die Striche wie zufällig auf – wie eine natürlich entstandene Fläche. Die Blätter dagegen schraffieren Sie in der natürlichen Wuchsrichtung. Verändern Sie durch mehr oder weniger starken Druck das Licht.

Lange, weiche Striche schaffen den Eindruck des gestreckten Blattes mit seiner leicht gewellten Oberfläche.

Mit Narzissen beginnt der Frühling in Haus und Garten.

NELKE

Nelken gibt es in unzähligen Farben von Rot über Zweifarbig bis Weiß. Sie sind sehr auffällig und wachsen in fast jedem Garten. Es macht Spaß, sie zu zeichnen, da sie viele Blütenblätter besitzen. Sie können diese entweder einfarbig darstellen, zweifarbig oder mit einem hellen und dunklen Rand.

Vor einem dunklen Hintergrund scheint die Nelke aus dem Blatt herauszutreten.

1

2

3

Strukturen und Formen In der Frontalansicht oben kann man den Aufbau der Blüte wunderbar erkennen. In Schritt 1 zeigen Sie den inneren Grundaufbau der Blüte. Dann zeichnen Sie die einzelnen Blütenblätter ein und beginnen mit dem Schraffieren.

Die gewellten Blütenblätter entstehen durch das Zeichnen unregelmäßiger Enden und durch das ungleichmäßige Schattieren.

1

Fruchtknoten

Stängel

2

Umriss und Formen Mit wenigen Strichen zeichnen Sie den groben Umriss der Nelke in der Seitenansicht samt Kelch und Stängel. In Schritt 2 kommen die wichtigsten Details hinzu, die Sie locker und einfach halten.

ORCHIDEEN

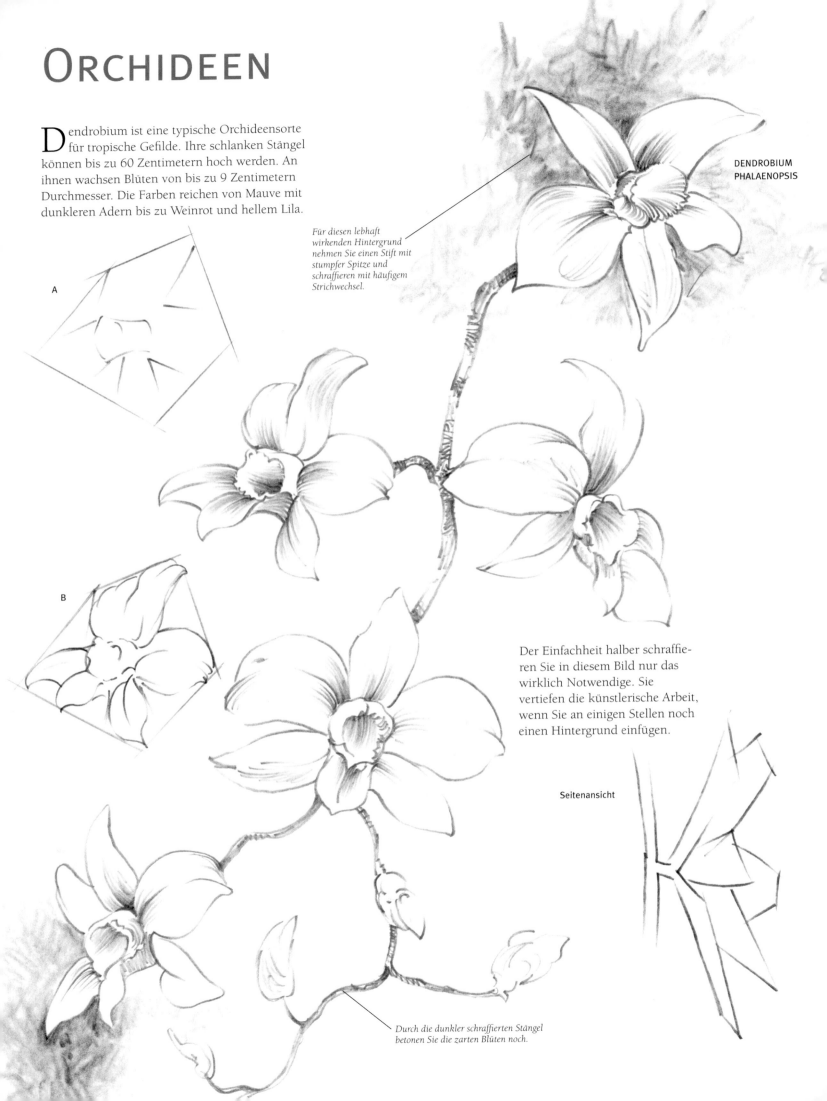

Dendrobium ist eine typische Orchideensorte
für tropische Gefilde. Ihre schlanken Stängel
können bis zu 60 Zentimetern hoch werden. An
ihnen wachsen Blüten von bis zu 9 Zentimetern
Durchmesser. Die Farben reichen von Mauve mit
dunkleren Adern bis zu Weinrot und hellem Lila.

A

*Für diesen lebhaft
wirkenden Hintergrund
nehmen Sie einen Stift mit
stumpfer Spitze und
schraffieren mit häufigem
Strichwechsel.*

DENDROBIUM
PHALAENOPSIS

B

Der Einfachheit halber schraffieren Sie in diesem Bild nur das
wirklich Notwendige. Sie
vertiefen die künstlerische Arbeit,
wenn Sie an einigen Stellen noch
einen Hintergrund einfügen.

Seitenansicht

*Durch die dunkler schraffierten Stängel
betonen Sie die zarten Blüten noch.*

FUCHSIEN

Fuchsien sind Pflanzen mit einem enormen Farbspiel von Grün-
über Rot- bis hin zu Purpurtönen. Zeichnen Sie diese Blüten auf
beschichteten Zeichenkarton, da er ihre unregelmäßige Struktur am
besten zur Geltung bringt.

Sie beginnen die Schraffurarbeiten am besten mit der Spitze
eines Bleistifts Härte HB und arbeiten in der Richtung des
natürlichen Wuchses. Für die größeren Schraffuren verwenden
Sie die Breitseite eines Bleistifts. Dunkeln Sie bestimmte
Bereiche mit einem gespitzten 2B nach.

Bei dieser Schraffurtechnik überlappen sich die Linien teilweise,
um dunklere Stellen zu schaffen. Variieren Sie die Winkel.

Primel

Primeln erfreuen uns im Frühjahr durch ihre bunten Farben und sie sind ein wunderbares Beispiel für Blumen, die mehrere Blüten tragen. Lassen Sie sich beim Zeichnen Zeit.

Die Knospen haben eine eiförmige Grundform.

Primelblüten zeichnen Sie zeichnen als Erstes den großen Stängel in der Mitte, aus dem mehrere kleine herauswachsen, die in unterschiedliche Richtungen weisen.

Die Blätter gestalten In den Schritten 1 bis 3 rechts sehen Sie, wie die Blätter entstehen. Ganz rechts (Schritt 1) zeigt die groben Umrisse und Hauptadern des Blattes. Anschließend wird Stück für Stück die Blattstruktur schraffiert. Die kleinen Adern bleiben weiß. So geht es weiter bis zum Endstadium (Schritt 3), in dem dunkle Stellen entlang der Hauptader des Blattes noch mehr Form und Lebendigkeit bringen.

HIBISKUS

Der aus den Tropen stammende Hibiskus trägt große Blüten in vielen frohen Farben wie Weiß, Orange, Hummerrot, Pink. Es gibt sogar blaue und violette Sorten – und Blüten in mehreren Farben.

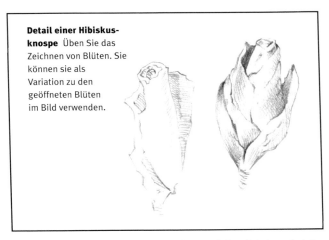

Detail einer Hibiskusknospe Üben Sie das Zeichnen von Blüten. Sie können sie als Variation zu den geöffneten Blüten im Bild verwenden.

Die Zeichnung planen Obwohl Hibiskusblüten viele Details haben, sind sie leicht zu zeichnen. Sie müssen nur schrittweise vorgehen. In Schritt 1 sehen Sie die Umrisse, die Andeutung des Fruchtknotens in der Mitte und die Fläche, auf der die Staubgefäße stehen. Achten Sie darauf, dass die Proportionen aller gezeigten Elemente stimmen. Die noch ungeöffneten Blüten zeichnen Sie als Oval.

Schraffieren mit Köpfchen Ehe Sie in Schritt 2 mit den Schraffuren beginnen, sehen Sie sich gut an, wo die Schraffuren aufgetragen sind und dass sie einen geriffelten Eindruck machen. Arbeiten Sie Fruchtknoten und Staubgefäße aus und deuten Sie die Blätter und den Stiel an.

EDELROSEN

Edelrosen gehören zu den variantenreichsten Gartenpflanzen. Es gibt sie in einer Fülle von Farben, und jährlich werden es mehr! Wenn Sie daran denken, wo jedes einzelne Blütenblatt im Gesamtbild steht, hilft Ihnen dies, jedes einzelne im Blütenkelch richtig zu zeichnen. Nehmen Sie einen Bleistift in Härte HB und arbeiten Sie mit leichten Strichen auf einem hochweißen beschichteten Karton (Bristolkarton).

Entscheidungen treffen Die ersten Schritte, mit denen Sie den Grundriss und die Grundstruktur der Blüte zeichnen, sind immer dieselben. Dann aber müssen Sie sich entscheiden, ob Sie das Blumenporträt lieber angedeutet lassen oder ob Sie es vollständig schraffieren. Schraffieren Sie mit einem Bleistift in Härte 2B und einem Papierwischer.

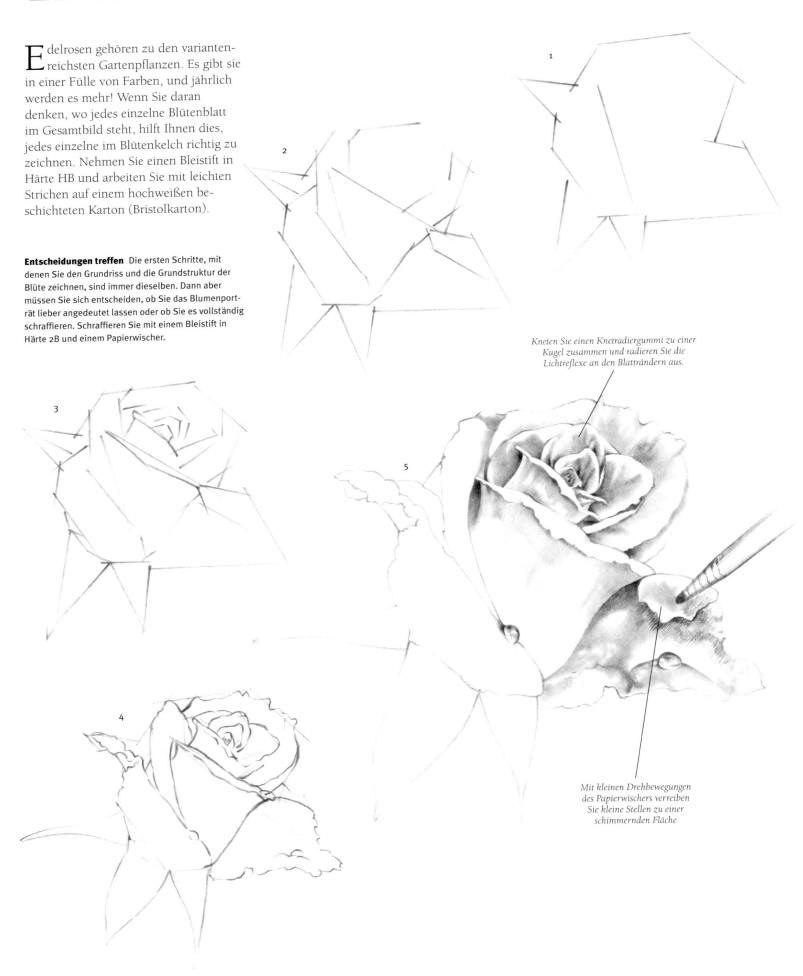

Kneten Sie einen Knetradiergummi zu einer Kugel zusammen und radieren Sie die Lichtreflexe an den Blatträndern aus.

Mit kleinen Drehbewegungen des Papierwischers verreiben Sie kleine Stellen zu einer schimmernden Fläche

FLORIBUNDA

Gefüllte Rosen sind oft alte Sorten, die herrlich duften. Ihre Blüten sehen auf den ersten Blick so aus, als ob sie überhaupt keine Struktur hätten. Doch auf den zweiten Blick erkennen Sie in der Unregelmäßigkeit die Ordnung.

Die Rose Schritt für Schritt Nehmen Sie einen Bleistift in Härte HB mit stumpfer Spitze auf hochweißem glattem Zeichenkarton (Bristolkarton). Zeichnen Sie den groben Umriss wie in Schritt 1. In Schritt 2 werden Sie etwas konkreter, in Schritt 3 zeichnen Sie die äußersten Blütenblätter vor. Mit der Breitseite setzen Sie in Schritt 5 die ersten Schraffuren, lassen aber die Wassertropfen aus. Sie werden zum Schluss gesondert ausgearbeitet.

1

2

3

4

5

6

Die Schraffuren folgen der Wuchsrichtung des Blattes und sollen so aussehen, als wären kleine Adern im Blatt. Mit einem Knetradiergummi setzen Sie Lichtreflexe.

BARTIRIS

Von allen Vertretern der Irisgewächse ist die Bartiris vielleicht die schönste. Die Blüten tragen Farben von tiefstem Violett über Blau und Lavendel bis zu strahlendem Weiß. Manche Sorten sind klein, andere werden fast 1 Meter hoch.

Schraffuren Folgen Sie der Pfeilrichtung in Schritt 3, wenn Sie die Blütenblätter schraffieren, damit die Blätter lebensecht wirken. Für die dunklen Bereiche nehmen Sie einen spitzen Bleistift in Härte 2B.

Hilfslinien In Schritt 1 (oben) können Sie die Umrisse einer Irisblüte von der Seite sehen. Schritt 1 (unten) zeigt die Blüte von der Seite. Für welche Ansicht Sie sich auch entscheiden – zeichnen Sie diese ersten Hilfslinien nur leicht ein und orientieren Sie sich beim weiteren Aufbau an ihnen.

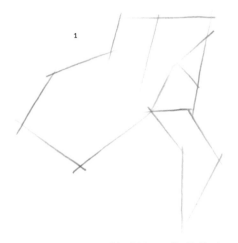

Klare Hilfslinien erleichtern das spätere Schraffieren. Machen Sie einen Plan fürs Schraffieren, das spart Zeit für Korrekturen.

Sich auf Details konzentrieren So fantastisch wie das fertige Blumenporträt in diesem Fall auch aussieht – im Grunde ist es nicht schwieriger als alle anderen Blumenbilder im Buch. Wichtig ist nur, dass Sie die vielen Blütenblätter schrittweise angehen und zunächst alle Umrisse zeichnen, ehe Sie mit den Schraffuren beginnen.

1

2

Blütenblätter zeichnen Um exakt schraffieren zu können, beginnen Sie mit den Wölbungen des Blütenblattes. Füllen Sie zuerst die hochstehenden Teile des Blattes, dann legen Sie die weiteren Schatten nur wie einen Hauch darüber: Nehmen Sie dafür die Bleistiftseite und überziehen Sie einzelne Partien des Blattes mit weichen, leichten Schraffuren. Gehen Sie am Ende mit dem Papierwischer darüber.

Solche schmalen Schatten erzeugen die Illusion, dass sich die Blütenblätter dem Betrachter entgegenwölben.

Je detaillierter Sie zeichnen, umso länger brauchen Sie für eine Zeichnung. Werden Sie nicht ungeduldig. Wenn Sie müde werden, machen Sie einfach eine Pause.

Dieses Porträt wurde mit Stiften der Härte HB, 2B und Zimmermannsbleistiften auf einen hochweißen beschichteten Karton (Bristolkarton) gezeichnet. Formen Sie einen Knetradiergummi zu einem scharfkantigen Keil, und radieren Sie mit ihm die Lichtreflexe in der Wuchsrichtung der Blätter heraus.

BÄUME UND *Landschaften*

Die Welt um uns herum ist von einer natürlichen Vielfalt, die alle
Findigkeit des Menschen bis heute nicht annähernd erreicht
hat. Die Fülle, aber auch die Besonderheiten einzelner Landschaften mit dem Zeichenstift zu erkunden und festzuhalten, ist
ein Abenteuer, das für den Künstler nie endet. Zu Beginn jedoch
stehen Grundtechniken und ein Verständnis für Proportionen
und Bildaufbau, die Ihnen das folgende Kapitel erklären.

BÄUME RICHTIG SEHEN UND ZEICHNEN

Wahrscheinlich haben Sie Ihre ersten Bäume schon im Kindergartenalter gezeichnet. Aber wenn Ihre Bäume immer noch wie „Strichbäumchen" ausschauen, sollten Sie einmal genauer hinsehen: Es gibt ganz unterschiedliche Bäume. Schärfen Sie Ihr Auge dafür, ob Sie einen Laub- oder Nadelbaum und welche Sorte oder Art Sie vor sich haben. Wenn Sie dann noch die hier vorgestellten Techniken anwenden, werden Ihre Bäume immer eindrucksvoller und lebendiger.

BÄUME VEREINFACHEN

Sie brauchen einen Baum nicht Ast für Ast und Blatt für Blatt zu zeichnen! Wie im Kasten unten und auf Seite 50/51 gezeigt, halten Sie zunächst den groben Umriss mit ein paar Strichen fest. Auffallende Äste zeichnen Sie ein, dichtes Laub stellen Sie als „Büschel" dar, und halten Sie Ausschau nach den „Luftlöchern" – kaum ein Baum ist so dicht belaubt, dass er wie eine Wand aussieht.

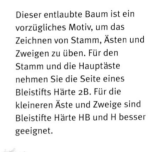

Dieser entlaubte Baum ist ein vorzügliches Motiv, um das Zeichnen von Stamm, Ästen und Zweigen zu üben. Für den Stamm und die Hauptäste nehmen Sie die Seite eines Bleistifts Härte 2B. Für die kleineren Äste und Zweige sind Bleistifte Härte HB und H besser geeignet.

Sie müssen nicht gleich einen ganzen Baum zeichnen. Zum Üben reicht es, einen Zweig naturgetreu darzustellen. Zeichnen Sie zunächst den Ast, dann die Blätter. Achten Sie darauf, dass, wie beim Baumstamm, der Ast unten dicker ist als am Ende.

Mit einer schnellen Studie können Sie unterschiedliche Bäume und Sträucher besser kennenlernen. Konzentrieren Sie sich auf die Form der Blätter, auf das Muster der Blattadern und die Art und Weise, wie sie am Zweig angewachsen sind.

Werkstatt-Tipp

Wenn Sie einmal einen Tag lang mit Ihrem Skizzenbuch in der freien Natur sind und möglichst viele unterschiedliche Bäume und Sträucher zeichnen, haben Sie einen Formenschatz, auf den Sie jederzeit zurückgreifen können, wenn Sie einmal einen Baum für eine Zeichnung brauchen.

UNTERSCHIEDLICHE BÄUME

Palme Mit einem Bleistift in Härte HB das Vieleck der Grundform zeichnen. Dann mit einem Bleistift in Härte 2B und Meißel-Spitze die Palmwedel von innen nach außen gestalten – am Ende den Stift jeweils vom Papier abheben.

Ahorn Mit einem Bleistift in Härte HB den Kreis für die Krone zeichnen. Dann mit der Seite der Mine das Laub schraffieren – dabei unterschiedlichen Druck verwenden. Details zum Schluss mit einem spitzen Stift einzeichnen.

Fichte Mit einem Bleistift in Härte HB die dreieckige Grundform zeichnen. Dann mit einem Bleistift in Härte 2B und runder Spitze die Zweige mit kurzen horizontalen Strichen anbringen. Details mit einem spitzen Stift Härte HB einzeichnen.

Für diesen kraftvollen Baum nehmen Sie am besten einen weichen Bleistift und Zeichenpapier mit kräftiger Körnung, damit er noch interessanter aussieht.

OBERFLÄCHEN UND STRUKTUREN

Um die unterschiedlichen Oberflächen und Strukturen, die in der Natur vorkommen, mit dem Stift wiederzugeben, können Sie ganz unterschiedliche Techniken einsetzen. Mit einer Rasierklinge können Sie jeden Blei- oder Buntstift so zurechtschnitzen, dass er einzigartige, unregelmäßige Striche, Linien oder Flächen zeichnet. Um Ihre Linien noch weiter zu differenzieren, drücken Sie unterschiedlich stark auf, drehen den Stift oder variieren den Winkel.

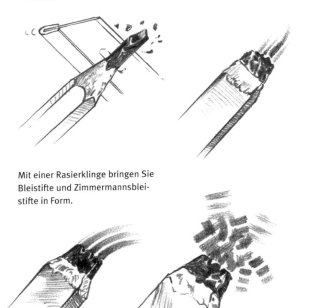

Mit einer Rasierklinge bringen Sie Bleistifte und Zimmermannsbleistifte in Form.

In den vorgeformten Zimmermannsbleistift können Sie Kerben schneiden.

Um solche Steinformationen zu gestalten, zeichnen Sie zunächst die groben Umrisse. Dann folgen Schraffuren in unterschiedlicher Stärke und Richtung, mit denen Sie die Rundungen und die rauen Oberflächen darstellen. Die Steine werfen Schatten, die immer die dunkelste Stelle im Bild sind.

Die Schatten sind kurz, wenn die Lichtquelle hoch oben ist. Je tiefer die Lichtquelle, desto länger die Schatten.

Schatten   *Lichtquelle*

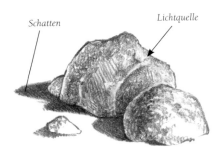

Wenn Sie die Baumwurzel rechts in den gezeigten Schritten zeichnen, lässt sich dieses Motiv ganz leicht realisieren. Sehen Sie, wie kurz die Schatten sind, da das Licht praktisch direkt auf die Wurzel scheint?

Studieren Sie den Grundcharakter der Belaubung, ehe Sie Bäume oder Sträucher vorzeichnen.

A   B

Damit diese Baumgruppe üppiges Laub erhält, zeichnen Sie zunächst mit einem Bleistift in Härte HB den Umriss grob vor. Dann zeichnen Sie erste Strukturen ein. Zum Schluss deuten Sie die Blätter mit kleinen kreisenden Bewegungen an. Der senkrecht gestrichelte Hintergrund schafft einen lebhaften Kontrast zum vollen Laub.

Den Hintergrund zeichnen Sie mit senkrechten Strichen.

Kurze Striche für Tiefe.

A

B

BÄUME ZEICHNEN LEICHT GEMACHT

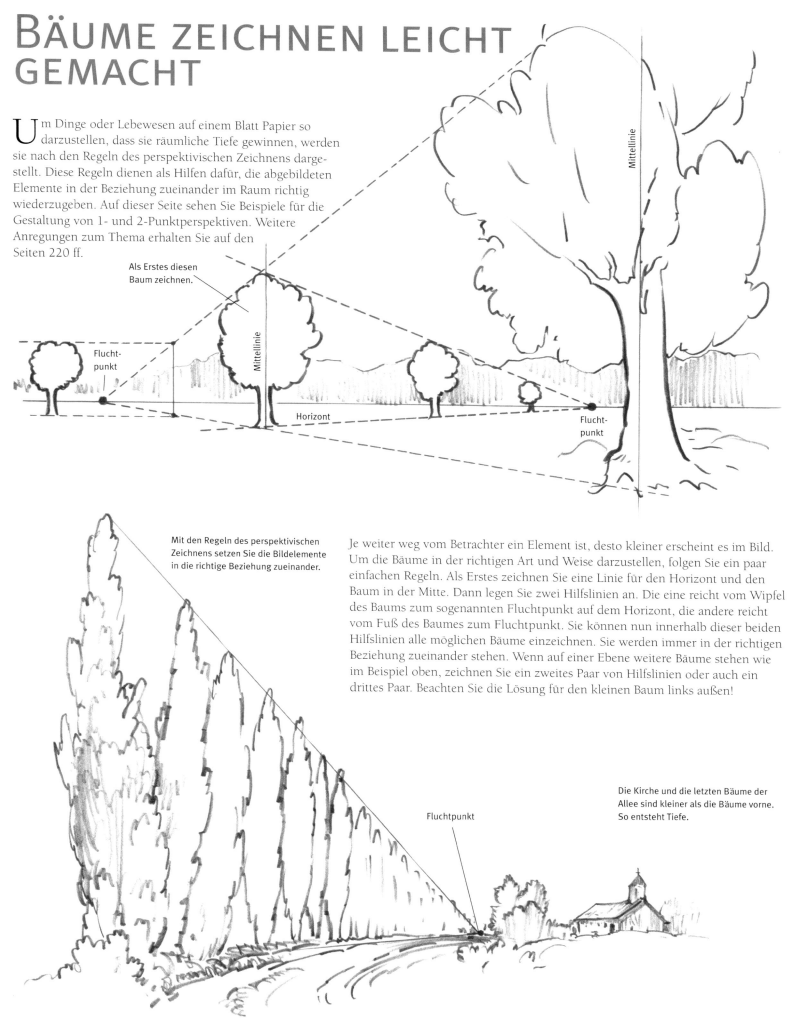

Um Dinge oder Lebewesen auf einem Blatt Papier so darzustellen, dass sie räumliche Tiefe gewinnen, werden sie nach den Regeln des perspektivischen Zeichnens dargestellt. Diese Regeln dienen als Hilfen dafür, die abgebildeten Elemente in der Beziehung zueinander im Raum richtig wiederzugeben. Auf dieser Seite sehen Sie Beispiele für die Gestaltung von 1- und 2-Punktperspektiven. Weitere Anregungen zum Thema erhalten Sie auf den Seiten 220 ff.

Als Erstes diesen Baum zeichnen.

Fluchtpunkt

Mittellinie

Horizont

Fluchtpunkt

Mittellinie

Mit den Regeln des perspektivischen Zeichnens setzen Sie die Bildelemente in die richtige Beziehung zueinander.

Je weiter weg vom Betrachter ein Element ist, desto kleiner erscheint es im Bild. Um die Bäume in der richtigen Art und Weise darzustellen, folgen Sie ein paar einfachen Regeln. Als Erstes zeichnen Sie eine Linie für den Horizont und den Baum in der Mitte. Dann legen Sie zwei Hilfslinien an. Die eine reicht vom Wipfel des Baums zum sogenannten Fluchtpunkt auf dem Horizont, die andere reicht vom Fuß des Baumes zum Fluchtpunkt. Sie können nun innerhalb dieser beiden Hilfslinien alle möglichen Bäume einzeichnen. Sie werden immer in der richtigen Beziehung zueinander stehen. Wenn auf einer Ebene weitere Bäume stehen wie im Beispiel oben, zeichnen Sie ein zweites Paar von Hilfslinien oder auch ein drittes Paar. Beachten Sie die Lösung für den kleinen Baum links außen!

Fluchtpunkt

Die Kirche und die letzten Bäume der Allee sind kleiner als die Bäume vorne. So entsteht Tiefe.

EINFACH BEGINNEN

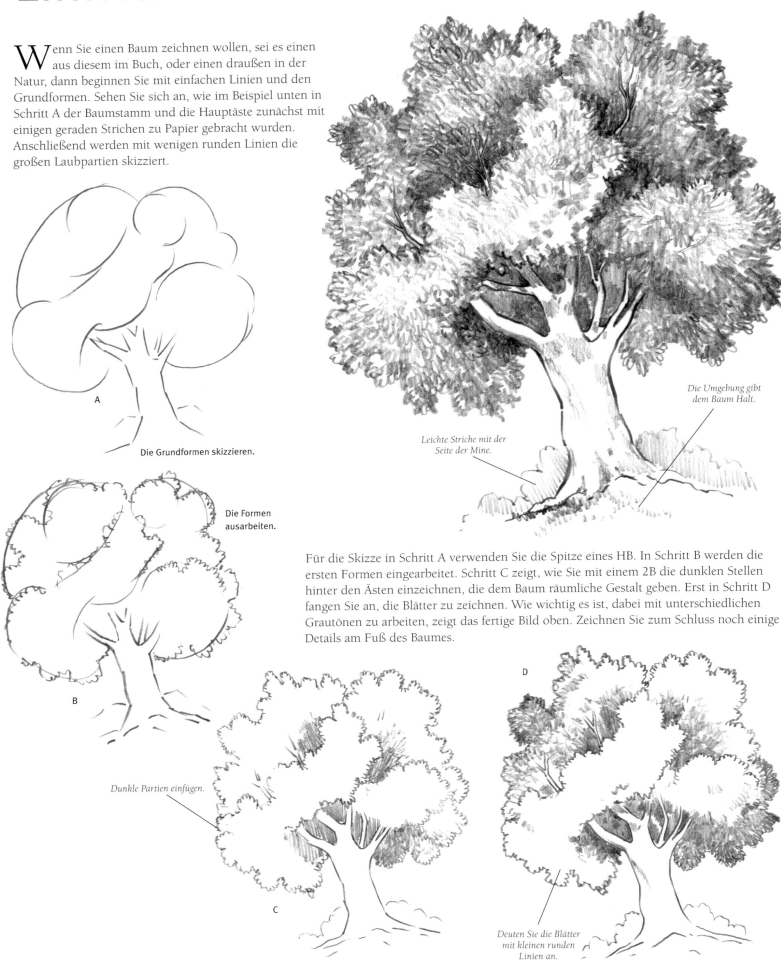

Wenn Sie einen Baum zeichnen wollen, sei es einen aus diesem im Buch, oder einen draußen in der Natur, dann beginnen Sie mit einfachen Linien und den Grundformen. Sehen Sie sich an, wie im Beispiel unten in Schritt A der Baumstamm und die Hauptäste zunächst mit einigen geraden Strichen zu Papier gebracht wurden. Anschließend werden mit wenigen runden Linien die großen Laubpartien skizziert.

A

Die Grundformen skizzieren.

Die Formen ausarbeiten.

B

Dunkle Partien einfügen.

C

Leichte Striche mit der Seite der Mine.

Die Umgebung gibt dem Baum Halt.

Für die Skizze in Schritt A verwenden Sie die Spitze eines HB. In Schritt B werden die ersten Formen eingearbeitet. Schritt C zeigt, wie Sie mit einem 2B die dunklen Stellen hinter den Ästen einzeichnen, die dem Baum räumliche Gestalt geben. Erst in Schritt D fangen Sie an, die Blätter zu zeichnen. Wie wichtig es ist, dabei mit unterschiedlichen Grautönen zu arbeiten, zeigt das fertige Bild oben. Zeichnen Sie zum Schluss noch einige Details am Fuß des Baumes.

D

Deuten Sie die Blätter mit kleinen runden Linien an.

Bäume mit dichter, weiter Krone wie Buche, Ahorn
und einige Eichen tragen breite, dünne Blätter,
die sie im Herbst abwerfen. Sehen Sie sich die feinen
Unterschiede auf dieser Seite genau an.

Beim Zeichnen achten Sie darauf, dass für die Blätter
in den unterschiedlichen Bäumen unterschiedliche
Schraffurtechniken verwendet wurden.

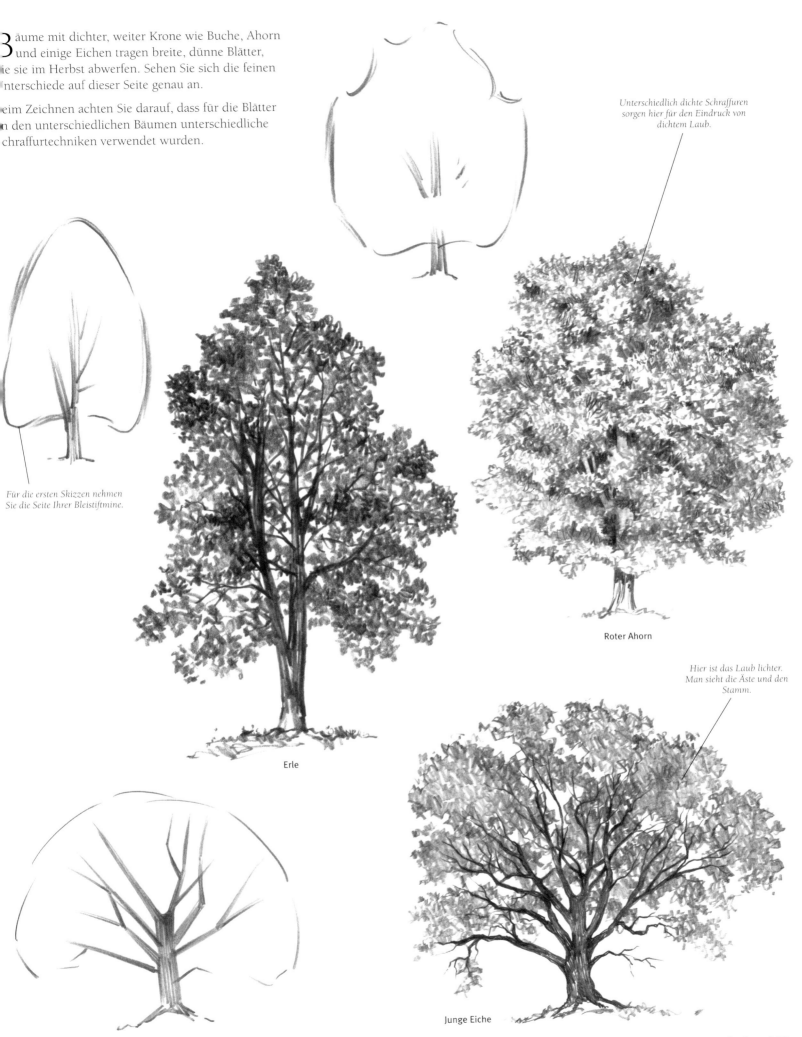

*Unterschiedlich dichte Schraffuren
sorgen hier für den Eindruck von
dichtem Laub.*

*Für die ersten Skizzen nehmen
Sie die Seite Ihrer Bleistiftmine.*

Roter Ahorn

Erle

*Hier ist das Laub lichter.
Man sieht die Äste und den
Stamm.*

Junge Eiche

BAUMSTÄMME

Ein Baumstamm ist zunächst nichts anderes als ein langer Zylinder (▶ Seite 16). Die Äste sind sehr lange zylindrische Formen, die vom Stamm abgehen. Zeichnen Sie Ellipsen an den strategisch wichtigen Stellen, an denen sich die Wuchsrichtung des Stammes ändert.

Mit gestrichelten Ellipsen kennzeichnen Sie die Abschnitte des Stammes und der Äste.

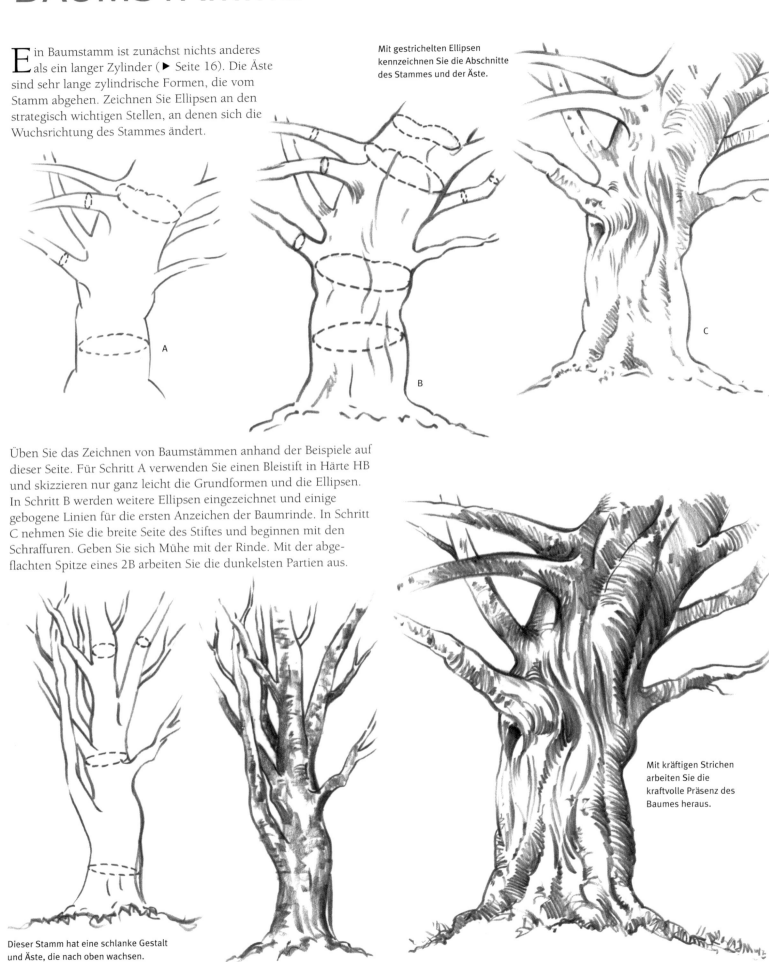

Üben Sie das Zeichnen von Baumstämmen anhand der Beispiele auf dieser Seite. Für Schritt A verwenden Sie einen Bleistift in Härte HB und skizzieren nur ganz leicht die Grundformen und die Ellipsen. In Schritt B werden weitere Ellipsen eingezeichnet und einige gebogene Linien für die ersten Anzeichen der Baumrinde. In Schritt C nehmen Sie die breite Seite des Stiftes und beginnen mit den Schraffuren. Geben Sie sich Mühe mit der Rinde. Mit der abgeflachten Spitze eines 2B arbeiten Sie die dunkelsten Partien aus.

Mit kräftigen Strichen arbeiten Sie die kraftvolle Präsenz des Baumes heraus.

Dieser Stamm hat eine schlanke Gestalt und Äste, die nach oben wachsen.

WURZELN

Wurzeln verankern den Baum im Boden. Sie weisen deshalb vom Baum weg und in den Boden hinein. Wurzeln wachsen sehr unregelmäßig und sind interessante Zeichenobjekte. Natürlich ist das Wurzelwerk eines alten Baumes spannender zu zeichnen als das eines jungen, aber alle Wurzeln lassen sich aus einfachen Grundformen aufbauen. Beschäftigen Sie sich mit diesen Wurzeln eines ausgewachsenen Laubbaumes.

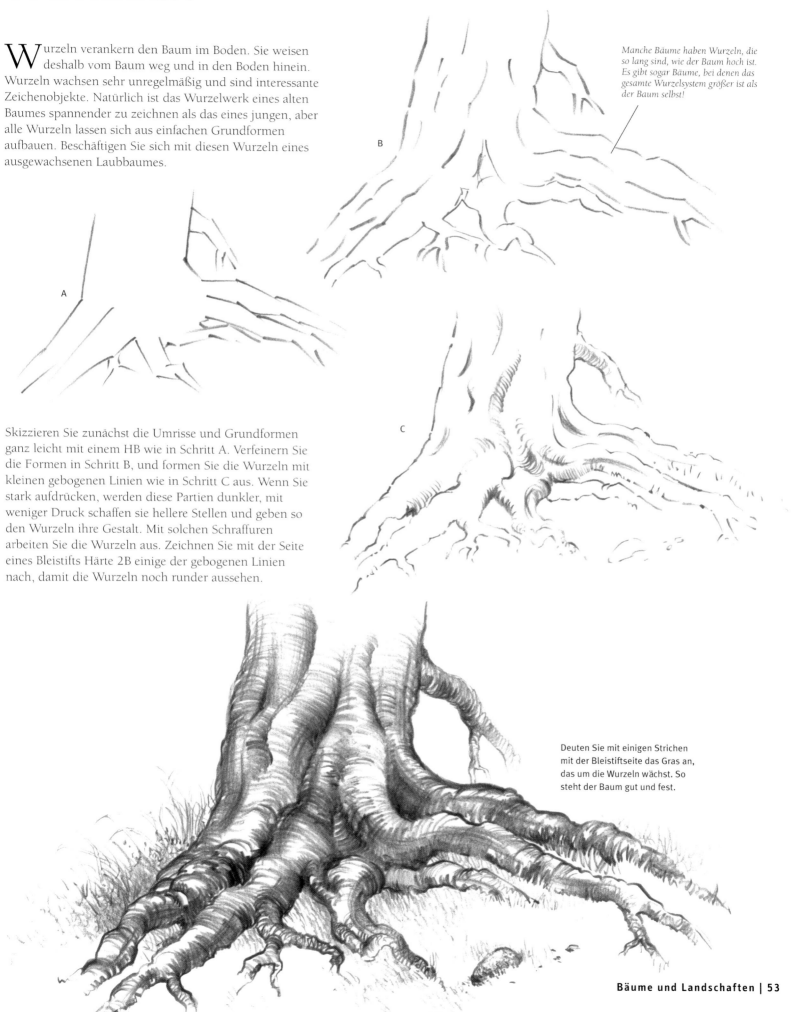

Manche Bäume haben Wurzeln, die so lang sind, wie der Baum hoch ist. Es gibt sogar Bäume, bei denen das gesamte Wurzelsystem größer ist als der Baum selbst!

Skizzieren Sie zunächst die Umrisse und Grundformen ganz leicht mit einem HB wie in Schritt A. Verfeinern Sie die Formen in Schritt B, und formen Sie die Wurzeln mit kleinen gebogenen Linien wie in Schritt C aus. Wenn Sie stark aufdrücken, werden diese Partien dunkler, mit weniger Druck schaffen sie hellere Stellen und geben so den Wurzeln ihre Gestalt. Mit solchen Schraffuren arbeiten Sie die Wurzeln aus. Zeichnen Sie mit der Seite eines Bleistifts Härte 2B einige der gebogenen Linien nach, damit die Wurzeln noch runder aussehen.

Deuten Sie mit einigen Strichen mit der Bleistiftseite das Gras an, das um die Wurzeln wächst. So steht der Baum gut und fest.

ZWEIGE UND ÄSTE

Wenn Bäume wachsen, nehmen sie an Umfang und Höhe zu.
Jeder Baum wächst dabei auf seine eigene typische Weise. Bei
Bäumen mit großen Blättern verzweigt sich der Stamm in viele
knorrige Äste. Nadelbäum wie die Fichte wachsen eher in regelmäßigen Intervallen.

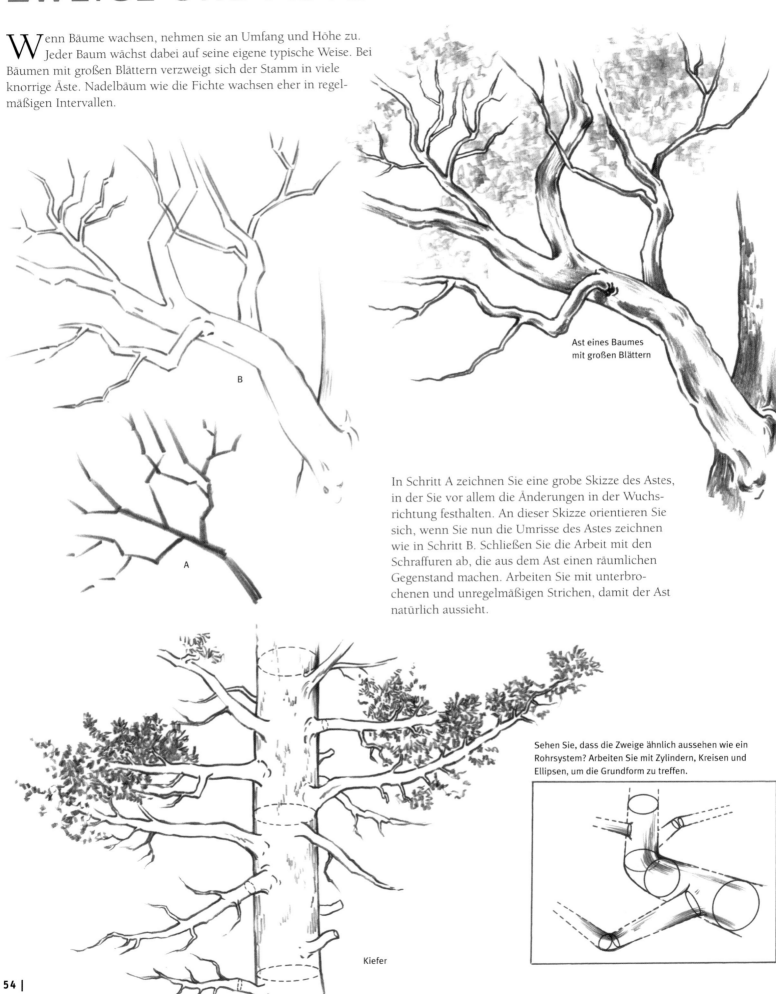

Ast eines Baumes
mit großen Blättern

B

A

In Schritt A zeichnen Sie eine grobe Skizze des Astes,
in der Sie vor allem die Änderungen in der Wuchsrichtung festhalten. An dieser Skizze orientieren Sie
sich, wenn Sie nun die Umrisse des Astes zeichnen
wie in Schritt B. Schließen Sie die Arbeit mit den
Schraffuren ab, die aus dem Ast einen räumlichen
Gegenstand machen. Arbeiten Sie mit unterbro-
chenen und unregelmäßigen Strichen, damit der Ast
natürlich aussieht.

Sehen Sie, dass die Zweige ähnlich aussehen wie ein
Rohrsystem? Arbeiten Sie mit Zylindern, Kreisen und
Ellipsen, um die Grundform zu treffen.

Kiefer

Damit Bäume in ihrer Umgebung integriert und fest verwurzelt wirken, brauchen Sie nur Pflanzen, Steine usw. zu zeichnen, die den Fuß des Baumes umgeben. Auch durch das Hinzufügen von totem Laub am Boden, von Farnen oder Büschen sehen Ihre Bäume sofort wesentlich realer und authentischer aus. Achten Sie einmal darauf, dass die beiden oberen Darstellungen mit lockeren Strichen gezeichnet wurden, während die unteren beiden Bilder klarere, schärfere Linien haben.

Im Herbst werfen viele Bäume ihre Blätter und Nadeln ab. Diese fallen zu Boden und bilden einen dichten Teppich, der für andere Pflanzen Nährstoffe bereithält.

Für manche Zeichnungen reicht es, wenn die Umgebung nur leicht angedeutet wird.

Hier wurden Linien bewusst gegeneinandergesetzt, um das Auge durchs Bild zu führen.

EICHE

Das Zeichnen von Bäumen ist die beste Gelegenheit, um mit Schatten zu experimentieren. Bedenken Sie dabei aber: (1) Schatten passen sich der Form des Untergrundes an, auf den sie fallen; (2) Schatten sind oft nicht „einfarbig", sondern voller Zwischentöne; (3) manchmal sind sogar Oberflächen und andere Details im Schatten zu erkennen; (4) gerade bei Bäumen haben Schatten oft hellere Stellen, wenn Licht durchs Laub fällt.

Für eine genaue Zeichnung müssen Sie immer wissen, woher das Licht kommt und wie es sich aufs Motiv auswirkt. Bei dieser Eiche scheint die Sonne durch die Lücken im Laub und zeichnet einen entsprechenden Schatten auf den Boden.

B

Wahrscheinlich sind die auffallende Größe, die Kraft und die lange Lebensdauer der Bäume der Grund dafür, dass sie in vielen Religionen als heilig gelten.

A

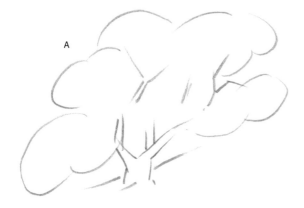

C

Fangen Sie mit einer lockeren Skizze der Umrisse an, die Sie immer weiter verfeinern wie in den Schritten A bis C. Dann schraffieren Sie den Stamm mit der Breitseite eines Bleistifts Härte HB und legen die kleineren Äste mit der Spitze an. Schließen Sie das Blätterdach nicht ganz, damit die Sonne durch die Lücken scheinen kann. Beginnen Sie mit den ersten Strukturen des Schattens, den der Baum auf das Gras des sanften Abhangs wirft.

D

Schraffieren Sie den Stamm und die Äste, um dem Baum Gestalt zu geben.

Zeichnen Sie die Bäume im Hintergrund mit einem Bleistift in Härte HB ganz leicht ein. Dann schraffieren Sie den Stamm. Versuchen Sie beim Laub gar nicht erst, jedes Blatt zu zeichnen; deuten Sie die Blätter nur an – mit regelmäßigen elliptischen Formen.

Für den Schatten, den Sie zum Schluss zeichnen, verwenden Sie die feine Spitze eines Bleistifts Härte HB. Mit kurzen aufrechten Strichen zeigen Sie das Gras. Achten Sie darauf, dass der Schatten in der Mitte am dunkelsten ist und zu den Rändern hin heller wird. Zeichnen Sie einige waagrechte Striche ein, die herabgefallenes Laub und darstellen sollen. Mit einem spitzen Bleistift in Härte 2B betonen Sie zum Schluss die dunkelsten Stellen des Bildes.

Lassen Sie helle Sonnenflecken frei.

Das Licht fällt von links oben ein. Der Baum versperrt dem Licht den Weg und wirft Schatten auf den Boden.

Herabgefallenes Laub und Zweige deuten Sie mit kurzen, unregelmäßigen Strichen an.

Bäume und Landschaften | 57

ALTER BAUM AM WEGRAND

E s dauert eine Weile, bis man aus einer gut getroffenen Skizze eine gute Zeichnung gemacht hat. Grundlage dieses Bildes ist die Skizze eines majestätischen Baums, der sich von rechts elegant in die Bildmitte neigt. Der gewundene Pfad zu seinen Füßen erfüllt zwei Aufgaben: (1) Er zieht das Auge ins Bild; (2) seine weiche, runde Form ist die perfekte Ergänzung zur Geradlinigkeit des Baumstamms.

Sie beginnen bei diesem Motiv am besten mit einer lockeren Zeichnung der Grundformen wie in Schritt A und arbeiten diese immer feiner aus, ehe Sie mit den Schraffuren beginnen. Denken Sie auch an den Hintergrund: Leichte Formen in mittleren Grautönen harmonieren am besten mit dem Baum im Vordergrund.

Für die Grundrisse nehmen Sie am besten einen Bleistift in Härte HB.

A

Die Grundformen immer genauer ausarbeiten.

B

Schraffieren Sie zuerst den Hintergrund, dann widmen Sie sich dem Vordergrund.

C

Für die Bäume im Hintergrund zeichnen Sie senkrechte Striche. Je weiter Sie nach vorne kommen, desto mehr Details nehmen Sie auf.

D

Mit der breiten Seite eines Bleistifts Härte HB arbeiten Sie das Laub und die dunkelsten Stellen aus.

ür die letzten Feinarbeiten
ehmen Sie die runde Spitze eines
leistifts Härte 2B und schraffieren
as Laub zu Ende. Lassen Sie
nige Stellen heller, damit der
aum mehr Tiefe bekommt. Mit
er Seite eines Bleistifts Härte HB
hält der Himmel noch einige
chatten.
ie Wolken radieren Sie mit
inem Knetradiergummi in
orm.

LANDSCHAFTEN

Die meisten Landschaften bestehen aus drei Räumen: Dem Hintergrund, der Mitte und dem Vordergrund. Im Hintergrund befinden sich die Bereiche, die am weitesten von Betrachter entfernt sind; der Vordergrund ist dem Betrachter am nächsten. Vordergrund, Mitte und Hintergrund brauchen im Bild nicht gleich viel Platz. In den folgenden Beispielen nehmen Vordergrund und Mitte nur den unteren Teil des Bildes ein, damit die interessanten Landschaftsbereiche im Hintergrund im Zentrum der Zeichnung stehen.

Den Blickpunkt finden Die weite Landschaft (oben) ist ein sogenanntes Panorama. Die Büsche links und rechts scheinen sich etwas ins Bild zu lehnen; sie ziehen damit den Blick in den Bildmittelpunkt. Rechts umrahmen die Elemente wie der Baum den Bildmittelpunkt. Unten weist der kleine Weg die Richtung zur Hütte, die der Mittelpunkt des Bildes ist.

TIPPS ZUM PERSPEKTIVISCHEN ZEICHNEN

Landschaften, aber auch die Gebäude darin müssen perspektivisch richtig dargestellt sein, damit ein Bild überzeugend und lebensecht wirkt. Die Zeichnung des Schuppens unten zeigt wie die waagrechten Linien sich zum Bildrand hin annähern. Die Linien würden sich an einem Punkt links bzw. rechts außerhalb des Bildes treffen. Wenn Sie das Prinzip erfasst haben, zeichnen Sie zum Üben am besten zunächst ein paar einfache Schachteln, dann schwierigere Objekte und Gebäude.

Sobald die Linien der Grundkonstruktion stehen, machen Sie mit dem eingesunkenen Dach und ein paar Löchern in Dach und Wänden einen alten Schuppen daraus.

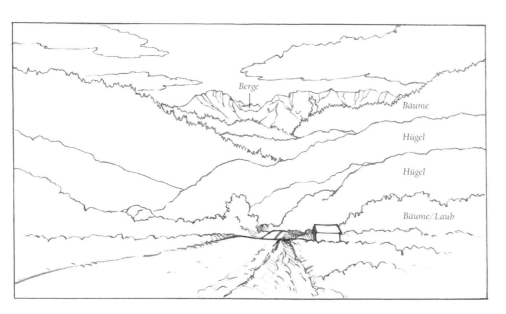

Tiefe und Entfernungen Wie einfach es ist, die Illusion von Tiefe zu erzeugen, sehen Sie sehr gut am Beispiel links: Der Weg wird schmaler, je weiter er sich in der Ferne verliert, und die Hügel und Berge sind ineinander- und übereinandergeschoben. Damit diese auffallenden Linien nicht zu schroff wirken, zieht rechts vorne in der Mitte das kleine Haus den Blick auf sich.

Üben Sie diese Art des Bildaufbaus mit solchen einfachen Landschaften. Experimentieren Sie auch mit unterschiedlichen Büschen und Bäumen – dies verändert eine Landschaft enorm. Wege zeichnen Sie immer als zwei einfache Linien, die sich mehr oder wenig schnell annähern.

Komplexe Perspektiven Je weiter ein Objekt vom Betrachter entfernt ist, desto kleiner und weniger detailliert muss es dargestellt werden. Sehen Sie im Bild rechts, wie die Büsche und Bäume, die die Kirche umgeben, dafür sorgen, dass sie weit entfernt wirkt? Betrachten Sie einmal in Ruhe die Pfeile und Linien auf der Wiese im Vordergrund – hier ist der Verlauf der perspektivischen Linien eingezeichnet.

WOLKEN

Wolken sollten in keinem Landschaftsbild fehlen, da sie die Stimmung sehr stark beeinflussen: Manche wirken unglaublich dramatisch, andere verbreiten Stille und Harmonie.

Wolkenformationen vorzeichnen Mit wenig Druck und einem weichen Bleistift (2B) zeichnen Sie die Umrisse der Wolke(n) vor. Dann schraffieren Sie den Bereich des Himmels um die Wolke mit der Breitseite des Bleistifts. So erscheinen die Wolken voll und weich.

Sehen Sie sich die unterschiedlichen Wolkentypen auf dieser Seite genau an und üben Sie, sie zu zeichnen. Versuchen Sie weiche, leicht wirkende Wölkchen und Wolken ebenso gut zu gestalten wie lang gestreckte, dünne, graue. Halten Sie auch am Himmel Ausschau nach besonderen Wolken und zeichnen Sie sie.

2

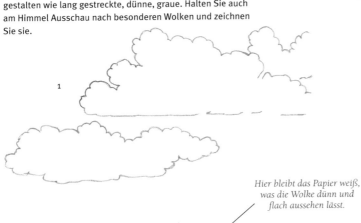

1

Hier bleibt das Papier weiß, was die Wolke dünn und flach aussehen lässt.

Cumulus fractus

Cirrus fibratus

Mit der abgerundeten Spitze eines weichen Bleistifts geben Sie Wolken etwas Volumen.

Mit gleichmäßigen Schraffuren rund um die Wolke gestalten Sie den Himmel.

Altocumulus

Cumulonimbus

Mit dem Papierwischer können Sie solche Zwischentöne am besten gestalten.

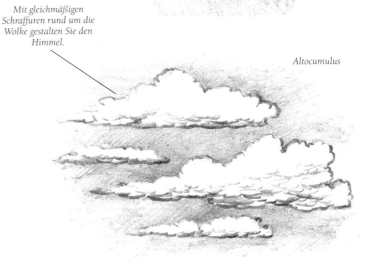

Schraffurtechniken Mit unterschiedlichen Techniken wurden auf dieser Seite verschiedenartigste Wolken und Stimmungen geschaffen. Die nach oben strebenden Striche im Bild rechts sprechen von Kraft und Dynamik. Die große, sanftere Wolkenformation darunter wirkt ruhiger.

Um so unterschiedliche Effekte zu erzielen, verwenden Sie verschiedene Stifte, BleistiftHärten und unterschiedlich geformte Spitzen. Mit dem Finger oder der Seite eines Papierwischers verreiben Sie größere Flächen, kleine Stellen bearbeiten Sie mit der Spitze des Papierwischers.

Hier weist die Spitze des Stiftes beim Zeichnen nach außen.

Solche Wolken zeichnen Sie mit dem abgeflachten Stift.

Mit der flachen Seite eines 2B zeichnen Sie dunkle Regenwolken.

Mit einem Zimmermannsbleistift mit eingekerbter Spitze lassen sich schöne Wolkenstrukturen zeichnen.

STEINE UND FELSBROCKEN

Da es Felsen in den unterschiedlichsten Formen gibt, ist es am besten, sich auf jeweils die Felsen zu konzentrieren, die Sie gerade zeichnen. Fangen Sie mit einer lockeren Skizze der Umrisse und der flachen Partien an.

In Schritt 2 schraffieren Sie die Stellen, die im Schatten liegen. Dabei zeichnen Sie die ersten Spuren der Sprünge, Risse, Vorsprünge und Kuhlen ein. Wenn Sie sich Schritt 3 nähern, greifen Sie zu einem spitzen 2B und arbeiten die Zwischenräume zwischen den Steinen und die tiefsten Stellen der Sprünge heraus. Mit nur einigen wenigen wie hingekritzelt wirkenden Strichen deuten Sie den Hintergrund an.

Mit unterschiedlichen Schraffuren gestalten Sie die rauen, unebenen Oberflächen. Schraffieren Sie in unterschiedliche Richtungen, mit unterschiedlichem Druck und besonders dicht dort, wo die Schatten am tiefsten sind: in den Zwischenräumen, an scharfen Kanten und tiefen Einkerbungen.

1

In der Sonne Damit Steine so aussehen, als würde die Sonne auf sie scheinen, gehen Sie an sich in denselben Schritten vor wie auf der rechten Seite. Radieren Sie dann für helle Stellen die Schraffuren wieder aus, oder lassen Sie die Stellen gleich weiß.

2

Laub ist ein idealer Hintergrund für Steine, da die lebhafte Struktur der Blätter in schönem Kontrast zu den glatten Steinen steht. Zeichnen Sie die Umrisse der Büsche von Anfang an mit und gestalten Sie dann das Laub mit unterschiedlichen Schraffuren nicht zu detailliert.

Dunkle Schattenstellen wie dieser kleine Abbruch sind wichtig für eine Gesteinsformation.

3

DER BACH

Eine Landschaft mit einem Bach und Steinen zu zeichnen, ist eine schöne Aufgabe für einen Künstler, denn hierbei können Sie die Gestaltung und die Wirkung unterschiedlicher Oberflächen üben. Wichtig ist, dass der Grundaufbau der Szene stimmt, dass die Objekte sich im richtigen Maß überlappen, dass die Perspektiven stimmen und dass alle Bildelemente ausgewogen sind. Ist alles harmonisch, ersparen Sie sich viele mühsame Korrekturen.

Die Szene anlegen Sie beginnen bei einer so komplexen Szene am besten mit den Bäumen im Hintergrund. Dann folgen die Bildelemente in der Mitte und im Vordergrund. Zeichnen Sie Umriss für Umriss und behalten Sie das große Zusammenspiel im Auge. Wenn Sie anschlie- ßend mit den Schraffuren beginnen, halten Sie sich nicht zu sehr an einem Objekt auf. Das ganze Bild soll später einen einheitlichen und harmonischen Eindruck vermitteln.

3

4

Mit der Seite des Bleistifts (HB) und sehr gleichmäßigen Strichen schraffieren Sie die Spiegelungen der Steine und Bäume im Wasser. Denken Sie aber daran, die Silhouetten in bewegtem Wasser etwas zu verzerren wie bei den Steinen an der kleinen Stromschnelle.

Achten Sie bei einem Landschaftsbild auf alle Details und hier vor allem auf die Steine: Stimmt die Richtung der Schraffuren, haben Sie an die tiefen Schatten bei Kuhlen und Rissen gedacht und an den hellen Sonnenschein auf der Oberfläche?

BERGE

Die Umrisse und die groben Strukturen einer Berglandschaft werden zunächst mit einigen wenigen Strichen eingefangen wie in Schritt 1. Zeichnen Sie dann die wichtigsten Abhänge und den Bewuchs ein wie in Schritt 2. Nicht jeden Felsvorsprung zeichnen –

es kommt darauf an, dass der Gesamteindruck harmonisch ist. In Schritt 3 und 4 formen Sie die Gestalt der Berge und des Waldes sowie den großen flachen Stein im Vordergrund aus. An die tiefen Schatten denken!

Verschiedene Techniken Eine solche Landschaft braucht unterschiedliche Schraffurtechniken. Zum Beispiel setzen Sie die Bäume im Vordergrund zum Schluss mit einigen wie hingekrritzelt wirkenden Strichen und Linien aufs Papier.

Die Berge links im Hintergrund sind sehr weit entfernt. Sie werden mit wenigen Strichen mehr angedeutet als gezeichnet. Auch beim Wald drücken Sie durch die verschiedenen helleren und dunkleren Elemente aus, dass manche Bäume weiter entfernt sind als andere, und schaffen so Räumlichkeit.

Kräftige Striche schaffen plastische Bäume und Äste.

EIN GROSSES LANDSCHAFTSBILD

L andschaften sind faszinierende Motive, und eine Zeichnung kann oftmals auch als Vorlage für ein Gemälde dienen. Wenn Sie aber eine Landschaft für immer in einer voll ausgearbeiteten Zeichnung festhalten möchten, dann gehen Sie am besten in Schritten vor. Suchen Sie in der Landschaft, die Sie vor sich sehen, den schönsten Ausschnitt – Sie können auch ein wenig nachhelfen. Und arbeiten Sie dann in Schritten. Bei Landschaften kommen auch sehr interessante Zeichentechniken ins Spiel, mit denen Sie z. B. Entfernungen ganz bewusst betonen können

VOGELPERSPEKTIVE

Mithilfe dieser Technik schaffen Sie einen Eindruck von Weite und Atmosphäre. Sie müssen dazu nur einige kleine Dinge beachten. Wenn z. B. Wälder, ein einzelner Baum oder Berg fast in der Ferne verschwinden sollen, dann zeichnen Sie diese Bildelemente in sehr hellen Grautönen, geben ihnen zudem weichere Kanten und Linien und weniger Details als den Elementen im Vordergrund. Alleine schon durch diese Technik gewinnt Ihr Bild viel Präsenz, künstlerische Qualität und Realismus. Um Ihnen diese Arbeitsweise an einem Beispiel zu zeigen, wurde das großartige Panorama des Half Dome und seines Tals im Yosemite National Park in Kalifornien ausgewählt. Vorlage sind die Fotos rechts.

Der beste Blick Jede der drei Aufnahmen des Half Dome hält einen anderen Blick und eine andere Stimmung fest. Als Vorlage wurde schließlich das Foto mit dem weiten Vordergrund gewählt.

1 Betrachten Sie das Foto rechts und dann die Skizze in Schritt 1. Hier wurden zunächst nur die wichtigsten Umrisse und Geländelinien mit einem spitzen Bleistift (HB) vorgezeichnet. Lassen Sie alle Details bewusst weg und konzentrieren Sie sich ausschließlich darauf, die Neigungen und Verläufe der großräumigen Landschaft zu erfassen und in der richtigen Perspektive darzustellen.

2 Als Nächstes zeichnen Sie jede größere Felsformation genauer nach, konzentrieren sich aber nur auf die herausragendsten Details – die kleinen Dinge folgen später. Sehen Sie, dass schon jetzt eine Felsnase rechts von der Mitte des Bildes stark abgedunkelt wurde? An dieser Stelle können Sie sich leicht orientieren, wenn Sie vor Ort arbeiten und Ihr Auge immer wieder zwischen Natur und Papier hin und her pendelt.

3 Hier sind nun bereits die Bildelemente im Vordergrund eingearbeitet – Bäume und Büsche. Zeichnen Sie als Erstes jedoch die Bäume auf dem Talgrund ein. Das geht mit einer abgerundeten Spitze (HB) und senkrechten Strichen am besten. Die Wipfel der Bäume werden mit einem spitzen HB akzentuiert. Dann beginnen Sie mit den Felswänden, deren Oberflächen und Gestalt Sie großzügig schraffieren.

4 Nach und nach wird die Zeichnung jetzt fertig. Vergewissern Sie sich durch häufiges Nachsehen auf dem Foto, dass Ihre Grautöne die Bewegung der Landschaft treffen. Setzen Sie mit einem Stift in Härte 2B letzte Akzente.

Bäume im Vordergrund Die Blätter sind die dunkelste Stelle des Bildes und besonders detailliert ausgearbeitet. Nehmen Sie einen spitzen Bleistift (HB), kritzeln Sie mit kräftigen Strichen und ohne abzusetzen das Laub. Variieren Sie die Grautöne und die Strichrichtung. Mit einem weicheren Stift (2B) setzen Sie weitere dunkle Akzente.

Bäume in der Ferne In der Mitte des Bildes stehen die Bäume des Talgrundes. Sie sind im Gegensatz zu den fein ausgearbeiteten Bäumen des Vordergrundes mit weichen senkrechten Linien nur angedeutet. Mit härteren und weicheren Strichen schaffen Sie hellere und dunklere Bereiche. Hie und da zeichnen Sie mit einem HB einen Wipfel ein.

Felsen im Vordergrund Diese Felsen gestalten Sie besonders dramatisch, wenn Sie die Flächen, die im Schatten liegen, bewusst dunkel halten, die anderen Flächen hell. Mit einigen leichten waagrechten Strichen deuten Sie die Felsstufen an. Mit harten senkrechten Strichen an den Seitenwänden zeigen Sie die kraftvolle Präsenz und die steilen Wände.

Felsen in der Ferne Je weiter die Berge im Hintergrund verschwinden, desto feiner und leichter sind die Striche, um die Vogelperspektive einzufangen. Sehen Sie, dass der Himmel über dem Half Dome dunkler ist als der Berg selbst? Die am weitesten entfernten Berggipfel wurden nur noch mit feinen weichen Linien angedeutet. Lassen Sie auch einige Stellen ganz weiß.

AUF REISEN

Nicht nur Küsten sind beliebte Motive für Urlaubserinnerungen. Gerade auch Wüstenlandschaften bieten eine Vielzahl von Möglichkeiten, ungewöhnliche Formen und Oberflächen mit dem Stift für immer festzuhalten.

In Schritt 1 zeichnen Sie die wichtigsten Landschaftsmerkmale mit einem Bleistift in Härte HB. Als Nächstes folgen wenige und leichte Schraffuren. Auch in der Endfassung sind nur wenige Stellen ausgearbeitet – und so entsteht der Effekt einer Landschaft, die von der Sonne durchglüht zu sein scheint.

1

2

3

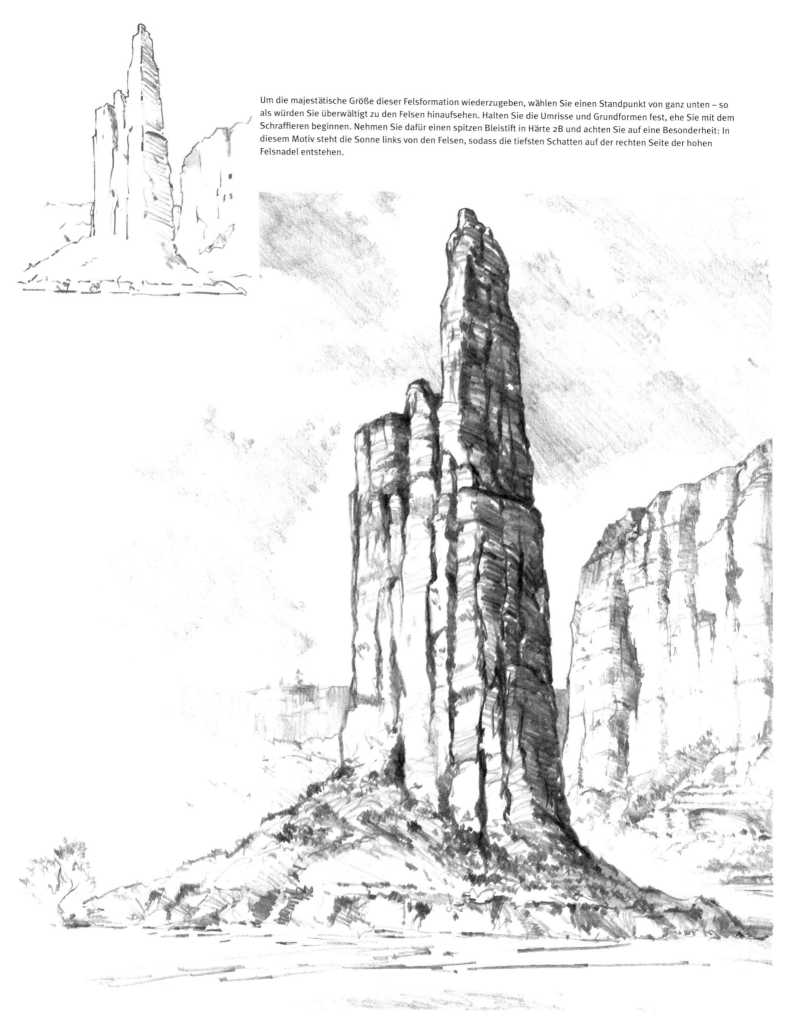

Um die majestätische Größe dieser Felsformation wiederzugeben, wählen Sie einen Standpunkt von ganz unten – so als würden Sie überwältigt zu den Felsen hinaufsehen. Halten Sie die Umrisse und Grundformen fest, ehe Sie mit dem Schraffieren beginnen. Nehmen Sie dafür einen spitzen Bleistift in Härte 2B und achten Sie auf eine Besonderheit: In diesem Motiv steht die Sonne links von den Felsen, sodass die tiefsten Schatten auf der rechten Seite der hohen Felsnadel entstehen.

SEHNSUCHT NACH WEITE

Eine der größten Freuden des Zeichnens ist es, auf dem kleinen Blatt Papier die ganze Weite der Natur einzufangen. Wenn Sie wissen, wie es geht, können Sie Berge so darstellen, dass sie Kilometer entfernt zu sein scheinen, oder ein Blümchen am Weg so nah, dass man es pflücken möchte: Dazu müssen Sie die richtigen Elemente ganz klar zeichnen, andere verschwommen darstellen. Auch das Überlappen von Elementen und andere einfache „Tricks" bringen das Gefühl von Weite in Ihre Bilder.

DIE RICHTIGE AUSWAHL

Um die Atmosphäre von Weite und Tiefe zu schaffen, sollten Sie generell alles, was näher am Betrachter steht, groß zeichnen und alle Elemente, die im Hintergrund erscheinen, kleiner. Ein Resultat dieser Auswahl ist dann, dass sich Dinge im Bild überlappen und damit den Eindruck der atmosphärischen Weite noch verstärken.

Dieses einfache Wolkenbild ist ein wunderbares Beispiel für den Effekt, den das Überlappen hat: Während die vorderen Wolken auf Sie zuzusegeln scheinen, verschwinden die hinteren fast am Horizont.

Der Eindruck des weiten Raumes und der großen räumlichen Tiefe mit den fernen Bergen am Horizont entsteht ganz leicht: Natürlich ist ein Telefonmast höher als ein Kaktus und ein Berg wesentlich höher als ein Kaktus oder ein Telefonmast zusammen – doch durch die Entscheidung, den Kaktus groß und dominant in den Vordergrund zu setzen, wirken die anderen Elemente, als seien sie weit weg.

Sehen Sie, wie selbst in diesem kleinen Bildchen mit wenigen Elementen der Eindruck von Weite entsteht? Die Hügel und Berge im Hintergrund erscheinen „zusammengeschoben" und die hinteren Wolken sind so leicht und klein, dass man sie kaum noch sehen kann. Im Vordergrund dagegen ist alles groß und gut zu erkennen. Wenn Sie diese Elemente auch noch kräftig dunkel zeichnen, fallen sie noch mehr ins Auge.

Die richtige Anwendung der Perspektive ist eines der sichersten Mittel, um in einem Bild sehr große Entfernungen zu suggerieren. Hier wurden die Elemente nicht nur überlappt, die Vordergrundelemente groß und dunkel gezeichnet, sondern Weg, Zaun und Bäume laufen auf perspektivischen Linien direkt auf den Horizont zu. Mehr zu dieser Technik auf den Seiten 49 und 214 ff.

Solche grandiosen Weiten erzielen Sie durch einen weiteren Effekt: Hier wurden der Himmel und die fernen Palmen bewusst undeutlich gezeichnet.

DIE *Welt* DER TIERE

Tiere gehören weltweit zu den beliebtesten Motiven. Ob Sie ein
stimmungsvolles Porträt Ihres geliebten Haustieres anfertigen
oder die dramatische Präsenz eines lauernden Tigers nach einem
Foto gestalten wollen, ob Sie in Ruhe Tiere im Zoo beobachten
und sie auf dem Blatt festhalten möchten ... Tierbilder sind immer
unmittelbar und ansprechend. Wie Sie Ihre Bilder so aufbauen
und gestalten, dass Sie mit dem Ergebnis wirklich zufrieden sein
können, erfahren Sie in den Abschnitten dieses ausführlichen
Kapitels.

ZEICHNUNGEN NACH EINEM FOTO

Fotos von Tieren sind wunderbare Vorlagen, nach denen man sehr gut zeichnen kann. Wenn Sie die Aufnahmen selbst machen, versuchen Sie einen Moment zu erhaschen, in dem das Tier eine Bewegung macht, die ganz typisch ist, wie z. B. einen Schimpansen, kurz bevor er springt, oder einen Gibbon, der gerade dabei ist, sich von Ast zu Ast zu schwingen. Seien Sie einfach darauf gefasst, im nächsten Moment einen tollen Schnappschuss zu bekommen, und machen Sie möglichst viele Aufnahmen vom selben Tier. Es ist nicht ganz einfach, die unverwechselbare und faszinierende Persönlichkeit eines Tieres auf Zelluloid oder digital festzuhalten, aber das Warten lohnt sich immer!

Wenn Sie sich an Ihre Zeichnung machen, holen Sie alle Fotos hervor und wählen Sie dasjenige aus, das Ihnen am besten gefällt. Denken Sie nicht, dass Sie nur ein Motiv verwenden dürfen - im Gegenteil! Es ist ja gerade die große Freiheit eines Künstlers, sich inspirieren zu lassen. Sie können ohne Weiteres das Gesicht zeichnen, wie es auf einem Foto zu sehen ist, und den Körper von einem anderen Foto nehmen, auf dem Sie ihn besser getroffen haben. Und natürlich können Sie den Hintergrund ganz nach Ihrem Belieben gestalten.

Tierporträt nach dem Foto Diese Zeichnung wurde nach dem Foto oben angefertigt. Es zeigt den stolzen und starken Charakter eines Gorillas sowie seine körperliche Kraft. Da das Foto so treffend ist, konnte die Zeichnung ihm detailgetreu folgen.

Kombinierte Vorlagen Für die Zeichnung des Eisbären rechts wurden Elemente dieser beiden Fotos kombiniert. Das Foto des gehenden Eisbären zeigt die Proportionen und die Form seines Körpers. Auf dem zweiten Foto aber sieht man das Gesicht besonders gut.

EINE SAMMLUNG ANLEGEN

Je besser Ihnen Ihre Zeichnungen gelingen und je mehr unterschiedliche Tiere Sie interessieren, desto mehr Vorlagen werden Sie zur Hand haben wollen. Viele Künstler haben ein Archiv angelegt, in dem Sie Fotoabzüge, Dias und digitales Bildmaterial aufbewahren. Auf diese Weise ergänzen sie ihre Skizzen (▶ Seite 79) und haben mehr Informationen über Fellstrukturen, Proportionen usw. zur sofortigen Verfügung. Sie können in Ihrer Sammlung auch Ausschnitte aus Zeitschriften, Postkarten oder anderes Material archivieren. Sie müssen sich nur immer klarmachen, dass Sie diese immer nur als Inspiration verwenden und nicht 1:1 kopieren, denn damit würden Sie die Nutzungsrechte verletzen.

Heutzutage können Künstler umfangreiche Sammlungen zu Hause haben – dank der digitalen Medien. Tausende von Fotografien lassen sich platzsparend auf CDs speichern und sind innerhalb von Sekunden auf dem Monitor abrufbar. Wenn Sie lieber herkömmliche Ordnungssysteme nutzen, hat es sich bewährt, das Material nach einem alphabetischen System zu archivieren, das einen schnellen und unkomplizierten Zugriff ermöglicht.

ZEICHNUNGEN NACH DER NATUR

Wenn Sie Menschen, Landschaften, Bäume oder Tiere nach der Natur zeichnen, werden diese Bilder einzigartige Originale mit ungewöhnlichen Motiven, denn jeder Ausschnitt, jede Bewegung und jedes Motiv sind neu und noch nie da gewesen! Natürlich ist es schwierig, ein Bild gleich vor Ort ins Reine zu zeichnen: Vielleicht können Sie nicht so lange bleiben, bis alles fertig gezeichnet ist, oder das Licht wechselt zu schnell … Außerdem halten Tiere meist nicht lange genug still, bis Sie alles „im Kasten" haben. Deshalb sollten Sie es gar nicht erst versuchen. Viel besser ist es, zunächst Skizzen anzufertigen und dort alle Informationen und Beobachtungen festzuhalten, die Sie für die Fertigstellung der Zeichnung brauchen können. Arbeiten Sie dabei schnell und locker; konzentrieren Sie sich auf die Gestalt Ihres Modells, auf seine Gesichtszüge und seine Gesten. Nehmen Sie den ganzen Arm und die Schulter zu Hilfe, zeichnen Sie nicht nur aus dem Handgelenk. Passen Sie die Haltung des Stiftes immer wieder an. Machen Sie sich auch kurze Notizen. Wenn Sie zu Hause das Bild ausarbeiten, werden Sie sich wundern, wie oft Sie im Skizzenbuch nachsehen!

Zeichnen im Zoo Ein Tierpark ist der ideale Ort für Tierzeichner. Ehe Sie ein Tier zeichnen, beobachten Sie es eine Weile lang gut. So prägen sich seine Gestalt und sein Verhalten besser ein. Je mehr Sie über ein Tier wissen, desto treffender werden Ihre Porträts ausfallen.

Das Skizzenbuch richtig verwenden Wenn Sie sich draußen Skizzen für ein Bild machen, notieren Sie bitte alles über den Lichteinfall, die Tageszeit und alle anderen Dinge, die Sie vergessen könnten. Wenn Sie ein Detail wie hier das Auge oder ein Gesichtsausdruck besonders interessiert, machen Sie mehrere Skizzen aus unterschiedlichen Blickwinkeln. Auch wenn Sie es nicht wollen, wird vieles von dem, was Sie beim Skizzieren sehen, nach und nach in Ihrem Gedächtnis verblassen.

DER BILDAUSSCHNITT

Wenn Sie sich nicht so recht entscheiden können, wie Sie das Objekt oder die Objekte, die Sie zeichnen möchten, auf dem Blatt arrangieren sollen, formen Sie einfach mit Daumen und Zeigefinger ein L. Sie können den Ausschnitt auch mithilfe einer Schablone bestimmen, wie Sie sie hier im Foto sehen. Betrachten Sie das Objekt nun von allen Seiten, wechseln Sie die Position und so weiter, bis Sie den idealen Ausschnitt gefunden haben.

Die Grundformen Ihre Skizzen müssen nicht so akkurat sein wie auf den Beispielseiten eines Skizzenbuches oben. Viel wichtiger ist es, dass Sie auch vor Ort ein Objekt in seine einfachsten Grundformen „zerlegen" und sie dann ins Buch übertragen können. Die Skizze des Schimpansen links bestand zunächst nur aus verschiedenen Ovalen. Hände, Füße und Gesicht sind kaum angedeutet. Das Zentrum des Elefantenporträts ist ein einfacher Kreis. Es folgten ein Oval und einige dreieckige Formen; dann war es ganz einfach, den Rüssel und die Stoßzähne und den Rest zu zeichnen.

Tiere

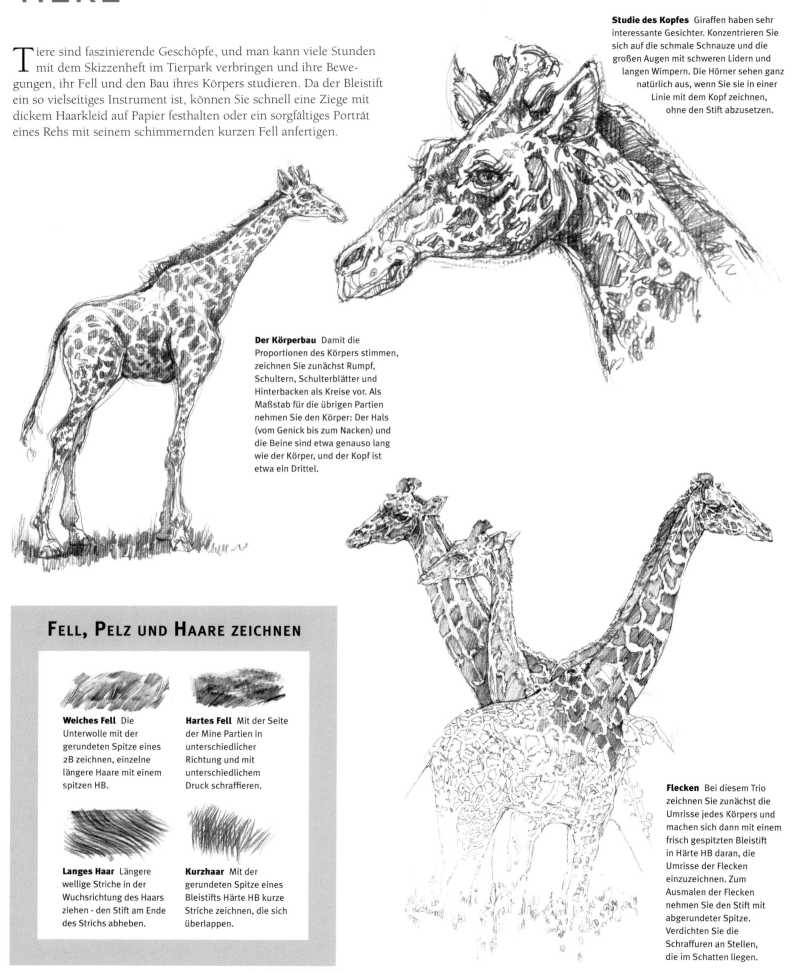

Tiere sind faszinierende Geschöpfe, und man kann viele Stunden mit dem Skizzenheft im Tierpark verbringen und ihre Bewegungen, ihr Fell und den Bau ihres Körpers studieren. Da der Bleistift ein so vielseitiges Instrument ist, können Sie schnell eine Ziege mit dickem Haarkleid auf Papier festhalten oder ein sorgfältiges Porträt eines Rehs mit seinem schimmernden kurzen Fell anfertigen.

Studie des Kopfes Giraffen haben sehr interessante Gesichter. Konzentrieren Sie sich auf die schmale Schnauze und die großen Augen mit schweren Lidern und langen Wimpern. Die Hörner sehen ganz natürlich aus, wenn Sie sie in einer Linie mit dem Kopf zeichnen, ohne den Stift abzusetzen.

Der Körperbau Damit die Proportionen des Körpers stimmen, zeichnen Sie zunächst Rumpf, Schultern, Schulterblätter und Hinterbacken als Kreise vor. Als Maßstab für die übrigen Partien nehmen Sie den Körper: Der Hals (vom Genick bis zum Nacken) und die Beine sind etwa genauso lang wie der Körper, und der Kopf ist etwa ein Drittel.

Fell, Pelz und Haare zeichnen

Weiches Fell Die Unterwolle mit der gerundeten Spitze eines 2B zeichnen, einzelne längere Haare mit einem spitzen HB.

Hartes Fell Mit der Seite der Mine Partien in unterschiedlicher Richtung und mit unterschiedlichem Druck schraffieren.

Langes Haar Längere wellige Striche in der Wuchsrichtung des Haars ziehen - den Stift am Ende des Strichs abheben.

Kurzhaar Mit der gerundeten Spitze eines Bleistifts Härte HB kurze Striche zeichnen, die sich überlappen.

Flecken Bei diesem Trio zeichnen Sie zunächst die Umrisse jedes Körpers und machen sich dann mit einem frisch gespitzten Bleistift in Härte HB daran, die Umrisse der Flecken einzuzeichnen. Zum Ausmalen der Flecken nehmen Sie den Stift mit abgerundeter Spitze. Verdichten Sie die Schraffuren an Stellen, die im Schatten liegen.

DAS BESONDERE BETONEN

Angenommen, Ihnen gefällt ein Tier und Sie wollen es zeichnen. Dann fragen Sie sich vorher: „Was genau ist das Besondere?" So gleichen sich zwar Schafe, Pferde und Giraffen im Körperbau und sie stehen auch alle auf Hufen. Doch ein Dickhornschaf ist dank seiner großen gewundenen Hörner und seines windzerzausten Haarkleids einzigartig. Pferde haben samtig schimmerndes Fell und sind sehr beweglich. Eine Giraffe ist unverkennbar durch den überlangen Hals und die auffallenden Flecken. Wenn Sie beim Zeichnen auf diese Unterscheidungsmerkmale achten, wird Ihr Tierbild lebendig und glaubwürdig.

Das Haarkleid Dickhornschafe besitzen ein interessantes Haarkleid. Mit der Spitze eines Bleistifts Härte 2B und langen welligen Linien zeichnen Sie das lange weiche Haar an Hals und Brust. Mit kleinen kurzen Strichen nimmt das kurze Fell an Rücken, Bauch und Beinen Form an.

Tierporträts Ein Pferdekopf unterscheidet sich durch die weiten Nüstern, die großen Augen und den starken Wangenknochen deutlich vom Kopf eines Schafs oder einer Giraffe. Zeichnen Sie zunächst die Umrisse und die Details mit einem spitzen Bleistift, dann setzen Sie Schatten mit der Seite der Mine. Zum Schluss gehen Sie mit der gerundeten Spitze über das Porträt und arbeiten die Muskeln besser heraus. Durch die weißen Stellen im Bild schimmert das Fell samtweich.

Hufe Sehen Sie einmal genau hin: Pferde haben Hufe. Giraffen, Schafe und Rinder stehen dagegen auf zwei Zehen. Der Pferdehuf ist auch runder, und die Zehen der Giraffe sind nicht gleich.

In Aktion Wenn man nach Fotovorlagen zeichnet, hat man Zeit, auch solche komplizierten Bewegungen ganz genau darzustellen. Konzentrieren Sie sich bei diesem Motiv auf die harten Winkel der Beine. Die angespannte Beinmuskulatur kommt durch die verwendeten Schraffurtechniken besonders gut zum Vorschein.

Pferd   Giraffe

SCHRAFFURTECHNIKEN

Jede Katzenrasse hat Fell, das typisch für sie ist – lang oder kurz, weich oder kräftig, gestreift oder einfarbig. Sie können unterschiedliches Fell gut mit den Techniken darstellen, die Sie hier sehen. Und: Sie müssen nicht jedes Haar einzeln zeichnen.

Einfarbiges Fell

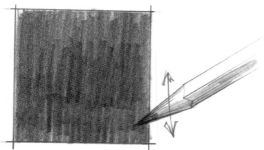

Schritt 1: Die Fläche gleichmäßig mit der Seite eines Bleistifts Härte HB und senkrechten Strichen bedecken. Mehrere Schichten auftragen.

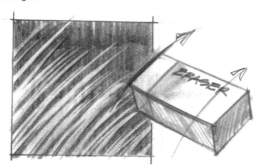

Schritt 2: Mit einem Radiergummi einzelne helle Haare in Wuchsrichtung ausradieren. Den Radiergummi am Ende abheben, macht eine schöne Haarspitze.

Gestreiftes Fell

Schritt 1: Mit einem Bleistift in Härte HB (spitze und Seite) zunächst die dunklen Fellpartien einzeichnen.

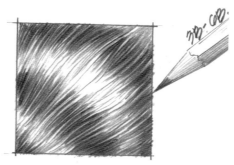

Schritt 2: Die Struktur und die Feinheiten mit Stiften zwischen 3B und 6B ausarbeiten; harte Übergänge mit dem Papierwischer absoften.

Dichtes Fell

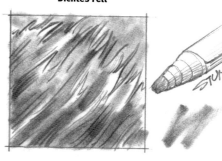

Schritt 1: Mit einem Bleistift in Härte HB dünne Linien auftragen, dann einige Linien mit dem Papierwischer verwischen.

Schritt 2: Mit einem spitzen Bleistift in Härte 6B die Fellstruktur in der Wuchsrichtung nacharbeiten. Weiße Stellen ausradieren.

Schnurrbarthaare

Schritt 1: Die Barthaare mit einem Bleistift in Härte 2B (Spitze und Seite) vorzeichnen.

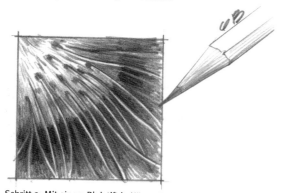

Schritt 2: Mit einem Bleistift in Härte 6B das Fell und Haare fein ausarbeiten.

TUSCHE UND PINSEL

Mit Tusche und Pinsel lassen sich schöne Effekte erzielen. Probieren Sie aus, wie Sie mit mehr oder weniger Wasser unterschiedliche Grautöne erreichen. Mit dem trockenen Pinsel werden Linien weich – mit dem nassen Pinsel entsteht mehr Kontrast.

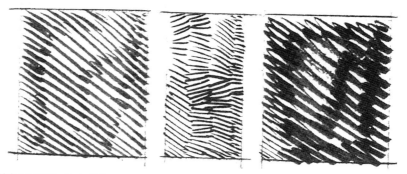

Links und Mitte: Zarte Linien entstehen, wenn Sie den Pinsel senkrecht halten und mit der Spitze zeichnen. Rechts: Für dickere Linien drücken Sie fester auf und nehmen mehr Farbe.

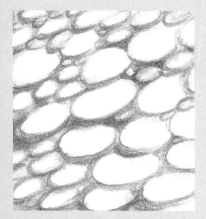

Weiche Schuppen Zeichnen Sie zunächst kleine Ovale in unterschiedlicher Größe; dann schraffieren Sie die Zwischenräume dunkler. Da Schuppen sich immer überlappen, müssen Sie darauf achten, dass jede Schuppe ein wenig von einer anderen bedeckt wird.

Raue Schuppen werden mit unregelmäßigen Flecken dargestellt, die in einer angedeuteten Bogenform angeordnet sind. Schraffieren Sie die Zwischenräume dunkler und gehen Sie danach zusätzlich mit leichten Strichen über die gesamte Struktur.

Zarte Federn Leichte daunenartige Federn bestehen aus dünnen parallelen Linien, die V-förmig links und rechts vom Federkiel angeordnet sind. Bemühen Sie sich, keine harten Umrisse entstehen zu lassen. Diese harten Linien zerstören den Eindruck des Leichten.

Große Federn Für stabilere Federn verwenden Sie kräftigere parallele Striche und den Papierwischer. Am dunkelsten sollten die Zwischenräume zwischen den Federn sein.

Fell Ganz kurzes, schimmerndes Fell zeichnen Sie mit kleinen Strichlein und der Breitseite Ihres Stifts. Kleine Falten entstehen, wenn Sie einige waagrechte Bänder hinzufügen, die heller sind als das restliche Fell.

Welliges Fell Schichten von lockigem, weichem Fell zeichnen Sie mit S-förmigen Strichen, die am Ende einen kleinen Bogen haben. Die Lichtreflexe lassen Sie weiß, dort wo das Fell dunklere Stellen hat, drücken Sie mit dem Stift fester auf.

Gestreiftes Kurzhaar Für die Darstellung von gestreiftem Fell zeichnen Sie zunächst kurze Striche in Wuchsrichtung. Dann tragen Sie unregelmäßige dunklere Bänder auf. Für die Lichtreflexe radieren Sie hier und da das Grau wieder aus.

Weiches Fell Fließende weiche Linien nebeneinander schaffen den Eindruck von weichem, seidigem Fell. Lassen Sie die Stellen mit den Lichtreflexen weiß. Verwenden Sie dabei abwechselnd die Spitze und der Breitseite Ihres Stifts.

Welliges Fell Dichtes lockiges Haarkleid zeichnen Sie mit welligen Strichen, die ineinander übergehen und in der Härte variieren. Damit das Fell natürlich und weich wirkt, zeichnen Sie die Locken unterschiedlich und radieren einige Stellen aus.

Lange Haare Schwanz, Mähne und andere lange Haare im Fell eines Tieres zeichnen Sie mit längeren, weichen Strichen, die leicht gebogen sind und spitz zulaufen.

Schnurrbarthaare Zuerst zeichnen Sie rund um die Schnauze kleine Punkte. Dann gestalten Sie das Fell dort ebenso wie in der übrigen Zeichnung. Zum Schluss nehmen Sie einen Knetradiergummi und radieren sauber lange gebogene Linien aus.

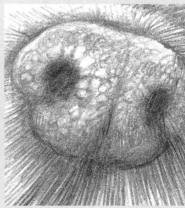

Die Nase Oft besitzen Tiere eine weiche Nase mit rauer Oberfläche, die sich gut mit einem ganz leichten Muster mit unterschiedlichen Grautönen darstellen lässt. Geben Sie einen Schatten unterhalb der Nase hinzu und radieren Sie helle Stellen aus.

SCHRITT FÜR SCHRITT

Jedes Tier, das Sie darstellen wollen, müssen Sie gut beobachten. Sehen Sie z. B., dass hier beim Kaninchen in Schritt A die Ohren nicht stimmen? Sie sind zu klein und müssen verbessert werden.

Wenn Sie eine bestimmte Rasse darstellen möchten, müssen Sie vorher recherchieren, damit die Details stimmen. Material finden Sie in der Bibliothek.

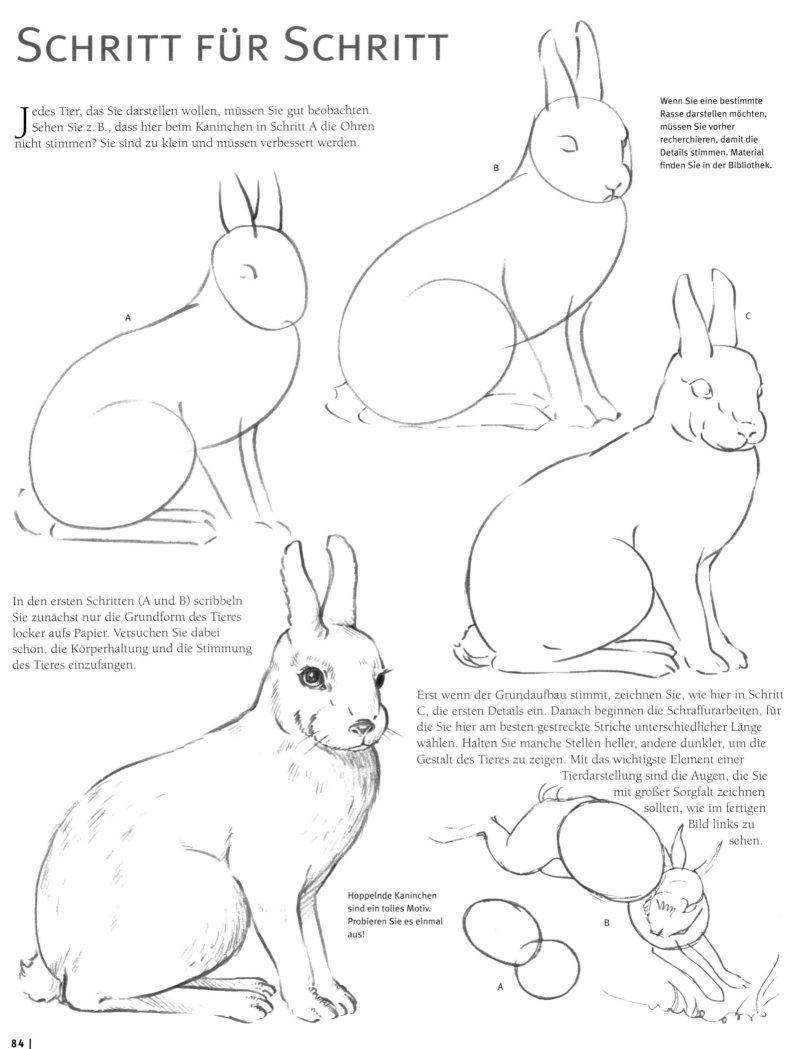

In den ersten Schritten (A und B) scribbeln Sie zunächst nur die Grundform des Tieres locker aufs Papier. Versuchen Sie dabei schon, die Körperhaltung und die Stimmung des Tieres einzufangen.

Erst wenn der Grundaufbau stimmt, zeichnen Sie, wie hier in Schritt C, die ersten Details ein. Danach beginnen die Schraffurarbeiten, für die Sie hier am besten gestreckte Striche unterschiedlicher Länge wählen. Halten Sie manche Stellen heller, andere dunkler, um die Gestalt des Tieres zu zeigen. Mit das wichtigste Element einer Tierdarstellung sind die Augen, die Sie mit großer Sorgfalt zeichnen sollten, wie im fertigen Bild links zu sehen.

Hoppelnde Kaninchen sind ein tolles Motiv. Probieren Sie es einmal aus!

Figur A zeigt, wie Sie mit wenigen klar gezeichneten Ovalen den Körperbau des sitzenden Kaninchens einfangen.

In Figur B sind die Striche weniger genau gezeichnet. Sie wurden eher locker gesetzt. Trotzdem: Auch mit diesem Arbeitsstil kommen Sie zu einem guten Ergebnis.

Wenn Sie nach dem Grundaufbau mit den Schraffuren beginnen, dann nehmen Sie am besten einen Bleistift in Härte 6B zur Hand. Mit ihm können Sie die Details und die dunkelsten Stellen herausarbeiten. Mit der Seite der Mine schraffieren Sie größere Flächen. So entstehen feine, leichte Grautöne.

Sehen Sie die Tiefe des Blicks und wie weich das Fell in den Abbildungen unten wirkt? Um solche Effekte zu erzielen, müssen Sie mit unterschiedlichen Schraffurtechniken arbeiten können.

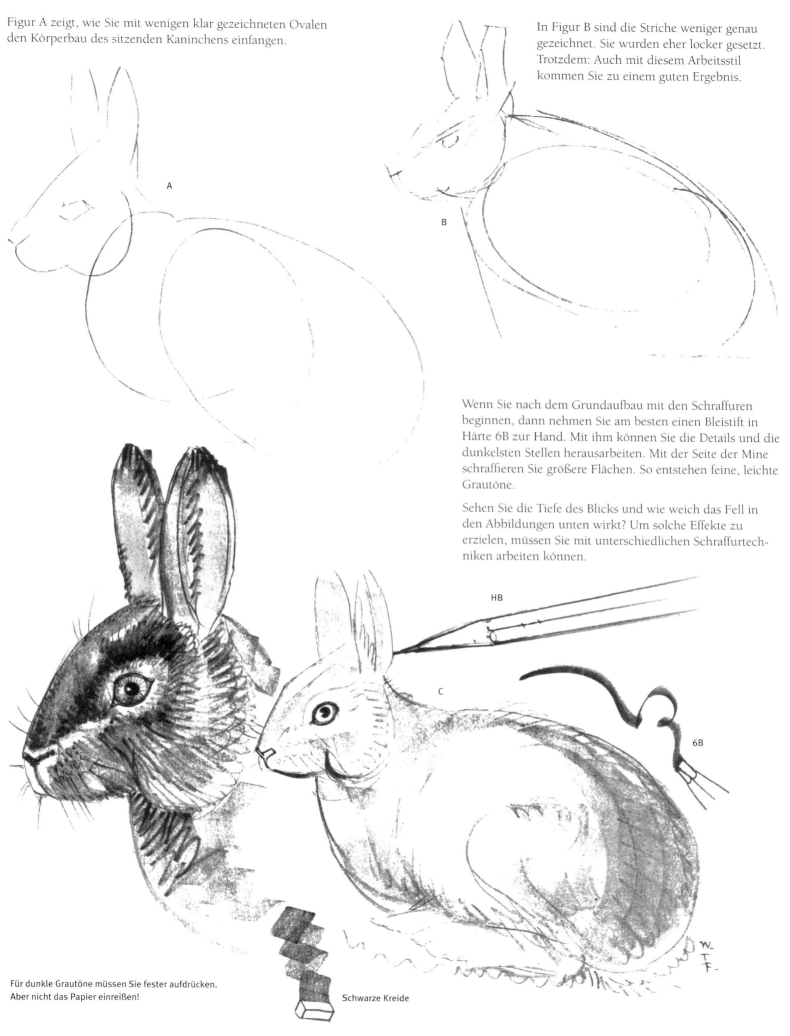

Für dunkle Grautöne müssen Sie fester aufdrücken. Aber nicht das Papier einreißen!

Schwarze Kreide

MEERSCHWEINCHEN

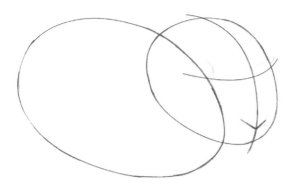

1 Zeichnen Sie zwei eiförmige Kreise übereinander, um Bauch und Kopf des kleinen Tieres zu skizzieren. Mit wenigen Hilfslinien markieren Sie das Gesicht, das Sie bei dieser Dreiviertelansicht in vier Quadranten zerlegen. Es folgt noch ein V für die Nase.

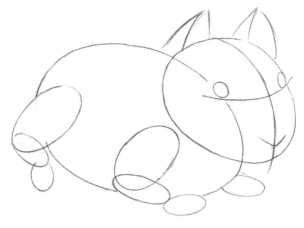

2 Zeichnen Sie dann Ovale für die Pfoten und Beine des Meerschweinchens. Die Ohren sitzen oben am Kopf, bei den Augen folgen Sie der Hilfslinie.

3 Als Nächstes zeichnen Sie die Zehen an den Pfoten ein. Ein lang gestrecktes U hilft, die Nasenpartie sicher zu positionieren, und kleine Ovale deuten die Wangen an.

4 Auf die gezeichnete Basis setzen Sie mit kurzen Strichen unterschiedlicher Länge das dichte Fell. Es ist viel leichter, Fell auszuarbeiten, wenn man weiß, wie das Tier darunter gestaltet ist.

5 Radieren Sie alle Hilfslinien aus, die nicht mehr gebraucht werden, und arbeiten Sie weiter am Fell. Mit der breiten Seite des Bleistifts setzen Sie Schatten rund um das Meerschweinchen, um seine runden Formen zu betonen. Die Zeichnung kann etwas einfacher gehalten sein, denn die Körperformen eines Meerschweinchens lassen sich unter dem Fell nur erahnen. Stattdessen lohnt sich die Mühe, die Fellbüschel möglichst naturgetreu wiederzugeben.

EICHHÖRNCHEN

Alle Tiere haben wunderschöne Körperformen – und das Eichhörnchen bildet keine Ausnahme. Mit nur wenigen, harmonischen Linien fangen Sie die Grundform des Eichhörnchens am besten ein.

Skizzieren Sie den zierlichen Nager mit solchen weichen, harmonischen Linien wie in Schritt A. In Schritt B und C arbeiten Sie die Gestalt weiter aus. Um das Volumen des Körpers sichtbar zu machen, nehmen Sie die Seite eines schwarzen Buntstifts und einen Bleistift. Mit diesen unterschiedlichen Strichen wird das Fell lebendiger.

A

B

C

Anfänger sollten Tiere nicht aus dem Gedächtnis zeichnen. Nehmen Sie sich besser Bücher, Fotografien oder Zeitschriften. Trotzdem sollten Sie die Motive nicht einfach kopieren, sondern sie nur als Grundlage für eine Zeichnung nach Ihren Wünschen nehmen.

A

B

KÄNGURU

Gerade bei einem Känguru ist es wichtig, das Tier genau zu studieren, ehe Sie mit dem Zeichnen beginnen. Es hat überproportional große Augen, Ohren, Füße und einen auffallend langen Schwanz. Je mehr Sie auf die Details achten, desto lebensechter wird Ihre Zeichnung.

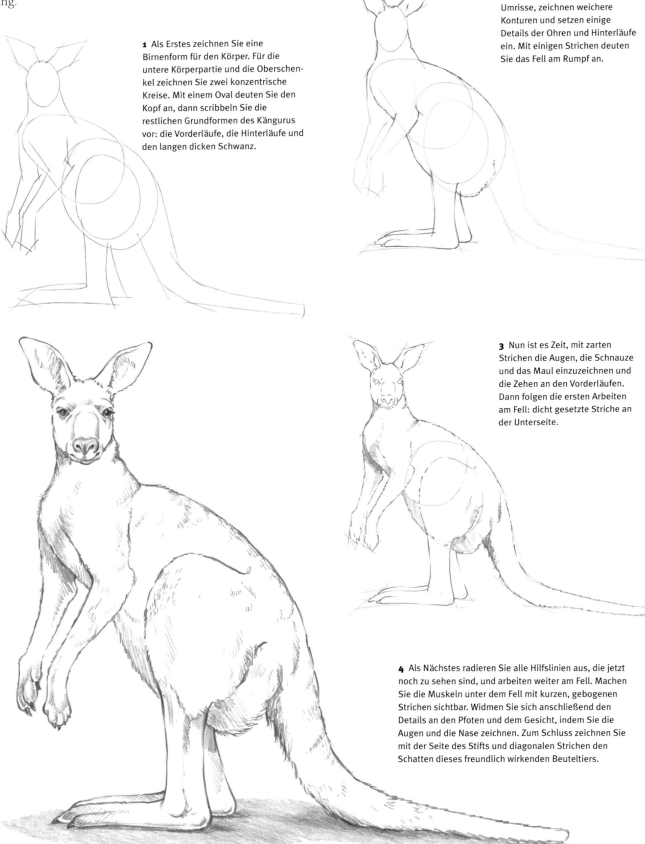

1 Als Erstes zeichnen Sie eine Birnenform für den Körper. Für die untere Körperpartie und die Oberschenkel zeichnen Sie zwei konzentrische Kreise. Mit einem Oval deuten Sie den Kopf an, dann scribbeln Sie die restlichen Grundformen des Kängurus vor: die Vorderläufe, die Hinterläufe und den langen dicken Schwanz.

2 Als Nächstes verfeinern Sie die Umrisse, zeichnen weichere Konturen und setzen einige Details der Ohren und Hinterläufe ein. Mit einigen Strichen deuten Sie das Fell am Rumpf an.

3 Nun ist es Zeit, mit zarten Strichen die Augen, die Schnauze und das Maul einzuzeichnen und die Zehen an den Vorderläufen. Dann folgen die ersten Arbeiten am Fell: dicht gesetzte Striche an der Unterseite.

4 Als Nächstes radieren Sie alle Hilfslinien aus, die jetzt noch zu sehen sind, und arbeiten weiter am Fell. Machen Sie die Muskeln unter dem Fell mit kurzen, gebogenen Strichen sichtbar. Widmen Sie sich anschließend den Details an den Pfoten und dem Gesicht, indem Sie die Augen und die Nase zeichnen. Zum Schluss zeichnen Sie mit der Seite des Stifts und diagonalen Strichen den Schatten dieses freundlich wirkenden Beuteltiers.

TUKAN

Vögel existieren in einer fast unglaublichen Vielfalt. Für die langen, glatten Federn dieses Tukans brauchen Sie lange, weiche Striche. Und es sind auch weiche Schraffuren nötig, um die glatte Oberfläche des Schnabels richtig zu zeichnen.

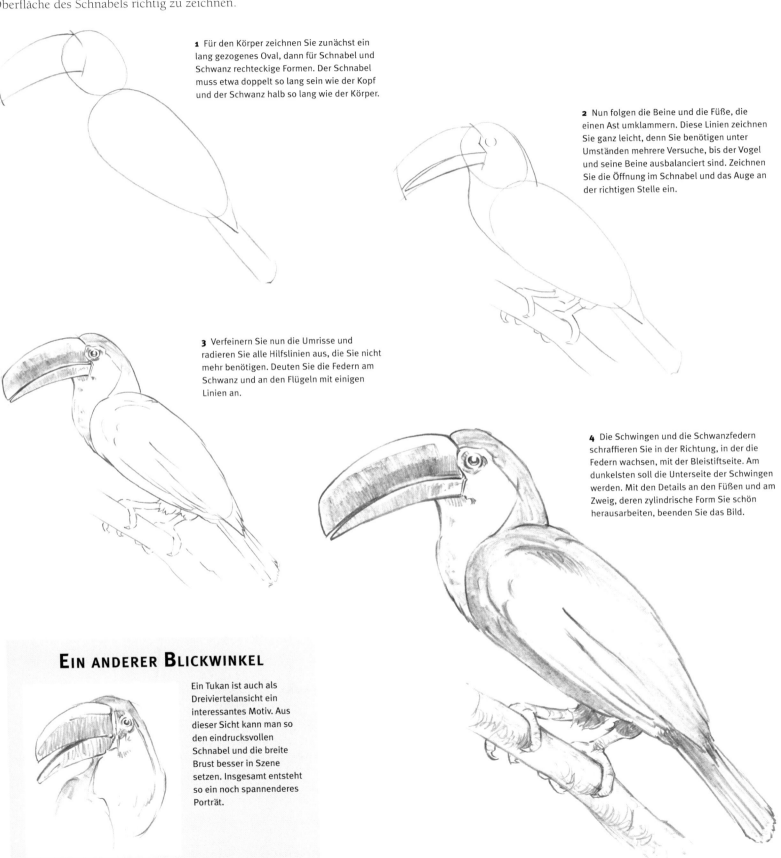

1 Für den Körper zeichnen Sie zunächst ein lang gezogenes Oval, dann für Schnabel und Schwanz rechteckige Formen. Der Schnabel muss etwa doppelt so lang sein wie der Kopf und der Schwanz halb so lang wie der Körper.

2 Nun folgen die Beine und die Füße, die einen Ast umklammern. Diese Linien zeichnen Sie ganz leicht, denn Sie benötigen unter Umständen mehrere Versuche, bis der Vogel und seine Beine ausbalanciert sind. Zeichnen Sie die Öffnung im Schnabel und das Auge an der richtigen Stelle ein.

3 Verfeinern Sie nun die Umrisse und radieren Sie alle Hilfslinien aus, die Sie nicht mehr benötigen. Deuten Sie die Federn am Schwanz und an den Flügeln mit einigen Linien an.

4 Die Schwingen und die Schwanzfedern schraffieren Sie in der Richtung, in der die Federn wachsen, mit der Bleistiftseite. Am dunkelsten soll die Unterseite der Schwingen werden. Mit den Details an den Füßen und am Zweig, deren zylindrische Form Sie schön herausarbeiten, beenden Sie das Bild.

EIN ANDERER BLICKWINKEL

Ein Tukan ist auch als Dreiviertelansicht ein interessantes Motiv. Aus dieser Sicht kann man so den eindrucksvollen Schnabel und die breite Brust besser in Szene setzen. Insgesamt entsteht so ein noch spannenderes Porträt.

WELLENSITTICHE

1 Feder und Tusche eignen sich wunderbar für kräftige Motive. Die Grundlage aber ist auch hier eine Bleistiftzeichnung. Zuerst kommen zwei parallele Striche aufs Papier – das wird der Zweig. Dann zeichnen Sie die Grundhaltung beider Vögel und deuten mit Ovalen die Köpfe und die Körper an. Die Komposition als Ganzes erinnert an ein Herz.

2 Dann formen Sie um die Grundlinien herum die Umrisse jedes Vogels mit den langen Schwanzfedern, die nach unten schmaler werden. Als Nächstes kommen die kleinen Füßchen, die gebogenen Schnäbel und die runden Augen dran.

3 Wenn die Grundformen stehen, beginnen Sie mit der Tusche. Verwenden Sie einen Tuschefüller und zeichnen Sie als Erstes die Umrisse. Mit dem Druck auf den Stift können Sie bestimmen, wie hart oder weich die Linien werden. Die Linien sind alle leicht unterbrochen, damit das zarte Federkleid natürlich aussieht. Zeichnen Sie jetzt auch schon einzelne Federn mit U-förmigen Linien ein. Sobald die Tusche völlig trocken ist, radieren Sier die alten Bleistiftstriche aus.

4 Damit die feinen Federchen auf dem Kopf und am Bauch besonders leicht aussehen, halten Sie nun den Stift wie einen Bleistift, denn so haben Sie mehr Kontrolle. Die Blüten am Zweig zeichnen Sie mit freien Bewegungen – dafür den Stift weiter oben anfassen (▶ Seite 8).

LEGUAN

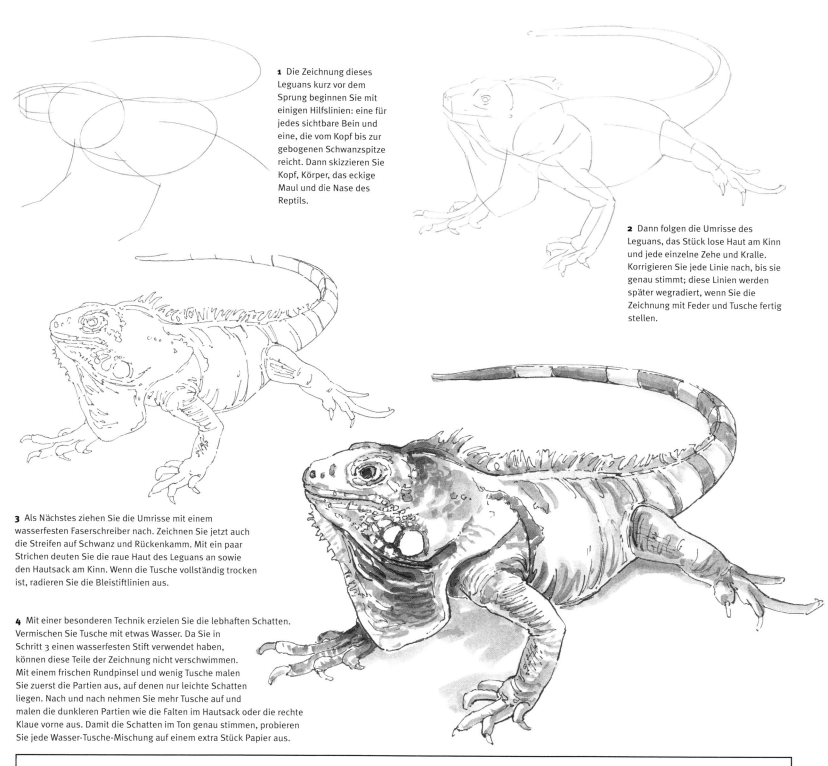

1 Die Zeichnung dieses Leguans kurz dem dem Sprung beginnen Sie mit einigen Hilfslinien: eine für jedes sichtbare Bein und eine, die vom Kopf bis zur gebogenen Schwanzspitze reicht. Dann skizzieren Sie Kopf, Körper, das eckige Maul und die Nase des Reptils.

2 Dann folgen die Umrisse des Leguans, das Stück lose Haut am Kinn und jede einzelne Zehe und Kralle. Korrigieren Sie jede Linie nach, bis sie genau stimmt; diese Linien werden später wegradiert, wenn Sie die Zeichnung mit Feder und Tusche fertig stellen.

3 Als Nächstes ziehen Sie die Umrisse mit einem wasserfesten Faserschreiber nach. Zeichnen Sie jetzt auch die Streifen auf Schwanz und Rückenkamm. Mit ein paar Strichen deuten Sie die raue Haut des Leguans an sowie den Hautsack am Kinn. Wenn die Tusche vollständig trocken ist, radieren Sie die Bleistiftlinien aus.

4 Mit einer besonderen Technik erzielen Sie die lebhaften Schatten. Vermischen Sie Tusche mit etwas Wasser. Da Sie in Schritt 3 einen wasserfesten Stift verwendet haben, können diese Teile der Zeichnung nicht verschwimmen. Mit einem frischen Rundpinsel und wenig Tusche malen Sie zuerst die Partien aus, auf denen nur leichte Schatten liegen. Nach und nach nehmen Sie mehr Tusche auf und malen die dunkleren Partien wie die Falten im Hautsack oder die rechte Klaue vorne aus. Damit die Schatten im Ton genau stimmen, probieren Sie jede Wasser-Tusche-Mischung auf einem extra Stück Papier aus.

UNTERSCHIEDLICH STARKE SCHATTEN MALEN

Wenn man unterschiedlich viel Tusche in eine Wasser-Tusche-Mischung gibt, kann man auf ganz einfache Weise unterschiedliche Töne in Grau und Schwarz erzielen. Dabei ist es am sinnvollsten, zunächst möglichst wenig Tusche in die Mischung zu geben. Das ist besser, als später viel Tusche mit Wasser zu verdünnen. Um sich diese Technik anzueignen, probieren Sie sie auf einem Stück Papier aus. Es soll eine Skala von Tönen entstehen wie die, die Sie oben sehen.

GIRAFFE

Bei der Giraffe müssen die Proportionen stimmen. Bedenken Sie, wie es aussehen würde, wenn die Beine zu kurz oder der Hals zu dick wären! Nehmen Sie den Kopf als Maß, um schon den Grundauf- bau des Tieres in den richtigen Proportionen zu zeichnen (▶ Seite 116); zählen Sie zum Beispiel ab, wie viele Köpfe der Hals lang ist.

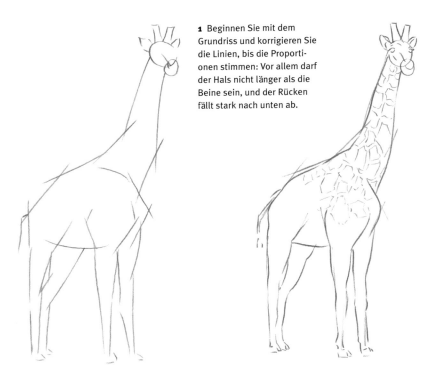

1 Beginnen Sie mit dem Grundriss und korrigieren Sie die Linien, bis die Proportionen stimmen: Vor allem darf der Hals nicht länger als die Beine sein, und der Rücken fällt stark nach unten ab.

2 Nun folgen die genauen Formen der Beine und des Rumpfs. Die Umrisslinien arbeiten Sie nach und zeichnen die Gesichtsmerk- male ein. Achten Sie beim Fell auf die Eigenheit dieser Giraffengat- tung: Ihre Flecken sind groß, aber unregelmäßig und sind durch schmale helle Zwischenräume getrennt.

3 Radieren Sie alle überflüssigen Hilfslinien aus und konzentrieren Sie sich jetzt ganz auf das Gesicht der Giraffe (▶ Details im Kasten unten). Dann füllen Sie die Flecken aus und zeichnen mit einem 2B und kurzen kleinen Strichen die kurze Mähne ein.

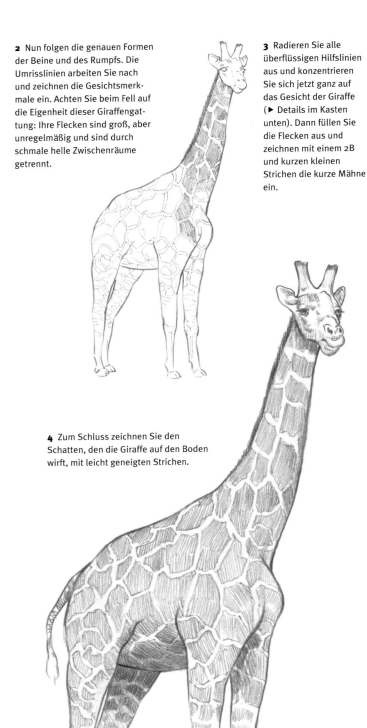

4 Zum Schluss zeichnen Sie den Schatten, den die Giraffe auf den Boden wirft, mit leicht geneigten Strichen.

GESICHT UND KOPF

Zeichnen Sie zuerst einen größeren Kreis für den Kopf und zwei kleinere für das Maul; dann folgen Ohren und Hörner. Zeichnen Sie die geschwungene Kinnlinie, die Augen und Wimpern und das Innere der Ohren. Mit einem weichen Bleistift schraffieren Sie die Zeichnung – achten Sie darauf, die Schraffuren zu variieren.

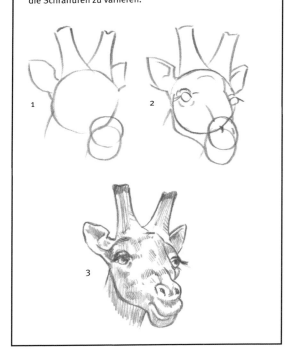

ELEFANT

So ein Elefant ist leicht zu zeichnen, da selbst die Details groß sind! Schraffieren Sie Rüssel, Körper, und Schwanz nur leicht.

1 Mit großen, einander überlappenden Ovalen und Kreisen legen Sie Kopf und Körperbau des Elefanten an.

2 Für die Beine und den Rüsselansatz zeichnen Sie lang gezogene Ovale. Die Stoßzähne deuten Sie links und rechts des Rüssels an.

3 Nun folgt der Umriss des Elefanten mit Ohren, Kopf und Beinen. Vervollständigen Sie den Rüssel nach unten bis zur Spitze und skizzieren Sie den Schwanz.

4 Nun werden die Umrisslinien des Elefanten verfeinert – dabei alle überflüssigen Hilfslinien entfernen. Nun folgen die ersten Schraffuren, und zwar am Hals, an den Ohren, am Schwanz und an den Beinen. Mit einigen Strichlein zeichnen Sie die Haare an der Schwanz-spitze und kleine Falten am Bauch.

5 Mit einem Bleistift in Härte 2B schraffieren Sie nun die dunkelsten Bereiche wie am Kopf und am Schwanz. Zeichnen Sie das Auge möglichst detailgenau – achten Sie auf den Lichtreflex in der Pupille. Arbeiten Sie sorgfältig die letzten Feinheiten des Elefanten aus und zeichnen Sie zum Schluss noch den Schatten, den er wirft, damit Ihr Motiv nicht in der Luft schwebt.

PAVIAN

1 Mit einem spitzen Bleistift in Härte HB zeichnen Sie die fragende Haltung dieses Pavians vor. Beginnen Sie mit den groben Umrissen des Kopfes sowie Hilfslinien für die wichtigsten Gesichtsmerkmale. Dann folgen die Umrisse von Körper, Armen und Beinen und zum Schluss noch die Bögen für den Schwanz.

2 Konzentrieren Sie sich als Nächstes ganz auf das Gesicht und setzen Sie mit einem fast stumpfen Bleistift in Härte HB erste Schraffuren rund um die Augen und die Nase – denken Sie dabei an die natürliche Wuchsrichtung der Haare. Dann zeichnen Sie an Händen und Füßen die Finger und Zehen ein.

3 Nun arbeiten Sie am Fell weiter. Zunächst zeichnen Sie mit kurzen, parallel gesetzten Strichen die Mähne und das Fell am Rücken. Da der Pavian überall ein Fellkleid trägt, brauchen Sie keine harten Begrenzungslinien für das Fell zu zeichnen. Es reicht, den ursprünglichen Umriss aus Schritt 1 auszufüllen.

4 Beenden Sie die Arbeit am Körper, indem Sie einerseits an den dunkelsten Stellen weitere Schraffuren hinzufügen und andererseits die entsprechenden Partien weiß lassen. Mit einem Bleistift in Härte HB mit abgerundeter Spitze umgeben Sie den Pavian zum Schluss noch mit einem Schatten, damit er nicht zusammenhangslos auf dem Blatt zu schweben scheint.

GROSSER PANDA

Ein Panda ist einfach zu zeichnen, wenn Sie schrittweise vorgehen und mit Kreisen für Kopf und Körper beginnen. Es folgen Ovale für Arme, Beine und Pranken sowie Details wie Augen, Nase oder die Bambusblätter. Mit weichen, kurzen Strichen sieht der Pelz dieses Bären dick und knuffig aus.

1 Achten Sie beim Skizzieren der Grundformen des Pandabären darauf, die Pose richtig wiederzugeben: Zuerst zeichnen Sie einen Kreis für den Kopf und ein größeres Oval für den Bauch. Mit kleineren Ovalen legen Sie die Beine, Ober- und Unterarme und die beiden Füße an. Mit einigen Strichen werden die Position der „Maske" um die Augen sowie die Ohren und die Nase festgelegt.

2 Skizzieren Sie die Augen vor, die Nase und den Bambus- zweig. Mit kurzen weichen Strichen bedecken Sie den Panda ringsum mit Fell. Mit einem Bleistift in Härte HB zeichnen Sie die dunklen Fellpartien der Brust (auf die Wuchsrichtung achten) und das Innere der Ohren.

3 Jetzt werden alle überflüssigen Hilfslinien ausradiert, dann geht es ans Schräffieren der schwarzen Stellen im Fell. Anschließend verwischen Sie mit dem Papierwischer die Striche, damit der Eindruck von weichem Fell entsteht. An einigen Stellen verdichten Sie das Haarkleid mit dem Stift, das gibt Konturen und lässt die Muskeln des Pandabären ahnen. Zum Schluss kommen die Zehenballen und die Krallen an die Reihe.

4 Zeichnen Sie das Fell mit weichen kurzen Strichen. Wichtig ist dabei, nicht ganz gleichmäßig zu schraffieren, denn durch helle und dunkle Stellen formen Sie den Körper unter dem Fell, wie zum Beispiel zwischen Armen und Körper, wo sehr dunkle Schatten entstehen. Ganz zum Schluss arbeiten Sie Füße, Krallen, Nase und Augen aus.

Schimpansen

1 Mit unterschiedlichen Kreisen und einem Bleistift in Härte HB zeichnen Sie die Grundformen der Schimpansen. Achten Sie auf die Arme. Sie sind – anders als bei uns Menschen – länger als die Beine.

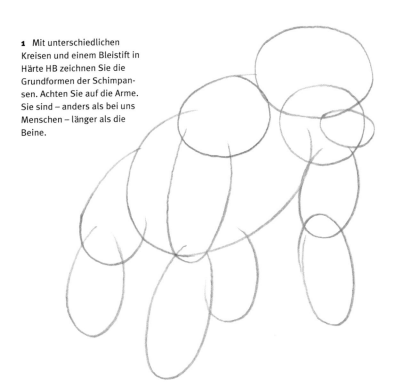

2 Mit kurzen geraden Strichen deuten Sie dann die Umrisse von Händen und Füßen an – ebenso auch die Gesichtsmerkmale: Nase, Lippen, Augen, Augenbrauen und Ohren.

3 Jetzt nehmen Sie den Umrisslinien ihre Härte, indem Sie die Linien mit ganz feinen Strichlein überzeichnen. Dabei muss das Fell aber noch haarig und etwas borstig und unordentlich wirken. Dann arbeiten Sie die Hände und Füße besser aus.

4 Jetzt können Sie schon alle Hilfslinien, die man noch sieht, ausradieren und mit einem weicheren Bleistift das Fell zeichnen. Tragen Sie kurze Striche in der natürlichen Wuchsrichtung des Haarkleids auf: Dort, wo das Fell heller ist, setzen Sie nur wenige Schraffuren – wo es dunkler ist, schraffieren Sie viel.

5 Zum Schluss erhalten die Schimpansen noch die letzten Details: Zeichnen Sie die Gesichter mit viel Sorgfalt – vor allem die Augen und den Mund. Zuletzt deuten Sie mit wenigen Strichen einen natürlich wirkenden Hintergrund an.

PAPAGEI

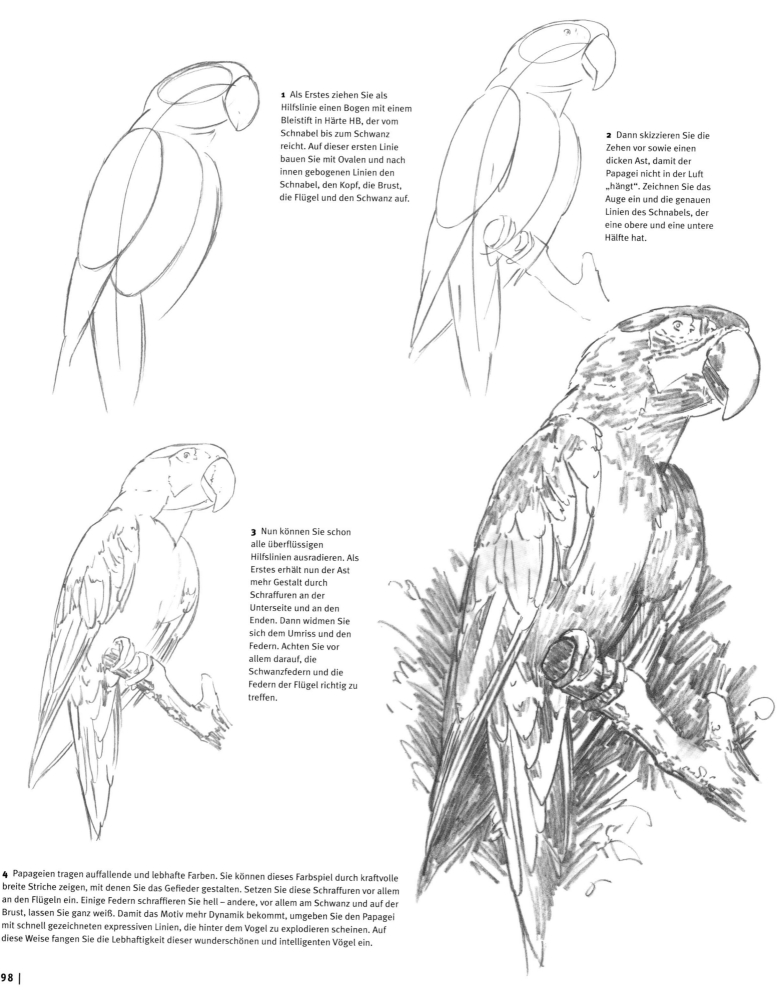

1 Als Erstes ziehen Sie als Hilfslinie einen Bogen mit einem Bleistift in Härte HB, der vom Schnabel bis zum Schwanz reicht. Auf dieser ersten Linie bauen Sie mit Ovalen und nach innen gebogenen Linien den Schnabel, den Kopf, die Brust, die Flügel und den Schwanz auf.

2 Dann skizzieren Sie die Zehen vor sowie einen dicken Ast, damit der Papagei nicht in der Luft „hängt". Zeichnen Sie das Auge ein und die genauen Linien des Schnabels, der eine obere und eine untere Hälfte hat.

3 Nun können Sie schon alle überflüssigen Hilfslinien ausradieren. Als Erstes erhält nun der Ast mehr Gestalt durch Schraffuren an der Unterseite und an den Enden. Dann widmen Sie sich dem Umriss und den Federn. Achten Sie vor allem darauf, die Schwanzfedern und die Federn der Flügel richtig zu treffen.

4 Papageien tragen auffallende und lebhafte Farben. Sie können dieses Farbspiel durch kraftvolle breite Striche zeigen, mit denen Sie das Gefieder gestalten. Setzen Sie diese Schraffuren vor allem an den Flügeln ein. Einige Federn schraffieren Sie hell – andere, vor allem am Schwanz und auf der Brust, lassen Sie ganz weiß. Damit das Motiv mehr Dynamik bekommt, umgeben Sie den Papagei mit schnell gezeichneten expressiven Linien, die hinter dem Vogel zu explodieren scheinen. Auf diese Weise fangen Sie die Lebhaftigkeit dieser wunderschönen und intelligenten Vögel ein.

KATZEN

Für viele Menschen gehören die wilden Großkatzen zu den schönsten Tieren der Erde. Sie vereinen unnachahmliche Eleganz und Gefährlichkeit wie kaum ein anderes Lebewesen. Ein wenig dieser interessanten und geheimnisvollen Mischung lebt aber auch in jedem „Stubentiger". Katzen zu zeichnen, ist dabei leichter als sie vielleicht denken. Halten Sie sich einfach an die bewährte Schritt-für-Schritt Methode und versuchen Sie, einige der Tipps, die Sie auf den folgenden Seiten finden, umzusetzen, wenn Sie ein Porträt einer Katze anfertigen.

KATZEN DARSTELLEN

Eine gestreifte Katze ist ein großartiges Objekt für Bleistiftzeichnungen, da das gestreifte Fell selbst in Schwarz-Weiß einen grafisch so interessanten Anblick bietet. Dank der Vielseitigkeit des Bleistifts können Sie mit ihm die feine Zeichnung im Fell Ihrer Hauskatze ebenso gut zeigen wie die dramatischen Streifen eines bengalischen Tigers. Nur einen Fehler dürfen Sie nicht machen – über der Konzentration auf die Fellzeichnung den Blick für die Katze im Ganzen verlieren! Sehen Sie sich die folgenden Abbildungen gut an und denken Sie an dieses Wissen, wenn Sie eine Katze zeichnen.

Formen Den Körper einer Katze deutet meist nur die Fellzeichnung an. Mit der Bleistiftseite (HB) zeichnen Sie die Streifen, die Beine und den Körper. Mit kurzen Strichen der Bleistiftspitze zeigen Sie dann die Wuchsrichtung des Haarkleids.

Wissen Schon ein wenig Kenntnis der Anatomie einer Katze hilft Ihnen, sie naturgetreuer zu zeichnen. Betrachten Sie einmal die Größenverhältnisse zwischen Kopf und Körper: Sehen Sie, wie lang die Beine im Vergleich zum Brustkorb sind? Zu wissen, wo die Gelenke an den Beinen sitzen, hilft Beine, Schultern und Pfoten richtig anzuordnen.

Sehen Damit sich ein Tiger schon auf den ersten Blick von einer Hauskatze unterscheidet, arbeiten Sie die Merkmale dieser faszinierenden Großkatze heraus: die längere Nase, die breitere Schnauze und die runderen Ohren. Nehmen Sie einen Stift mit abgeflachter Spitze für die Streifen, die den Körper formen.

Spaß haben Es macht große Freude, den Gesichtsausdruck einer Katze festzuhalten. Natürlich ist es besonders spannend, einen ausgewachsenen Tiger zu zeigen, der wütend faucht. Hier wurde ein Foto als Vorlage verwendet. Die Zeichnung konzentriert sich auf das Muskelspiel rund um Augen und Schnauze.

Sich zu helfen wissen Junge Katzen sind wundervolle Motive, aber nach der Natur kaum zu zeichnen. Auch diese beiden Kätzchen wurden nach einem Foto gestaltet. Zeichnen Sie die groben Grundformen als Ovale mit einem Bleistift in Härte HB, dann definieren Sie die Umrisse. Mit der Breitseite des Stifts deuten Sie zum Schluss die Fellstrukturen an.

Verkürzen Abgesehen von Motiven, die Sie im Profil zeigen, wird es immer Teile geben, die näher am Betrachter sind als andere. Mit der optischen Verkürzung, einer Zeichentechnik, können Sie die Illusion erzeugen, dass bestimmte Teile oder Körperpartien auf den Betrachter zuzukommen scheinen. Sehen Sie einmal genau hin, wie in diesem Tigerporträt die Vorderbeine und der Körper verkürzt wurden. Würde das majestätische Tier stehen, wären seine Beine wesentlich länger und natürlich wäre auch sein Kopf nicht in der Mitte des Körpers! Wenn die Proportionen auf diese Weise verändert werden, entsteht der Eindruck von Räumlichkeit.

RAUBKATZEN UND IHR FELL

Getigerte Hauskatze „Haustiger" haben oft deutlich gestreiftes Fell. Gestalten Sie zuerst die unteren Schichten mit der Breitseite eines HB. Die Streifen selbst zeichnen Sie mit der gerundeten Spitze eines Bleistifts Härte 2B und verwischen die Kanten leicht.

Ozelot Ozelots tragen gefüllte Tupfen im Fell. Zeichnen Sie jeden Flecken zunächst mit der Breitseite eines HB. Dann nehmen Sie einen 2B und zeichnen bei jedem Fleck den Rand dunkler nach. Mit dem Druck des Stiftes können Sie den Ton variieren.

Gepard Die Flecken dieser schnellen Katze sind kleiner als die Flecken des Ozelots und insgesamt dunkler. Mit einem gespitzten HB und unterschiedlichem Druck gestalten Sie die Mitte jedes Flecks, zum Rand hin werden die Flecken heller.

Leopard Die kraftvollen Leoparden tragen Fell mit rosettenförmigem Muster. Mit dem gespitzten Ende eines HB und kurzen Strichen legen Sie das Muster Stück für Stück an. Zeichnen Sie mit mehr Druck und der Spitze eines Bleistifts Härte 2B dunklere Bereiche.

KATZENGESICHTER

Katzen besitzen individuelle Gesichter – und in den Gesichtszügen spiegeln sich außerdem die Merkmale der unterschiedlichen Rassen wider. Gerade bei Katzen ist es ganz wichtig, das Gesicht genau zu studieren und zu kennen, ehe Sie sich an die Zeichnung machen: Achten Sie zunächst auf die Grundform des Kopfes und des Gesichts, dann auf die Proportionen und zum Schluss sehr genau darauf, wie die einzelnen Gesichtsmerkmale - also Nase, Augen, Ohren, Maul, Schnurrbarthaare usw. – geschnitten sind. Aus diesen Elementen setzt sich das einzigartige Gesicht einer Katze zusammen. Es ist ein guter Weg, die einzelnen Elemente zu üben, ehe Sie sich an das Porträt einer bestimmten Katze machen.

Setzen Sie helle neben dunkle Stellen – und dunkle neben helle, um Räumlichkeit zu erzielen.

Wenn Sie die Ohren schraffiert haben, rollen Sie einen Knetradiergummi zu einem Kügelchen zusammen und radieren einige Härchen aus, die vorne vor den Ohren wachsen.

Die Ohren skizzieren Sie mit einem Bleistift in Härte HB als Dreiecke vor. Sehen Sie dann die Ohren Ihres „Katzenmodels" genau an und zeichnen Sie die Form möglichst naturgetreu nach. Achten Sie auf die ganz unterschiedlichen Spitzen am linken und am rechten Ohr. Auch der Winkel, in dem die Ohren am Kopf sitzen, ist meist nicht identisch. Wenn Sie mit dem Umriss zufrieden sind, geben Sie den Ohren mit einem weichen Bleistift räumliche Tiefe.

Wussten Sie, dass Katzen ihre Ohren unabhängig voneinander bewegen können?

Das Innere des Ohres gestalten Sie mit sehr dunklen Grautönen.

Die Schnurrbarthaare nehmen Berührungen sehr genau wahr. Diese langen, ziemlich steifen Haare zeichnen Sie mit langen, schwungvollen Strichen. Am besten nehmen Sie einen spitzen Bleistift und zeichnen die Haare auf weißem Untergrund. Sie können Sie auch mit einem Radiergummi aus dunklem Untergrund herausheben. Nicht die dunklen Punkte (Follikel) am Maul vergessen!

Das Auge zeichnen Sie als Kreis, der am äußeren Augenwinkel etwas nach oben weist. Wenn Sie die Grundform getroffen haben, konzentrieren Sie sich auf den Augapfel, einzelne Haare und das Fell rund ums Auge. Schicht um Schicht tragen Sie mit einem weichen Bleistift die Grautöne auf, bis der Blick ausreichend Tiefe hat. Vergessen Sie aber nicht einen weißen Fleck in oder neben der Pupille, der das Licht reflektiert.

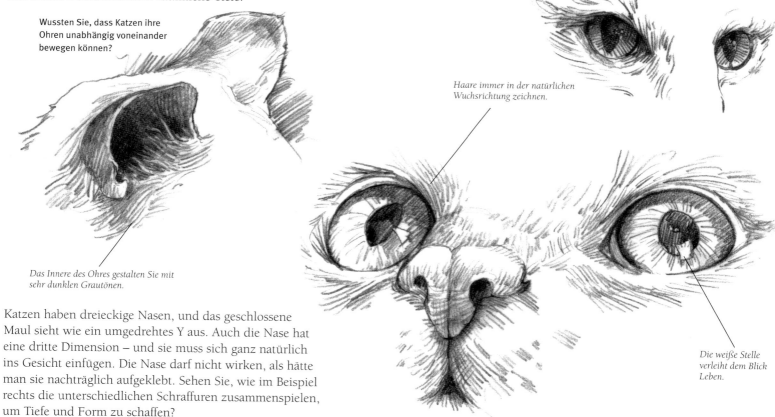

Haare immer in der natürlichen Wuchsrichtung zeichnen.

Die weiße Stelle verleiht dem Blick Leben.

Katzen haben dreieckige Nasen, und das geschlossene Maul sieht wie ein umgedrehtes Y aus. Auch die Nase hat eine dritte Dimension – und sie muss sich ganz natürlich ins Gesicht einfügen. Die Nase darf nicht wirken, als hätte man sie nachträglich aufgeklebt. Sehen Sie, wie im Beispiel rechts die unterschiedlichen Schraffuren zusammenspielen, um Tiefe und Form zu schaffen?

Schwanz und Pfoten

Katzen erkunden ihre Umgebung am liebsten heimlich und auf leisen Pfoten. Dabei gehen Sie im wahrsten Sinne des Wortes auf den Zehenspitzen. Blitzschnell können sie die scharfen Krallen ausfahren, wenn sie einen Gegner abwehren oder auf einen Baum klettern müssen. Wenn Sie beim Zeichnen an den Feinbau der Pfoten denken, wird Ihr Bild besonders realistisch.

Pfoten stellen Sie am besten zunächst mit einer Linie für den ungefähren Umriss dar, dann arbeiten Sie die individuelle Form aus. Beim Fell auf die Wuchsrichtung achten und durch unterschiedliche Strichführung den Unterschied zwischen Fell und Pfote zeigen. Mit kurzen Linien trennen Sie optisch die einzelnen Zehen ab.

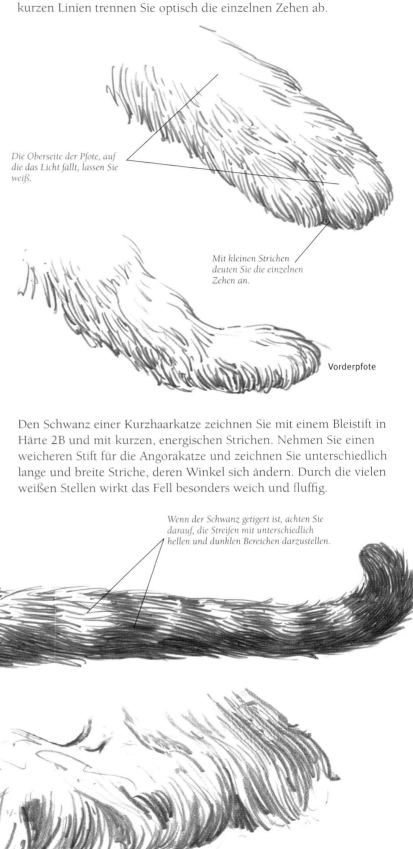

Daumenkralle

Die Oberseite der Pfote, auf die das Licht fällt, lassen Sie weiß.

Mit kleinen Strichen deuten Sie die einzelnen Zehen an.

Zehenballen

Karpalballen

Vorderpfote

Katzen haben vier Zehen an den Vorderpfoten. Die „Daumen" sind verkümmert und berühren den Boden nicht.

Beim Klettern und Springen nützen Katzen ihren Schwanz zum Balancieren; vor allem drückt er die Stimmung der Katze aus. Es gibt Rassen mit dickem buschigem Schwanz, solche mit langem, schlankem Schwanz und sogar schwanzlose Rassen.

Je genauer Sie Ihre Katze studieren, desto besser gelingt das Porträt.

Den Schwanz einer Kurzhaarkatze zeichnen Sie mit einem Bleistift in Härte 2B und mit kurzen, energischen Strichen. Nehmen Sie einen weicheren Stift für die Angorakatze und zeichnen Sie unterschiedlich lange und breite Striche, deren Winkel sich ändern. Durch die vielen weißen Stellen wirkt das Fell besonders weich und fluffig.

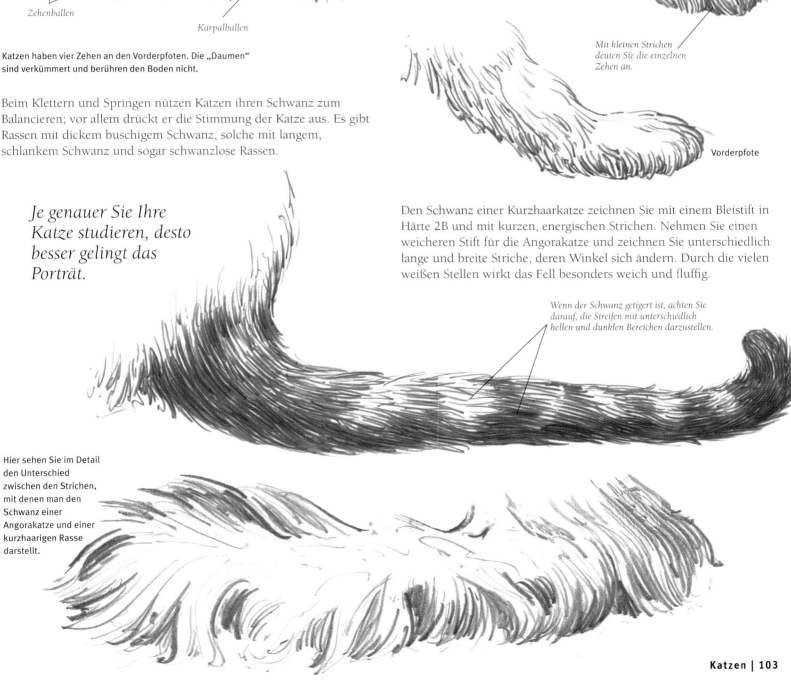

Wenn der Schwanz getigert ist, achten Sie darauf, die Streifen mit unterschiedlich hellen und dunklen Bereichen darzustellen.

Hier sehen Sie im Detail den Unterschied zwischen den Strichen, mit denen man den Schwanz einer Angorakatze und einer kurzhaarigen Rasse darstellt.

GETIGERTE HAUSKATZE

Dieses Motiv mag wie Durchschnitt wirken. Doch der Kontrast der Streifen im Teppich und im Fell macht das Bild interessant.

1 Beginnen Sie mit einer Hilfslinie, einem liegenden S, das am Schwanz in einer Kurve endet. Mit einem Kreis für den Kopf und Ovalen für die Brust, den Körper und den rechten Oberschenkel legen Sie die Grundgestalt der Katze fest. Fürs Gesicht zeichnen Sie in der Mitte des Kopfes Hilfslinien in Form eines Kreuzes ein sowie zwei kleinere Striche für Maul und Nase.

2 Zeichnen Sie nun ungefähr in der Höhe des Magens ein kleineres, weiches Oval: So deuten Sie das weiche Bauchfell an. Nun folgen der Umriss der Katze und alle vier Beine. Zum Schluss zeichnen Sie die dreieckigen Ohren ein und skizzieren Augen, Nase und Mund vor.

3 Mit kleinen durchbrochenen Strichen über dem Grundriss deuten Sie das Fell an. Nehmen Sie sich nun auch die Zehen und die Ballen an den Pfoten vor. Mit einigen Linien zeichnen Sie noch das Schulterblatt. Dem Gesicht geben Sie einige Details wie die Pupillen und Streifen im Fell.

4 Radieren Sie alle Hilfslinien aus, die nicht mehr gebraucht werden, und setzen Sie die Struktur der Streifen im ganzen Fell. Durch die gerundeten Linien bildet sich automatisch die Körperkontur. Zeichnen Sie dann die Streifen im Teppich und deuten Sie das Sofa im Hintergrund an.

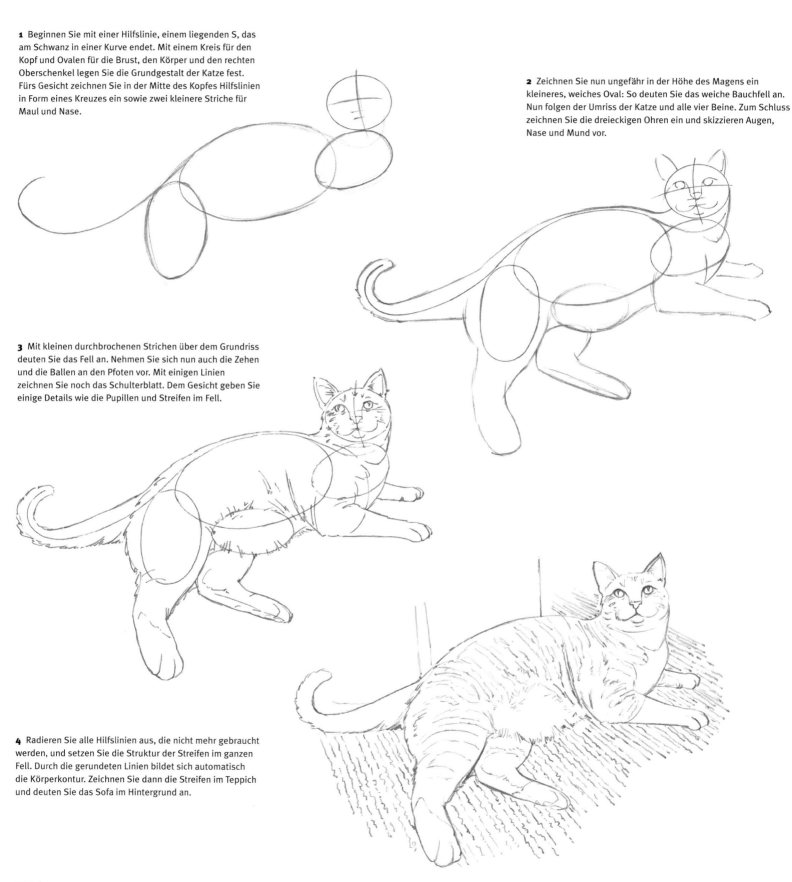

5 Schraffieren Sie zunächst die Streifen im Fell, dann gehen Sie mit dem Papierwischer darüber und verwischen harte Kontraste zu weichen Übergängen. Mit dem Papierwischer können Sie auch die Stellen am Bauch, an denen das Fell besonders weich ist, darstellen. Zum Schluss erhält das Sofa etwas mehr Form.

6 Schraffieren Sie die dunkelsten Stellen der Streifen im Fell, indem Sie hier nochmals mit einem Bleistift in der Wuchsrichtung des Fells nacharbeiten. Die Streifen im Teppich werden mit etwas Grafit, das Sie in jeder zweiten Reihe mit einem Papierwischer auftragen, dargestellt. Mit wenigen gestuften Strichen deuten Sie den Stoff auf dem Sofa an, der ein Gegengewicht zu den lebhaften Streifen im Fell und auf dem Teppich bildet.

PERSERKATZE

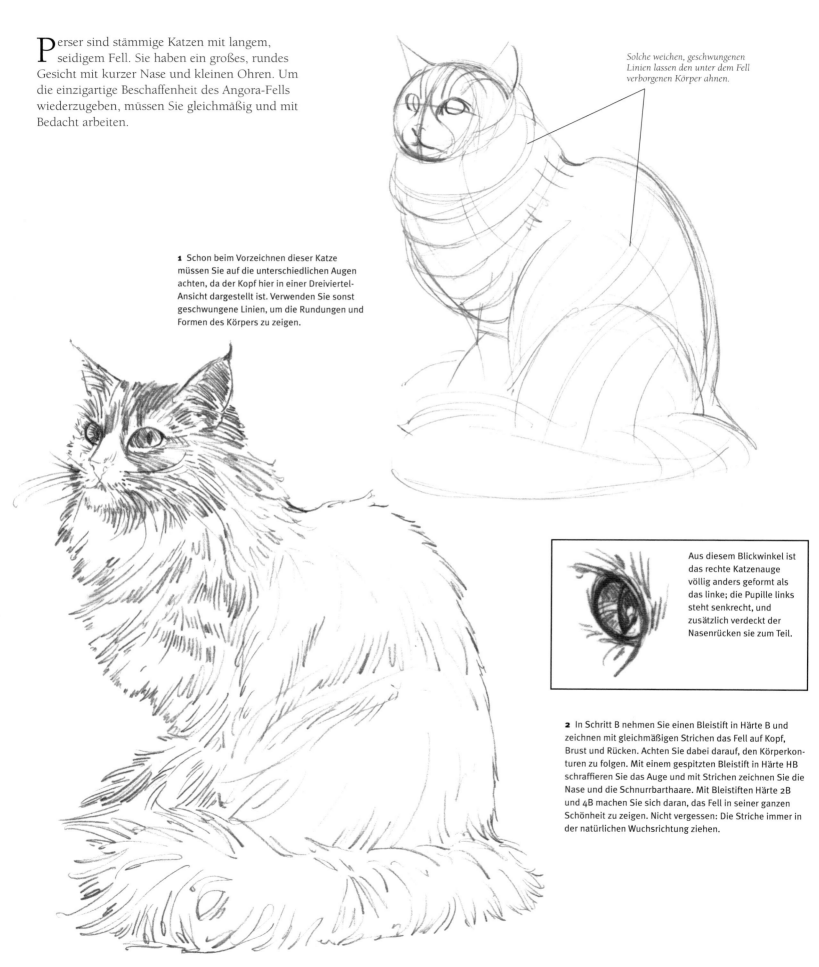

Perser sind stämmige Katzen mit langem, seidigem Fell. Sie haben ein großes, rundes Gesicht mit kurzer Nase und kleinen Ohren. Um die einzigartige Beschaffenheit des Angora-Fells wiederzugeben, müssen Sie gleichmäßig und mit Bedacht arbeiten.

Solche weichen, geschwungenen Linien lassen den unter dem Fell verborgenen Körper ahnen.

1 Schon beim Vorzeichnen dieser Katze müssen Sie auf die unterschiedlichen Augen achten, da der Kopf hier in einer Dreiviertel-Ansicht dargestellt ist. Verwenden Sie sonst geschwungene Linien, um die Rundungen und Formen des Körpers zu zeigen.

Aus diesem Blickwinkel ist das rechte Katzenauge völlig anders geformt als das linke; die Pupille links steht senkrecht, und zusätzlich verdeckt der Nasenrücken sie zum Teil.

2 In Schritt B nehmen Sie einen Bleistift in Härte B und zeichnen mit gleichmäßigen Strichen das Fell auf Kopf, Brust und Rücken. Achten Sie dabei darauf, den Körperkonturen zu folgen. Mit einem gespitzten Bleistift in Härte HB schraffieren Sie das Auge und mit Strichen zeichnen Sie die Nase und die Schnurrbarthaare. Mit Bleistiften Härte 2B und 4B machen Sie sich daran, das Fell in seiner ganzen Schönheit zu zeigen. Nicht vergessen: Die Striche immer in der natürlichen Wuchsrichtung ziehen.

3 Die fertige Zeichnung ist ein schönes Beispiel für das Zusammenspiel von Kontrasten. Die zurückhaltende Schraffierung auf Hals, Brust und der linken Seite zeigt das Licht ein, das sich dort im Fell spiegelt. Die mittleren Töne zeigen sich im Fell auf der linken Seite, im Gesicht und auf dem linken Ohr. Mit 4B und 6B gestalten Sie die dunkelsten Stellen entlang des Rückgrats, im Nacken, auf der rechten Gesichtshälfte und auf Bereichen des Schwanzes. Sehen Sie sich einmal genau an, wie effektvoll der Hintergrund das helle Fell auf Brust, die im Licht liegt, herausmodelliert.

Junge Katzen

Gerade junge Tiere wecken den Wunsch nach einer Zeichnung, in der sie in Bewegung sind oder in der eine bestimmte Situation festgehalten wird. Ein solches Bild aber will geplant und bewusst komponiert werden (▶ Seite 212). In einer gelungenen Komposition soll das Auge des Betrachters durchs ganze Bild zu einem bestimmten Punkt geführt werden, in dem sich die Bildaussage findet.

A

B

Um den Gesichtsausdruck der kleinen Katze ins Zentrum der Aufmerksamkeit zu stellen, wurden folgende Tricks verwendet. Der inhaltliche Mittelpunkt muss etwas außerhalb der Bildmitte liegen – hier findet sich das Gesicht etwas rechts und unterhalb der Bildmitte. Starke Kontraste fangen den Blick des Betrachters ein – hier stehen die weiße Nase und Milch in starkem Kontrast zum tiefdunklen Hintergrund. Und nicht zuletzt folgt das Auge bestimmten Linien. Hier sind Schwanz und Pfoten so angeordnet, dass sie den Blick nach rechts lenken, während die auslaufende Milch den Blick nach links zieht.

Stundenlang können sich Katzen mit allem beschäftigen, was sich bewegt oder bewegen lässt, damit sie es immer wieder von Neuem fangen können. Eine solche Szene voller Spielfreude ist immer ein lohnendes Zeichenmotiv.

In dieser Szene soll das Wollknäuel, in dem sich die Pfoten des Kätzchens verheddert haben, in den Mittelpunkt des Interesses gerückt werden. Können Sie all die Kniffe erkennen, die hierfür angewendet wurden? Vor allem wurde das Garn weiß vor dem dunklen Hintergrund gezeichnet. Diese spezielle Technik (▶ Seite 15) ist sehr effektiv. Sie weckt Interesse und löst Formen auf spannende Weise auf.

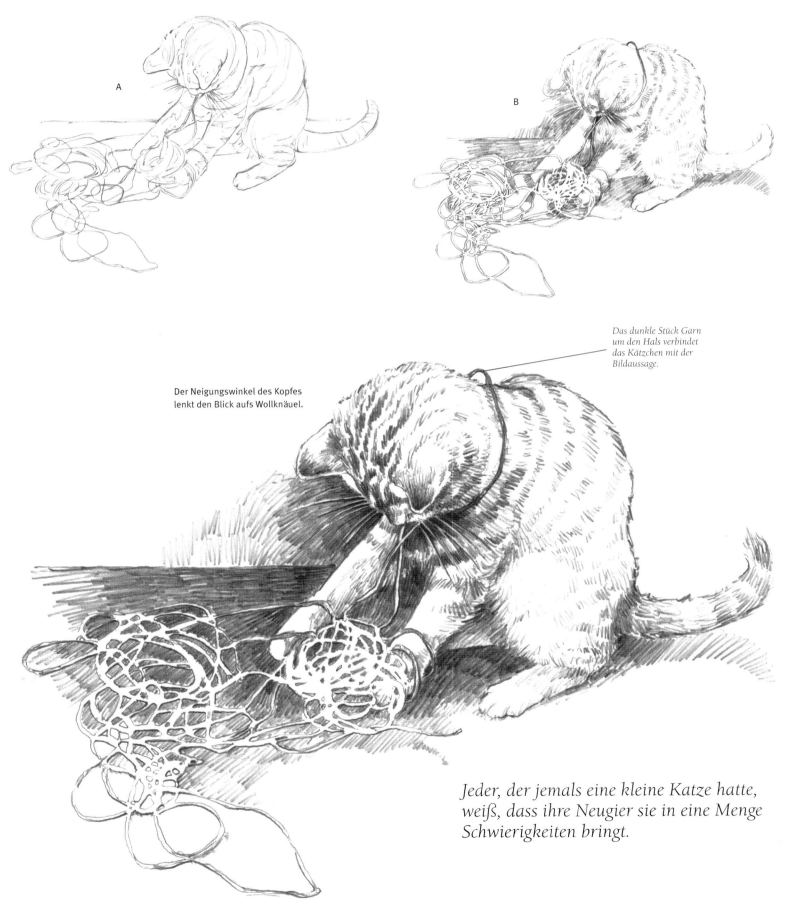

A

B

Das dunkle Stück Garn um den Hals verbindet das Kätzchen mit der Bildaussage.

Der Neigungswinkel des Kopfes lenkt den Blick aufs Wollknäuel.

Jeder, der jemals eine kleine Katze hatte, weiß, dass ihre Neugier sie in eine Menge Schwierigkeiten bringt.

Beim Klettern

Fast alle Katzen wollen hoch hinaus – leider hat sich diese junge Katze beim Klettern in eine recht missliche Lage gebracht. Sehen Sie übrigens, dass kleine Katzen noch einen runden Bauch und einen eher fassartigen Körper haben – während ausgewachsene Tiere schlank sind?

1 Als Erstes bringen Sie den Ast zu Papier. Er soll etwas geneigt sein. Dann folgt der Katzenkörper, der sich sozusagen um den Ast „wickelt". Der Bauch soll nicht lang gezogen wirken, sondern eher rundlich. Nehmen Sie einen spitzen Bleistift in Härte HB und deuten Sie auch noch das Gesicht, die Beine und den Schwanz an.

Mit einem spitzen Bleistift in Härte HB zeichnen Sie die Krallen, die das Kätzchen ausgefahren hat.

2 Mit einem weicheren Bleistift gestalten Sie jetzt das Gesicht, das Fell und den Zweig weiter aus. Mit kurzen, möglichst gleichmäßigen Strichen schraffieren Sie die Unterseite des Astes und die Fußsohlen der Katze. Beim Fell verwenden Sie unterschiedliche Schraffuren, damit es lebhaft und naturgetreu wirkt.

3 Nun müssen Sie das Bild nur noch fertigstellen. Mit einem Bleistift in Härte HB werden die Wimpern, die feinen Linien über der Nase, die Augen und das Maul besonders schön. Arbeiten Sie am Fell weiter und setzen Sie gezielt unterschiedliche Striche, um die verschiedenen Fellpartien hervorzuheben. Lassen Sie auf dem Blatt weiße Stellen stehen, denn die kleine Katze hat getigertes Fell.

Wenn Sie genau hinsehen, erkennen Sie, dass die kleine Katze keine Angst hat, sondern fest entschlossen ist, sich aus ihrer Lage zu befreien.

MOMENTAUFNAHME

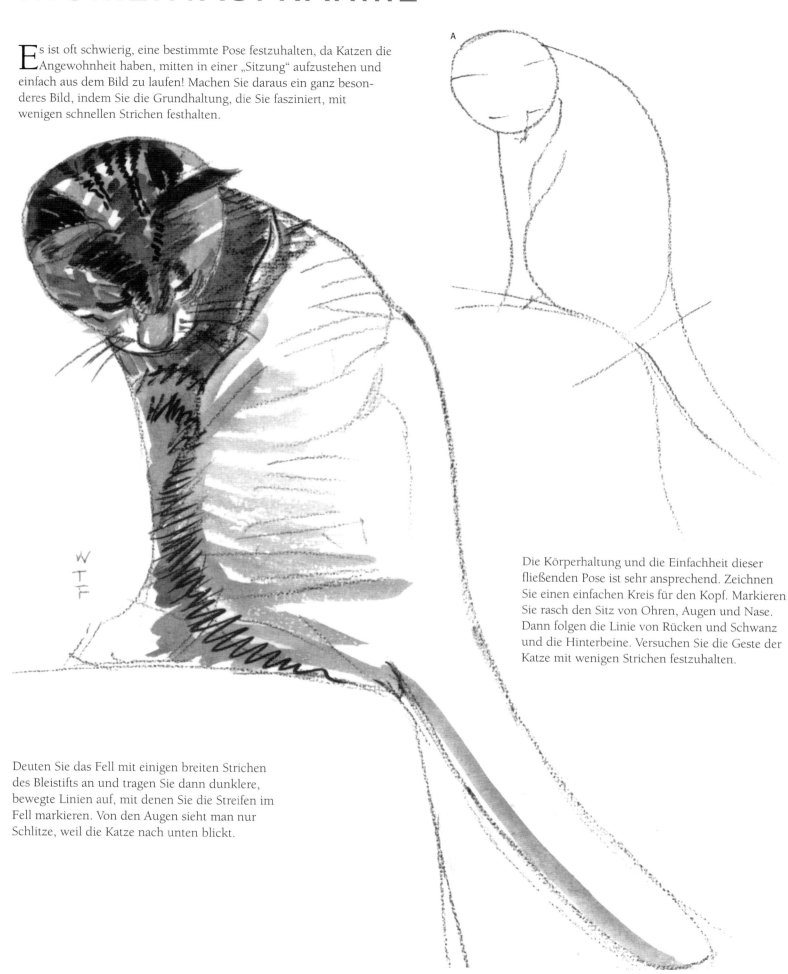

Es ist oft schwierig, eine bestimmte Pose festzuhalten, da Katzen die Angewohnheit haben, mitten in einer „Sitzung" aufzustehen und einfach aus dem Bild zu laufen! Machen Sie daraus ein ganz besonderes Bild, indem Sie die Grundhaltung, die Sie fasziniert, mit wenigen schnellen Strichen festhalten.

Die Körperhaltung und die Einfachheit dieser fließenden Pose ist sehr ansprechend. Zeichnen Sie einen einfachen Kreis für den Kopf. Markieren Sie rasch den Sitz von Ohren, Augen und Nase. Dann folgen die Linie von Rücken und Schwanz und die Hinterbeine. Versuchen Sie die Geste der Katze mit wenigen Strichen festzuhalten.

Deuten Sie das Fell mit einigen breiten Strichen des Bleistifts an und tragen Sie dann dunklere, bewegte Linien auf, mit denen Sie die Streifen im Fell markieren. Von den Augen sieht man nur Schlitze, weil die Katze nach unten blickt.

HUNDE

Der beste Freund des Menschen und das schon seit Jahrtausenden ist und bleibt wohl der Hund. Unzählige Rassen vom zarten Schoßhündchen bis zum wuchtigen Kampfhund und klugen Hütehund sind im Lauf der Zeit entstanden und haben sich in bemerkenswerter Weise an das Leben mit uns Menschen angepasst. So ist es kein Wunder, dass Hunde seit Menschengedenken gerne gezeichnet wurden. Ob Sie die Heldentaten Ihres Welpen in einem Porträt festhalten oder ob Sie einem alten Kämpen ein Denkmal setzen wollen, mit den Anleitungen und Tipps in diesem Kapitel wird Ihr Vorhaben sicher gelingen.

HUNDE ZEICHNEN LEICHT GEMACHT

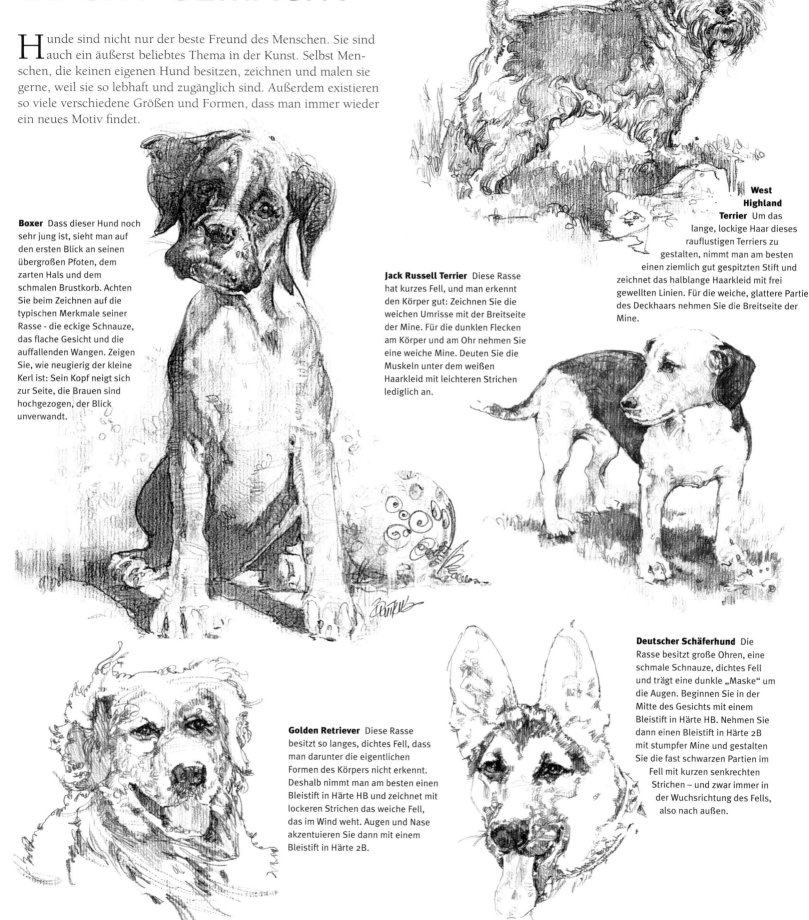

Hunde sind nicht nur der beste Freund des Menschen. Sie sind auch ein äußerst beliebtes Thema in der Kunst. Selbst Menschen, die keinen eigenen Hund besitzen, zeichnen und malen sie gerne, weil sie so lebhaft und zugänglich sind. Außerdem existieren so viele verschiedene Größen und Formen, dass man immer wieder ein neues Motiv findet.

Boxer Dass dieser Hund noch sehr jung ist, sieht man auf den ersten Blick an seinen übergroßen Pfoten, dem zarten Hals und dem schmalen Brustkorb. Achten Sie beim Zeichnen auf die typischen Merkmale seiner Rasse - die eckige Schnauze, das flache Gesicht und die auffallenden Wangen. Zeigen Sie, wie neugierig der kleine Kerl ist: Sein Kopf neigt sich zur Seite, die Brauen sind hochgezogen, der Blick unverwandt.

West Highland Terrier Um das lange, lockige Haar dieses rauflustigen Terriers zu gestalten, nimmt man am besten einen ziemlich gut gespitzten Stift und zeichnet das halblange Haarkleid mit frei gewellten Linien. Für die weiche, glattere Partie des Deckhaars nehmen Sie die Breitseite der Mine.

Jack Russell Terrier Diese Rasse hat kurzes Fell, und man erkennt den Körper gut: Zeichnen Sie die weichen Umrisse mit der Breitseite der Mine. Für die dunklen Flecken am Körper und am Ohr nehmen Sie eine weiche Mine. Deuten Sie die Muskeln unter dem weißen Haarkleid mit leichteren Strichen lediglich an.

Golden Retriever Diese Rasse besitzt so langes, dichtes Fell, dass man darunter die eigentlichen Formen des Körpers nicht erkennt. Deshalb nimmt man am besten einen Bleistift in Härte HB und zeichnet mit lockeren Strichen das weiche Fell, das im Wind weht. Augen und Nase akzentuieren Sie dann mit einem Bleistift in Härte 2B.

Deutscher Schäferhund Die Rasse besitzt große Ohren, eine schmale Schnauze, dichtes Fell und trägt eine dunkle „Maske" um die Augen. Beginnen Sie in der Mitte des Gesichts mit einem Bleistift in Härte HB. Nehmen Sie dann einen Bleistift in Härte 2B mit stumpfer Mine und gestalten Sie die fast schwarzen Partien im Fell mit kurzen senkrechten Strichen – und zwar immer in der Wuchsrichtung des Fells, also nach außen.

GUT BEOBACHTEN

Obwohl sich alle Hunde im Bau des Skeletts ähneln, gibt es doch so viele und so unterschiedliche Rassen, die sich zu zeichnen lohnen. Ganz gleich, ob Sie nach der Natur arbeiten oder nach einem Foto - betrachten Sie den Hund gut, bevor Sie ihn zeichnen, und geben Sie sich Mühe, das Besondere und Charakteristische an ihm genau zu treffen. Ist seine Schnauze spitz oder rund? Ist sein Haar lang und weich oder kurz und glatt? Wenn Sie mit der Zeichnung beginnen, nähern Sie sich Ihrem Motiv schrittweise (▶ Kasten unten) und probieren Sie einige der Zeichentechniken aus, die auf der linken Seite beschrieben wurden.

Ein Mädchen und seine Hunde Dieses Bild zeigt viele Details und einen Hintergrund, denn es soll eine Geschichte erzählen. Als Vorlage hat hier ein Foto gedient, denn weder kleine Mädchen noch junge Hunde können auch nur eine Minute still sitzen. Achten Sie auf die verkürzende Darstellung der Beine des Mädchens (▶ Seite 222).

DIE PROPORTIONEN

Vorzeichnen Zeichnen Sie zunächst nur ganz leicht die wichtigsten Grundlinien für den Umriss und die Struktur des Kopfes vor. Mit der Seite eines Bleistifts Härte HB zeichnen Sie die Ecken.

Verfeinern Mit einigen weiteren Strichen in derselben Technik deuten Sie Feinheiten des Gesichts und die Nasenlöcher an.

Schraffuren Nun schraffieren Sie die ersten Stellen, um die Gestalt herauszuarbeiten. Dafür verwenden Sie die gerundete Spitze und die Breitseite eines Bleistifts Härte HB.

Die Details Mit der Spitze und der Breitseite eines gespitzten Stifts zeichnen Sie zum Schluss einzelne Haarpartien und verdichten die Schraffuren immer weiter. Nehmen Sie einen gut gespitzten Bleistift in Härte 2B für die dunkelsten Stellen.

PROPORTIONEN UND ANATOMIE

Um die Gestalt einer Hunderasse naturgetreu wiederzugeben, müssen Sie den Körper in den richtigen Proportionen zeichnen können. Unter Proportion versteht man das Verhältnis zwischen unterschiedlichen Dingen oder zwischen Teilen eines Ganzen. Eine gut funktionierende Methode, um genaue Proportionen zu erhalten, ist diese: Man nimmt ein (Körper-)Teil als Maß für die übrigen. So können Sie zum Beispiel anhand eines Hundekopfes die Höhe und Länge des Tieres definieren. Der Greyhound rechts in der Abbildung ist etwa 4 Köpfe lang und etwa 3 ½ Köpfe hoch. Arbeiten Sie erst dann an Details weiter, wenn die Grundproportionen stimmen.

Auch ein wenig Anatomie hilft, um ein Tier naturgetreu darzustellen. In der Zeichnung unten erkennen Sie die wichtigsten Körperpartien eines Hundes. Wenn Sie beim Zeichnen der folgenden Motive dieses Kapitels darauf achten, wie unterschiedlich diese Teile von Rasse zu Rasse gestaltet sind, werden Ihre Bilder ganz von selbst immer besser.

Studieren Sie die Partien, aus denen ein Hundekörper besteht, um Ihr Motiv gut zu verstehen.

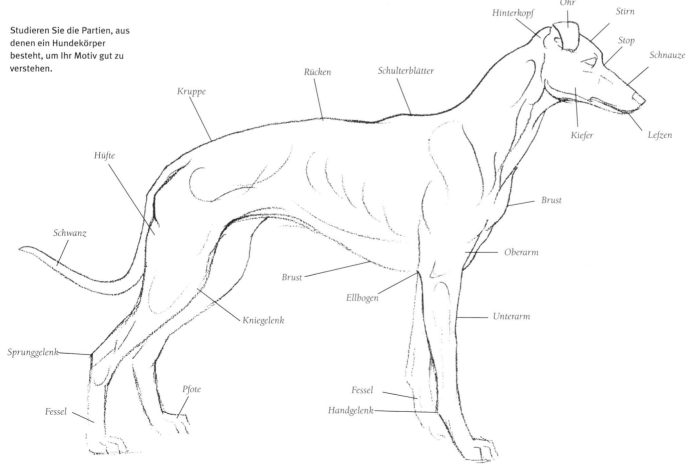

AUGEN UND PFOTEN

Der Sehsinn ist bei Hunden nicht ganz so scharf ausgeprägt wie der Geruchssinn, doch um ein ausdrucksvolles Hundeporträt zu erschaffen, muss das Auge gut getroffen sein. Es hilft, wenn Sie eine Zeitlang üben, Hundeaugen zu zeichnen wie das Beispiel hier. Die Pfoten von Hunden sind feingliedrig und kräftig zugleich. Auch sie sind ein Element, das darüber entscheidet, wie wirklichkeitsgetreu Ihre Zeichnung wird.

Wenn die Grundzüge des Bildes stimmen, können Sie sich an die Details machen. Die Zeichnungen auf dieser Seite zeigen, wie man das Auge und die Pfote eines Hundes schrittweise zeichnet. Fangen Sie auch hier mit wenigen, leichten Strichen an und arbeiten Sie langsam die weiteren Stufen aus. Nehmen Sie für die Details am Auge und für das Fell an der Pfote einen frisch gespitzten Stift.

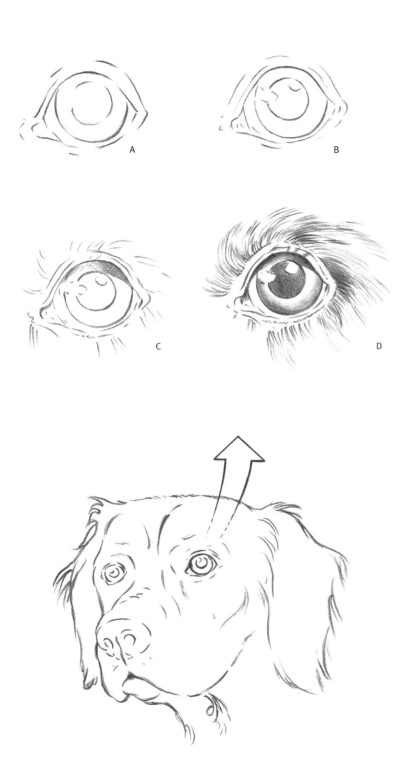

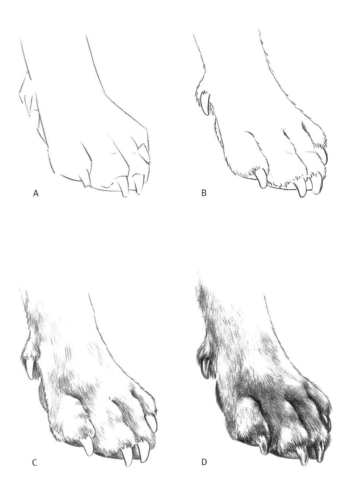

DIE SCHNAUZE

Jede Hunderasse hat eine typische Schnauzenform. Sehen Sie sich einmal die Schnauzen an, die auf dieser Seite „versammelt" sind. Manche sind lang und schmal, andere kurz und breit. Je genauer Ihr Auge diese Formen wahrnimmt, desto besser gelingt Ihre Zeichnung. Beobachten Sie also Ihr Modell genau.

Sobald die Grundform der Schnauze gelungen ist, folgt die Nase. Skizzieren Sie die groben Umrisse wie in Schritt A zunächst mit

feinen Strichen. Arbeiten Sie dann wie in Schritt B die Linien weiter aus und schraffieren Sie auch die dunklen Stellen in den Nasenlöchern mit einem spitzen Bleistift. Die dunkelsten Stellen sind dort, wo die Rundung des Nasenloches nach innen geht. Dann schraffieren Sie die Nase weiter wie in Schritt C und achten dabei darauf, wie sich die Form der Nase herausbildet. Das Fell rund um die Nase soll ein deutlicher Kontrast zur weichen Nase sein. Die Haare wachsen hier ganz deutlich von der Nase weg.

Nach einem Foto lässt sich sehr gut arbeiten. Am besten, Sie legen einen Vorrat an Fotos für Ihre Arbeit an.

DOBERMANN

Dobermänner haben ein besonders schön schimmerndes Fell, das Sie am besten darstellen können, wenn Sie es mit Strichen in der natürlichen Wuchsrichtung der Haare zeichnen.

3 Radieren Sie jetzt zunächst alle Hilfslinien aus, die Sie nicht mehr brauchen. Mit leichten, gebrochenen Linien markieren Sie die hellen und dunklen Stellen im Fell, die Ihnen später helfen, Licht und Schatten zu verteilen.

2 Auf diesen Grundlinien bauen Sie die Ohren auf und geben Kopf und Hals Kontur. Dann folgen die Augen und die Nase, bei denen Sie sich an den Hilfslinien orientieren, die Sie fürs Gesicht gezeichnet hatten. Zeichnen Sie dann die Schnauze.

1 Mit einem gespitzten Bleistift der Härte HB skizzieren Sie die eckigen Grundformen und Hilfslinien für Kopf und Schultern des Dobermanns. Schon in diesem frühen Stadium achten Sie darauf, dass das Porträt Form und räumliche Tiefe erhält.

4 Da Dobermänner sehr kurzes Haar haben, setzen Sie erste kleine dunkle Schraffuren, mit denen Sie die natürliche Struktur des Haarkleids wiedergeben. Dann zeichnen Sie Striche für die Augenbrauen, schattieren die dunklen Stellen der Augen und markieren mit feinen Punkten einige Barthaare.

5 Zum Schluss gestalten Sie die dunklen Stellen des Fells. Dafür brauchen Sie Grafitstaub, den Sie erhalten, indem Sie den Bleistift über feinkörniges Sandpapier reiben. Nehmen Sie den Staub auf und setzen Sie Schatten an die dunklen Stellen der Nase und auf dem Fell. Um harte Kanten zu vermeiden, verwischen Sie anschließend die Übergänge zwischen Staub und Bleistiftzeichnung.

Dänische Dogge

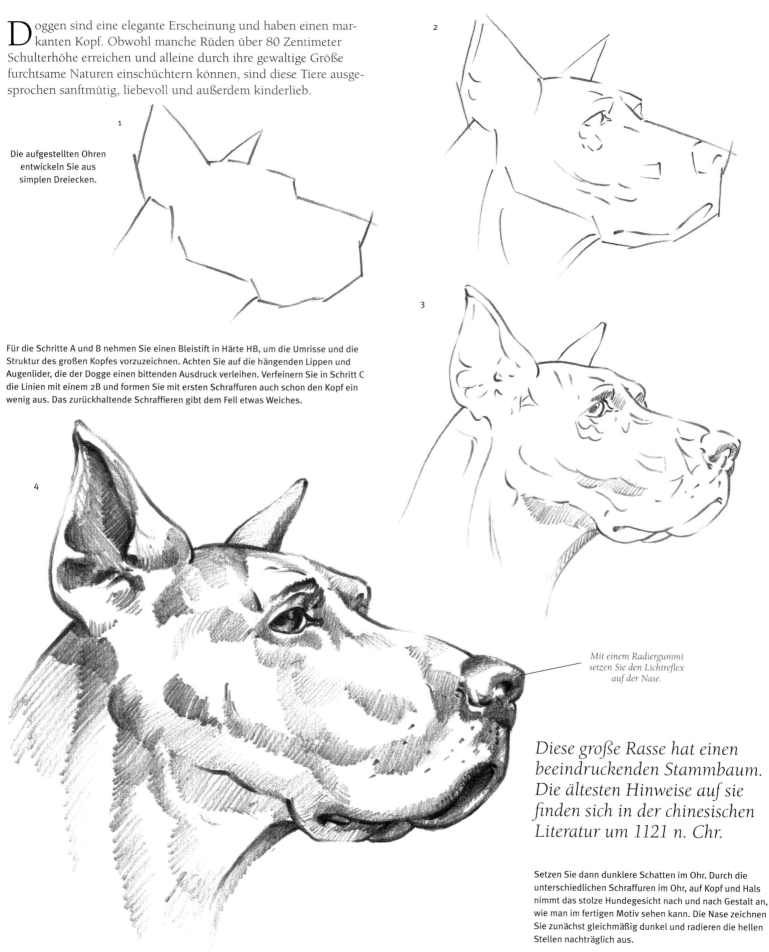

Doggen sind eine elegante Erscheinung und haben einen markanten Kopf. Obwohl manche Rüden über 80 Zentimeter Schulterhöhe erreichen und alleine durch ihre gewaltige Größe furchtsame Naturen einschüchtern können, sind diese Tiere ausgesprochen sanftmütig, liebevoll und außerdem kinderlieb.

1

Die aufgestellten Ohren entwickeln Sie aus simplen Dreiecken.

2

3

Für die Schritte A und B nehmen Sie einen Bleistift in Härte HB, um die Umrisse und die Struktur des großen Kopfes vorzuzeichnen. Achten Sie auf die hängenden Lippen und Augenlider, die der Dogge einen bittenden Ausdruck verleihen. Verfeinern Sie in Schritt C die Linien mit einem 2B und formen Sie mit ersten Schraffuren auch schon den Kopf ein wenig aus. Das zurückhaltende Schraffieren gibt dem Fell etwas Weiches.

4

Mit einem Radiergummi setzen Sie den Lichtreflex auf der Nase.

Diese große Rasse hat einen beeindruckenden Stammbaum. Die ältesten Hinweise auf sie finden sich in der chinesischen Literatur um 1121 n. Chr.

Setzen Sie dann dunklere Schatten im Ohr. Durch die unterschiedlichen Schraffuren im Ohr, auf Kopf und Hals nimmt das stolze Hundegesicht nach und nach Gestalt an, wie man im fertigen Motiv sehen kann. Die Nase zeichnen Sie zunächst gleichmäßig dunkel und radieren die hellen Stellen nachträglich aus.

JUNGER SHAR-PEI

Mit seinen vielen Falten sieht der Shar-Pei immer ein wenig besorgt aus. Dies ist vor allem bei den Welpen ein rührender Kontrast. Wenn die Hunde älter werden, füllen sie ihr Fellkleid besser aus. Um das faltige Fell gut darzustellen, verwenden Sie am besten kurze Linien in weiten Winkeln wie in Schritt A. In Schritt B schraffieren Sie erste Schatten und zeichnen die Falten in Richtung Bauch fort. Arbeiten Sie an jeder Falte einzeln, damit der Hund natürlich wirkt. Anschließend arbeiten Sie mit sehr kurzen Strichen am Fell weiter.

Die Falten deuten Sie mit einer Zickzack-Linie an.

A

B

Diese Rasse wurde in China für den Hunde-kampf gezüchtet.

C

GOLDEN RETRIEVER

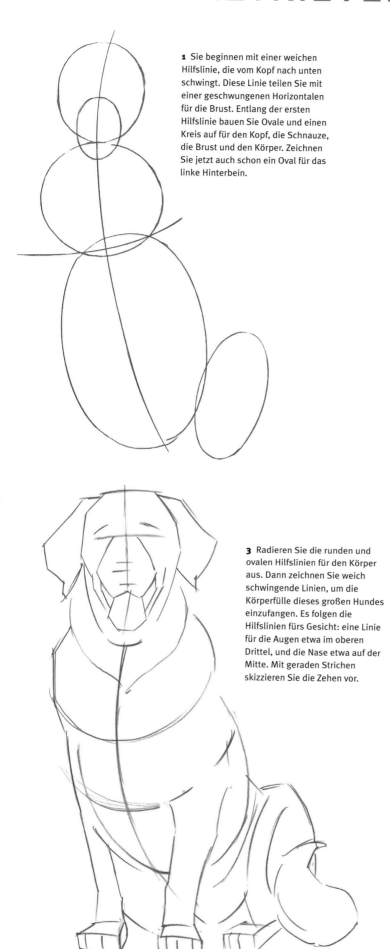

1 Sie beginnen mit einer weichen Hilfslinie, die vom Kopf nach unten schwingt. Diese Linie teilen Sie mit einer geschwungenen Horizontalen für die Brust. Entlang der ersten Hilfslinie bauen Sie Ovale und einen Kreis auf für den Kopf, die Schnauze, die Brust und den Körper. Zeichnen Sie jetzt auch schon ein Oval für das linke Hinterbein.

2 Als Nächstes gestalten Sie die Grundformen der gefalteten Ohren. Dann zeichnen Sie die groben Umrisse des Körpers um die Ovale herum und fügen die Vorderbeine und den Schwanz hinzu.

3 Radieren Sie die runden und ovalen Hilfslinien für den Körper aus. Dann zeichnen Sie weich schwingende Linien, um die Körperfülle dieses großen Hundes einzufangen. Es folgen die Hilfslinien fürs Gesicht: eine Linie für die Augen etwa im oberen Drittel, und die Nase etwa auf der Mitte. Mit geraden Strichen skizzieren Sie die Zehen vor.

4 Nun folgen die Gesichtsmerkmale, die Sie mithilfe der Hilfslinien positionieren. Anschließend zeichnen Sie das weiche Fell, dessen Fall Sie vorher mit V-förmigen Hilfslinien markieren. Anschließend radieren Sie alle Hilfslinien aus, die noch übrig sind.

5 Zum Schluss widmen Sie sich nur noch dem Fell: Arbeiten Sie mit Strichen in der natürlichen Wuchsrichtung. Im Gesicht ist das Fell kurz und wächst von den Augen und um die Nase nach unten. Auch die unteren Bereiche der Vorderbeine und Pfoten tragen kurzes Haar, das Sie mit schnellen parallelen Schraffuren andeuten. Sonst hat der Retriver am ganzen Körper längeres Haar, für das Sie fließende Striche mit unterschiedlicher Breite und Dichte verwenden. Als Letztes nehmen Sie einen Knet-Radiergummi und hellen das Fell auf.

SIBIRISCHER HUSKY-WELPE

Huskys sind kraftvolle Hunde. Schon Welpen haben dichtes Fell, eine breite Brust und einen buschigen Schwanz.

2 Jetzt folgt der ganze Grundriss, den Sie mit schnellen Linien um die ersten Grundformen herum zeichnen. Es folgen die dreieckigen Augen und die Ansätze seiner vier Beine.

1 Als Erstes zeichnen Sie eine weiche Hilfslinie für das Rückgrat und den Schwanz. Dann bauen Sie den Körper mit runden Formen für den Kopf, den Bauch und die Hinterläufe auf. Ziehen Sie Hilfslinien fürs Gesicht und skizzieren Sie die Schnauze in groben Umrissen.

3 Wenn Sie mit der entstandenen Pose und dem Gesamteindruck zufrieden sind, kommt das Fell dran: Zeichnen Sie rund um den jungen Hund kurze aufrechte Linien – so entsteht der Eindruck eines dicken Pelzes. Mit denselben Strichlein zeichnen Sie Farbflächen ins Fell. Dann folgen schon die Augen, die Nase, die Zunge und die erste Arbeit an den Pfoten.

4 Radieren Sie nun alle überflüssigen Hilfslinien aus und gestalten Sie mit der breiten Seite des Bleistifts die dunklen Partien des Fells. Setzen Sie gerade kurze Striche in der natürlichen Wuchsrichtung, die wie ein Strahlenkranz vom Gesicht und von der Brust ausgehen. Dann schraffieren Sie die Nase und die Pupillen. Für den Hintergrund, vor dem die weißen Stellen im Fell des Huskys besser zur Geltung kommen, verwenden Sie dicke, breite Striche, die Sie horizontal mit der breiten Seite des Bleistifts anlegen.

5 Mit einigen leichten Strichen am Rand der weißen Fellpartien geben Sie dem Körper Volumen. Auch die linke Wange und das hintere rechte Bein erhalten leichte Schraffuren. Dann nehmen Sie einen weicheren Bleistift und überziehen die dunklen Fellpartien mit weichen Strichen – vor allem außen am Rücken, unten am Bauch, im Gesicht und an den Beinen, um die rundliche Gestalt des Welpen zu betonen. Nun noch die Nase, das Maul, die Augen und das Innere der Ohren ausarbeiten – und das Porträt ist fertig.

VERGLEICHEN SIE: AUSGEWACHSENER HUND UND WELPE

Ausgewachsene Hunde und Welpen haben zwar den gleichen Körper, doch die Proportionen sind ganz verschieden. Als Proportion bezeichnet man das Verhältnis, in dem ein Teil zu einem anderen steht. Nur wenn die Proportionen eines Motivs stimmen, entsteht eine Ähnlichkeit mit dem Vorbild. Ein Welpe ist nicht einfach ein Hund im Kleinen. Welpen sind viel kompakter. Ihre Augen, Ohren und vor allem ihre Pfoten erscheinen im Verhältnis zum Körper zu groß. Ausgewachsene Hunde sind im Vergleich mit dem Welpen länger, schmaler und größer. Die Schnauze ist auffallend lang und die Zähne sind groß. Wenn Sie beim Zeichnen an diese Unterschiede denken und darauf achten, wird das Hunde-Porträt nicht nur lebendiger. Es wirkt auch gekonnter.

COLLIES

Man findet Collies durchaus als Haushunde, aber die meisten leben wohl als Hütehunde in Schottland, Irland und England. Sie haben eine lange, spitze Schnauze und leichtes, wallendes Fell. Diese Skizzen zeigen einen künstlerisch freien Ansatz. Sie selbst werden diese Art zu zeichnen in dem Maß entwickeln, in dem Sie sicherer werden.

Im ersten Schritt entwerfen Sie die eckigen Formen für das Profil des Collies mit einem Bleistift in Härte HB. Achten Sie darauf, dass das Auge an der richtigen Stelle ist, sonst wird die Zeichnung nicht wahrheitsgetreu. Im nächsten Schritt skizzieren Sie ganz leicht die Nase, das Maul und die Ohren vor. Sorgen Sie sich in diesem Stadium nicht um die Details. Das meiste entsteht erst, wenn Sie das Fell gestalten: Dafür nehmen Sie nur die vorderste Spitze eines Rundpinsels und zeichnen mit Tusche dünne, lockere Striche.

Der berühmteste Collie ist und bleibt wohl für alle Zeiten Lassie, der Star vieler Filme und Fernsehfolgen.

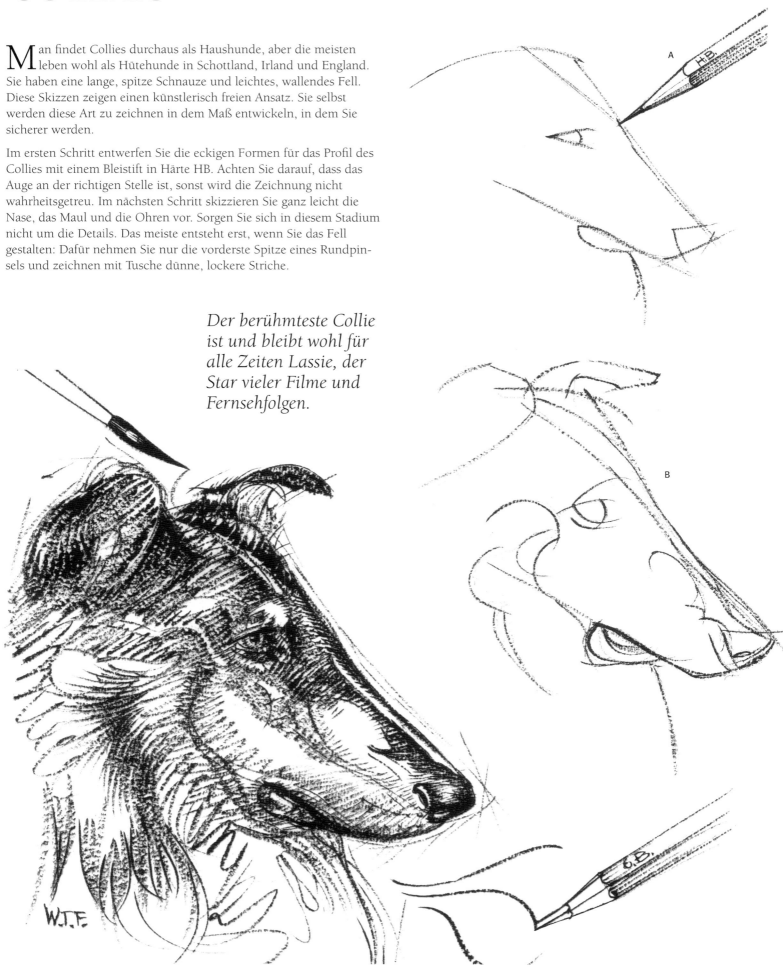

Diese Zeichnung zeigt das Gesicht eines Collies aus einem anderen Blickwinkel. Die Schnauze erscheint jetzt überlang und sehr schmal. Folgen Sie den Schritten A und B, um die eckigen Grundformen aufs Papier zu bringen. Dann nehmen Sie die breite Spitze eines Zimmermannsbleistifts in Stärke 4B. Zeichnen Sie das dunkle Fell oben am Kopf mit festen kurzen Strichen. Mit längeren, gezielten Strichen legen Sie die lockere Mähne an. Denken Sie daran, dass das Haar aufwärts und auswärts wächst, damit es locker und voll wirkt.

Der Ursprung dieser Rasse lässt sich bis ins 15. Jahrhundert zurückverfolgen.

Mit einem Zimmermannsbleistift Härte 6B setzen Sie sehr dunkle und breite Linien. Diese Linien betonen die Wuchsrichtung des Fells.

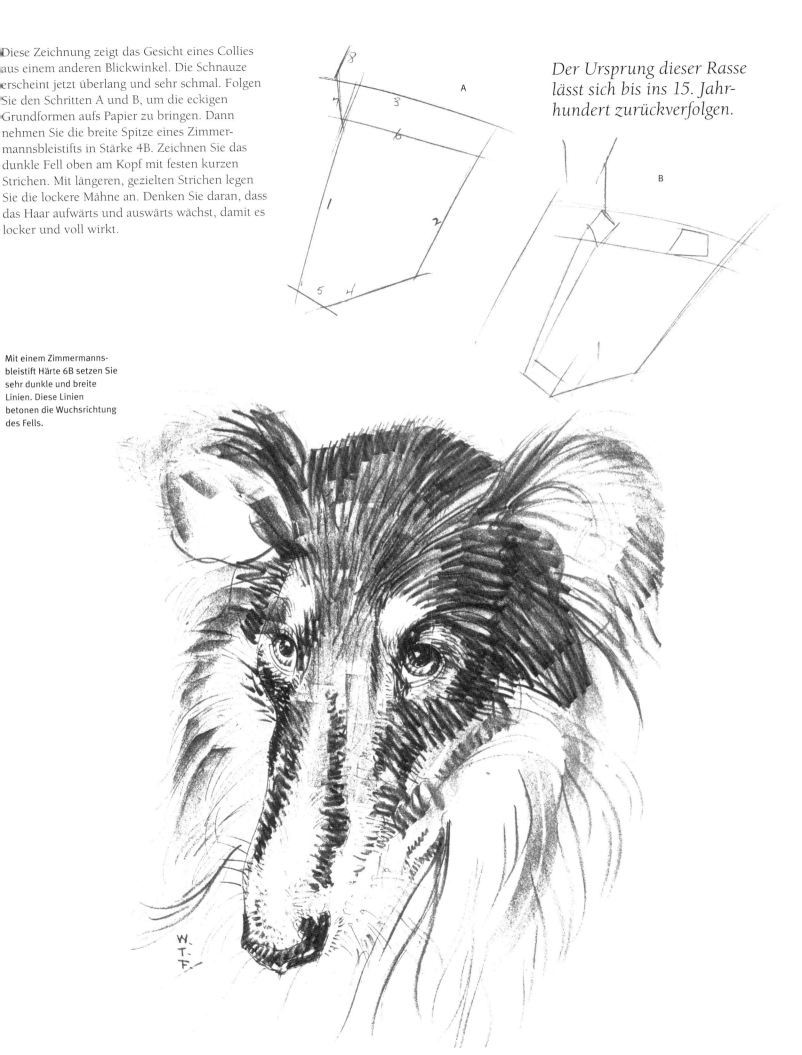

BLUTHUND

Bluthunde erkennt man an ihren langen Schlappohren, am traurigen Blick und daran, dass das Fell, immer so wirkt, als sei es eine Nummer zu groß. Diese Rasse mag einen melancholischen Eindruck machen – sie ist aber ausgesprochen menschenfreundlich.

Beginnen Sie das Porträt mit zehn Strichen, die Sie in derselben Reihenfolge zeichnen wie in Schritt A gezeigt. Weitere Details von Kopf und Gesicht deuten Sie an wie in Schritt B. Achten Sie darauf, dass die Augenwinkel ein wenig hängen.

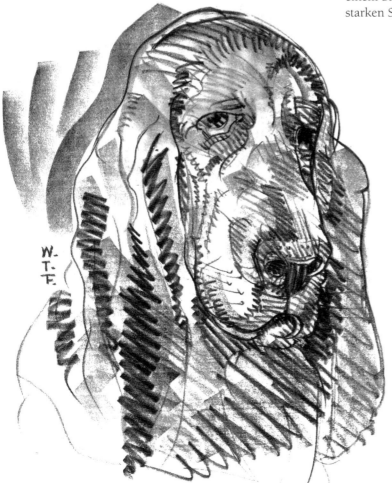

Bluthunde haben schon eine vierzehn Tage alte Spur mehr als 200 Kilometer weit verfolgt.

Im nächsten Schritt glätten Sie die Hilfslinien und machen sich an die Falten und Runzeln im Gesicht. Nehmen Sie die Seite eines schwarzen Kreidestifts, um eine leichte Schicht Grau über das ganze Gesicht zu legen. Zum Schluss schraffieren Sie die dunkelsten Partien und vor allem die tiefsten Falten mit einem Bleistift in Härte 2B oder 4B. Seien Sie mutig und betonen Sie mit starken Schraffuren den traurigen Ausdruck.

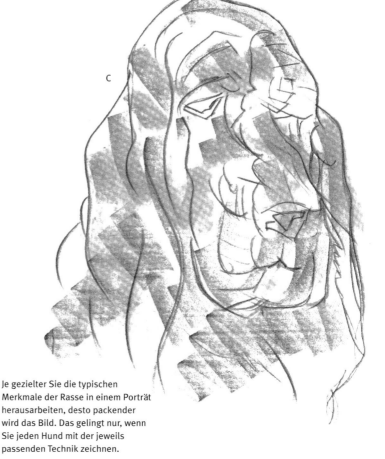

Je gezielter Sie die typischen Merkmale der Rasse in einem Porträt herausarbeiten, desto packender wird das Bild. Das gelingt nur, wenn Sie jeden Hund mit der jeweils passenden Technik zeichnen.

Dackel

Dackel haben kurze krumme Beine und einen lang gezogenen muskulösen Körper. Es gibt Langhaardackel mit langem, weichem Fell und Rauhaardackel.

Mit einem Bleistift in Härte HB zeichnen Sie zunächst die Umrisse des Kopfes wie in Schritt A vor, die dann wie in Schritt B besser angepasst werden. Im nächsten Schritt folgen die Gesichtsmerkmale – verwenden Sie einen abgerundeten Bleistift in Härte 2B sowie einen Pinsel und Tusche. Mit dem Pinsel lassen sich die dunklen Stellen z. B. an der Nase und an den Augen am besten darstellen. Schneiden Sie dann einen weichen Bleistift so zurecht, dass er eine meißelförmige Sitze bekommt. Mit diesem Stift, aber auch mit Pinsel und Tusche folgen nun weitere Details. Um weitere Graubstufungen zu erzielen, können Sie auch mit der Seite eines Kreidestiftes arbeiten. Das sieht dann wie im fertigen Bild unten rechts aus.

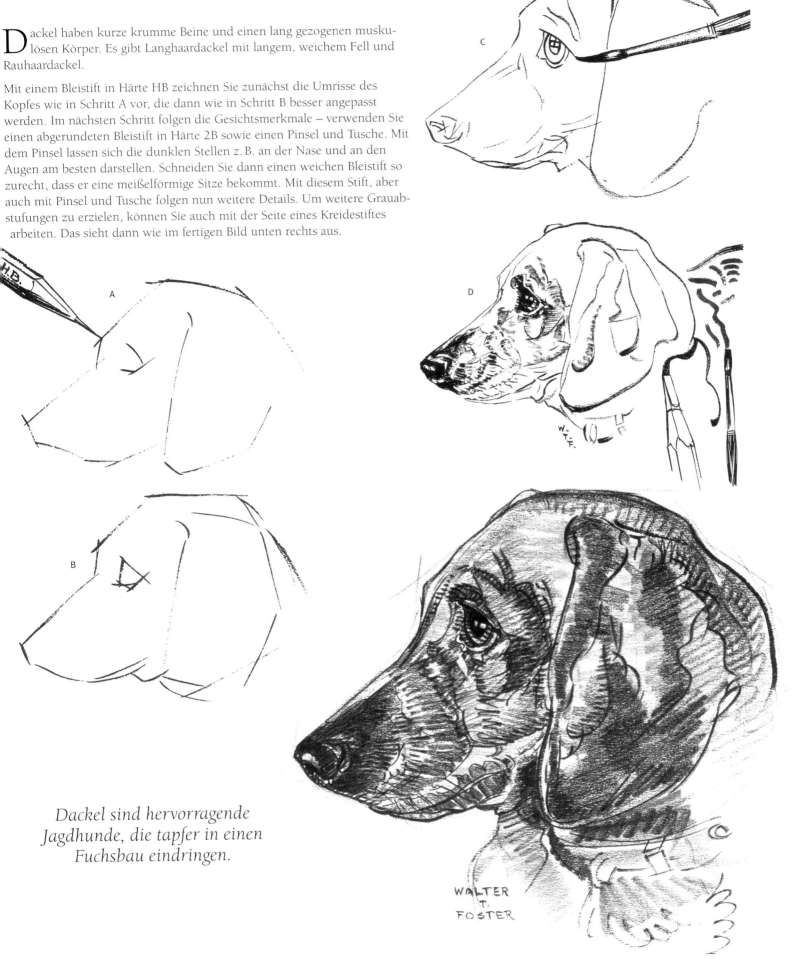

Dackel sind hervorragende Jagdhunde, die tapfer in einen Fuchsbau eindringen.

WALTER T. FOSTER

MALTESER

Seinem weißen Fell und seinen runden schwarzen Augen verdankt der Malteser seine Karriere als gefragtes Schoßhündchen. Legen Sie beim Zeichnen viel Sorgfalt aufs Fell. Mit wenigen Linien zeichnen Sie die Grundform des Kopfes: Beginnen Sie mit einem Rechteck und zeichnen Sie die Hilfslinien in der Reihenfolge ein, wie in Schritt A – achten Sie auf die Proportionen. In Schritt B zeichnen Sie Augen und Nase auf das Raster.

Ab Schritt C zeichnen Sie das Fell mit langen geschwungenen Linien in der Richtung des natürlichen Wuchses. Zeichnen Sie nicht zu viele Linien, da das Fell weiß erscheinen muss. Für Augen und Nase verwenden Sie entweder einen spitzen Bleistift oder Pinsel und Tusche – an die Reflexe in der Pupille denken!

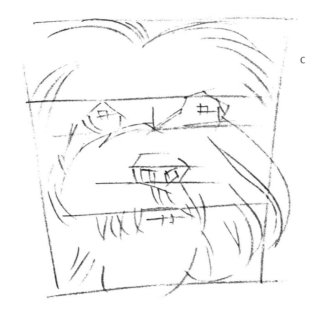

Wie ein Vorhang hängt das Haar über die Augen dieser kleinen, aber sehr mutigen Rasse, die sich auf Malta bis in vorchristliche Zeiten verfolgen lässt.

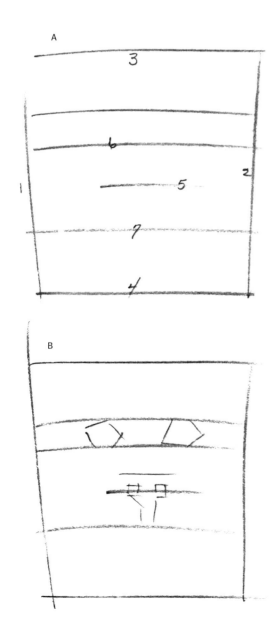

PFERDE

Kraft und Anmut gehören ebenso zu einem Pferd wie
Schönheit und Intelligenz. Diese beeindruckenden großen
Tiere in einer Zeichnung angemessen darzustellen erfordert
jedoch nicht mehr Können oder Übung als andere Motive!
Wenn Sie Pferde aus Leidenschaft porträtieren oder wenn
Sie dem Wunder ihrer Bewegungsabläufe auf die Spur
kommen möchten – wenn Sie Schnelligkeit und Freiheit
mit dem Zeichenstift festhalten möchten, dann finden
Sie in diesem Abschnitt eine Fülle von Anregungen. Viele
Tipps und einige Vorlagen helfen Ihnen, gelungene Pferde-
bilder zu gestalten.

Pferdeköpfe für Einsteiger

Der Kopf des Fohlens auf dieser Seite hat andere Proportionen als der Kopf des ausgewachsenen Pferdes rechts. Außerdem zeichnen Sie den Kopf des Fohlens in einer Dreiviertelansicht.

Mit drei Hilfslinien wie in Schritt A legen Sie Größe und Form des Kopfes fest. Achten Sie – wie auch in Schritt B – auf die Reihenfolge, damit die Proportionen stimmen, und darauf, ob Sie Rechts- oder Linkshänder sind.

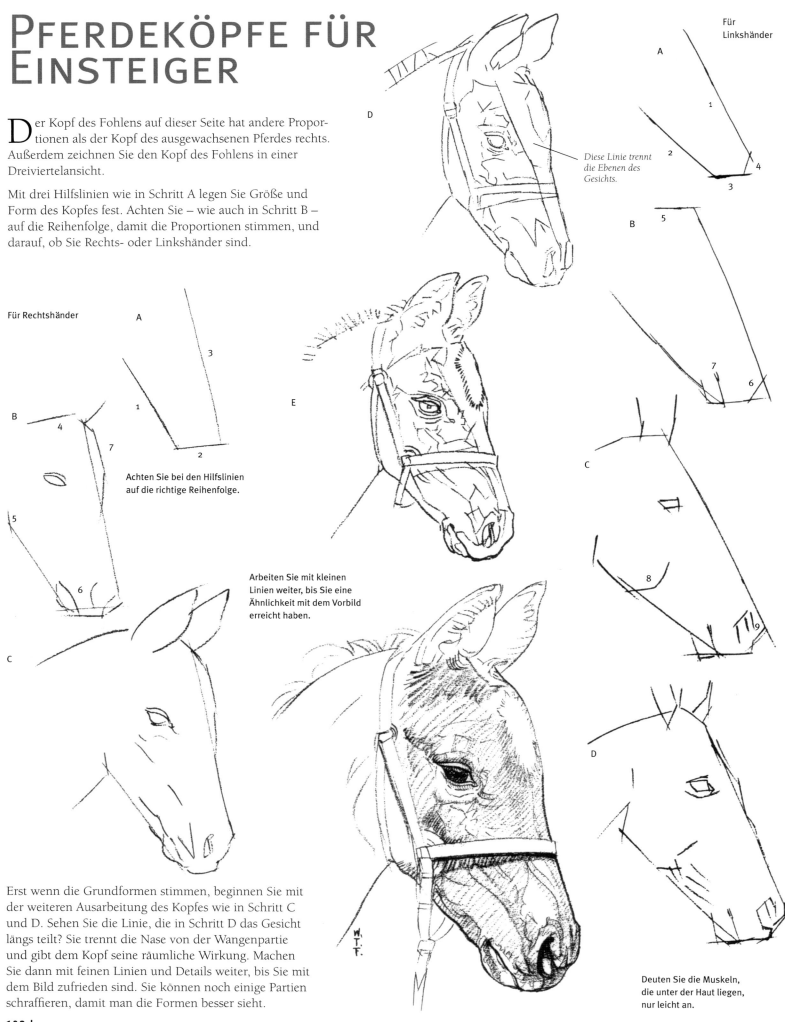

Diese Linie trennt die Ebenen des Gesichts.

Für Linkshänder

Für Rechtshänder

Achten Sie bei den Hilfslinien auf die richtige Reihenfolge.

Arbeiten Sie mit kleinen Linien weiter, bis Sie eine Ähnlichkeit mit dem Vorbild erreicht haben.

Erst wenn die Grundformen stimmen, beginnen Sie mit der weiteren Ausarbeitung des Kopfes wie in Schritt C und D. Sehen Sie die Linie, die in Schritt D das Gesicht längs teilt? Sie trennt die Nase von der Wangenpartie und gibt dem Kopf seine räumliche Wirkung. Machen Sie dann mit feinen Linien und Details weiter, bis Sie mit dem Bild zufrieden sind. Sie können noch einige Partien schraffieren, damit man die Formen besser sieht.

Deuten Sie die Muskeln, die unter der Haut liegen, nur leicht an.

Obwohl alle Pferde eine recht ähnliche Kopfform haben, gibt es doch Unterschiede zwischen den Rassen und den einzelnen Pferden. Dieses Porträt mit der geraden Nase und dem leicht abgeflachten Maul könnte zu einem typischen Warmblutpferd gehören. Zeichnen Sie möglichst viele Pferdeporträts, um ein Gefühl für die Einzigartigkeit jedes Tieres zu bekommen.

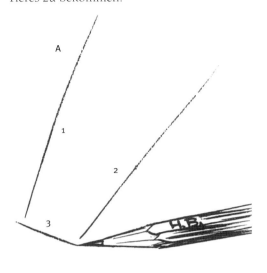

A

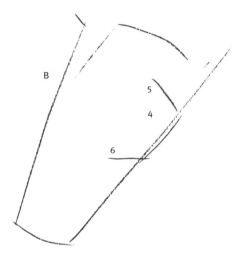

B

C

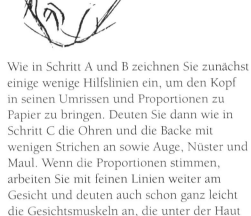

D

Wie in Schritt A und B zeichnen Sie zunächst einige wenige Hilfslinien ein, um den Kopf in seinen Umrissen und Proportionen zu Papier zu bringen. Deuten Sie dann wie in Schritt C die Ohren und die Backe mit wenigen Strichen an sowie Auge, Nüster und Maul. Wenn die Proportionen stimmen, arbeiten Sie mit feinen Linien weiter am Gesicht und deuten auch schon ganz leicht die Gesichtsmuskeln an, die unter der Haut sichtbar werden, wie in Schritt D und E.

E

G

H

Bevor Sie das Porträt beenden, sollten Sie die Vorlage nochmals genau studieren. Jetzt müssen der Sitz von Ohren und Auge, der Winkel zwischen Hals und Kopf sowie die Linie zwischen Nase und Unterlippe stimmen. Ein wichtiger Punkt ist die Stelle, an der sich die Linien von Hals und Unterkiefer unter der Backe treffen.
Je besser Sie lernen, genau hinzusehen, desto besser werden auch Ihre Zeichnungen.

Sie müssen jetzt noch kein perfekt ausgearbeitetes Pferdeporträt zustande bringen. Solange Sie noch an den Proportionen und an Ihrer Beobachtungsgabe arbeiten, sollten Ihre Zeichnungen eher skizzenhaft bleiben. Die Schraffurtechniken kommen später dazu.

F

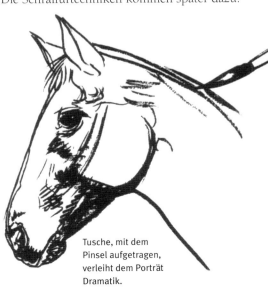

Tusche, mit dem Pinsel aufgetragen, verleiht dem Porträt Dramatik.

PFERDE PORTRÄTIEREN

Pferde sind wundervolle Geschöpfe, und es macht große Freude, sie zu beobachten und zu zeichnen. Bei diesem Porträt kommt es vor allem darauf an, die Wärme und die Intelligenz, die sich in den großen Augen zeigt, zu treffen.

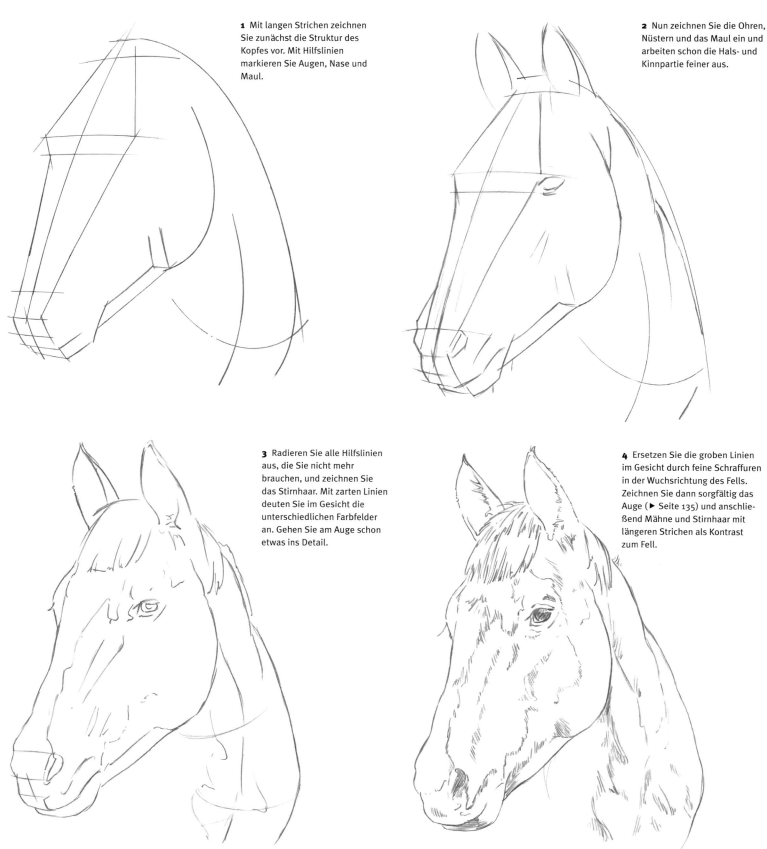

1 Mit langen Strichen zeichnen Sie zunächst die Struktur des Kopfes vor. Mit Hilfslinien markieren Sie Augen, Nase und Maul.

2 Nun zeichnen Sie die Ohren, Nüstern und das Maul ein und arbeiten schon die Hals- und Kinnpartie feiner aus.

3 Radieren Sie alle Hilfslinien aus, die Sie nicht mehr brauchen, und zeichnen Sie das Stirnhaar. Mit zarten Linien deuten Sie im Gesicht die unterschiedlichen Farbfelder an. Gehen Sie am Auge schon etwas ins Detail.

4 Ersetzen Sie die groben Linien im Gesicht durch feine Schraffuren in der Wuchsrichtung des Fells. Zeichnen Sie dann sorgfältig das Auge (▶ Seite 135) und anschließend Mähne und Stirnhaar mit längeren Strichen als Kontrast zum Fell.

5 Für die dunklen Stellen des Fells nehmen Sie mit einem großen Papierwischer Graphitstaub auf und verreiben ihn in breiten Streifen auf den entsprechenden Partien. Mit einem schmaleren Wischer machen Sie sich nochmals ans Auge und an die Ohren. Mit dunklen Strichen an den Ohren und am Hals erhält des Porträt mehr Präsenz.

DETAILS ZEICHNEN

Maul Maul und Nüstern eines Pferdes sind weich und rund gestaltet. Sie zeichnen diese Formen mit sorgfältigen Schraffuren. Die Nüstern sind umrandet und ebenso die Partie direkt über der Oberlippe. Hellen Sie die Partien am besten mit dem Radiergummi auf.

Auge Ein Pferdeauge besteht aus vielen Details wie der Wölbung über dem Auge oder den dichten Wimpern. Damit das Auge lebendig und warm wirkt, zeichnen Sie ein helles Oval unter der dunklen Pupille und lassen in der Pupille eine Stelle weiß, in der sich das Licht spiegelt.

Ohren Das Stirnhaar wird mit mehreren langen Strichen gezeichnet. Dann schraffieren Sie die Ohren mit parallelen Strichen, die unten sehr dunkel sind und zum Rand hin immer heller werden.

Im Profil

Auch dieses beeindruckende Profil beginnen Sie mit einer Reihe gerader Hilfslinien für den Umriss. Daraus entwickeln Sie nach und nach sorgfältig die Gestalt des Kopfes wie in Schritt 2 und 3. Vergewissern Sie sich immer wieder, dass Sie dabei die Ähnlichkeit mit dem Modell treffen.

Bleistift
Härte HB

Arbeiten mit Hilfslinien Wenn die Umrisse stehen, gehen Sie daran, den Kopf weiter auszuarbeiten. Achten Sie vor allem auf die Lippe und den graziös geschwungenen Hals. Markieren Sie in Schritt 2 die Muskelstränge ums Auge, an der Wange und am Maul. Daran orientieren Sie sich in Schritt 3, wenn Sie den Kopf mit der Seite eines weichen Bleistiftes schraffieren.

Die Mähne zeichnen Sie mit einem Zimmermannsbleistift oder mit der Seite eines weichen Bleistifts und längeren, breiteren Strichen.

Haben Sie keine Angst vor Fehlern. Probieren geht über Studieren!

Tipps zum Schraffieren Mit leichten kurzen Strichen arbeiten Sie im Gesicht und am Nacken. Breitere senkrechte Schraffuren betonen die Muskeln am Kiefer und am Auge. Sie können einige Partien leicht mit dem Papierwischer etwas verreiben – das macht diese Stellen weicher.

PFERDEKÖPFE

Diese drei Pferdeporträts sind Beispiele für fortgeschrittenere Arbeiten, bei denen Sie auch verschiedene Schraffurtechniken üben können. Achten Sie auf die unterschiedlichen Blickwinkel, die Mähne und das Zaumzeug.

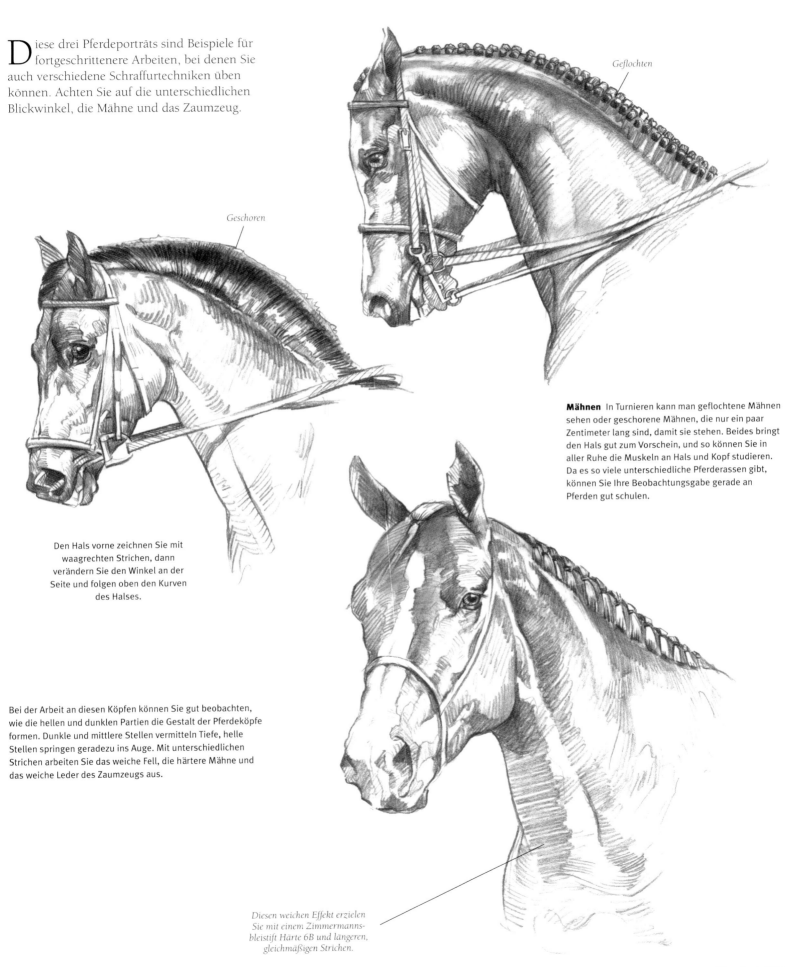

Geflochten

Geschoren

Mähnen In Turnieren kann man geflochtene Mähnen sehen oder geschorene Mähnen, die nur ein paar Zentimeter lang sind, damit sie stehen. Beides bringt den Hals gut zum Vorschein, und so können Sie in aller Ruhe die Muskeln an Hals und Kopf studieren. Da es so viele unterschiedliche Pferderassen gibt, können Sie Ihre Beobachtungsgabe gerade an Pferden gut schulen.

Den Hals vorne zeichnen Sie mit waagrechten Strichen, dann verändern Sie den Winkel an der Seite und folgen oben den Kurven des Halses.

Bei der Arbeit an diesen Köpfen können Sie gut beobachten, wie die hellen und dunklen Partien die Gestalt der Pferdeköpfe formen. Dunkle und mittlere Stellen vermitteln Tiefe, helle Stellen springen geradezu ins Auge. Mit unterschiedlichen Strichen arbeiten Sie das weiche Fell, die härtere Mähne und das weiche Leder des Zaumzeugs aus.

Diesen weichen Effekt erzielen Sie mit einem Zimmermannsbleistift Härte 6B und längeren, gleichmäßigen Strichen.

PONY

Ponys sind eine eigene Tiergattung und nicht nur „kleine Pferde". Sie besitzen mehr Trittsicherheit und einen besseren Selbsterhaltungstrieb.

1 Mit einem Bleistift in Härte HB zeichnen Sie die Grundelemente der Körperformen vor: Ovale für Brust, Körper, Schultern und Hinterhand. Dann noch sanfte Linien für den Hals und kurze, gerade Hilfslinien für den Kopf und zwei Ovale für Maul und Kiefer.

2 Nun nehmen Sie die ersten Linien zu Hilfe und zeichnen den ganzen Umriss des Ponys. Zeichnen Sie die Beine und besonders genau die Hufe und Gelenke. Mit schnellen Linien werden Mähne und Schweif nur angedeutet. Maul, Nüstern, Auge und Ohren arbeiten Sie feiner aus.

3 Sie entfernen nun alle Hilfslinien und arbeiten als Erstes die Beine im Vordergrund aus. Mit langen geraden Strichen, die an einzelne Strähnen erinnern, folgen Mähne und Schweif. Dem Körper geben Sie durch kräftige Muskelpartien Gestalt. Fürs Gesicht brauchen Sie nur wenige Schraffuren. Dann zeichnen Sie das Halfter ein.

Körperbau Pferde und Ponys

Keine Angst – Sie müssen nicht jeden Knochen und jeden Muskel kennen, um ein Pferd oder Pony anatomisch richtig zeichnen zu können! Doch eine Vorstellung vom Knochenbau und der Lage der wichtigsten Muskeln des Tieres hilft Ihnen in jedem Fall beim Zeichnen, weil Ihre Darstellungen dadurch wirklichkeitsnäher werden. (Im Grunde haben beide Spezies dieselbe Anatomie, auch wenn Ponys sich in Größe und Proportionen unterscheiden.) Wenn Sie die Form der Knochen kennen, können Sie wahrheitsgetreue Beine zeichnen; der richtige Sitz der Muskelpartien gibt dem Körper kompakte Gestalt.

Ein Pferdekörper ist rasch gezeichnet, wenn Sie ihn zunächst in seine geometrischen Grundelemente zerlegen. Mit Kreisen, Ovalen, Zylindern oder Rechtecken wie in der Zeichnung rechts nimmt der Körper schnell seine Form an – wobei Kopf, Hals, Leib und Beine in der richtigen Proportion zueinander stehen. Diese Elemente müssen Sie nur noch verbinden, die Linien begradigen und ein paar Details wie Maul und Ohren hinzufügen – und fertig ist die Grundform eines Pferdes.

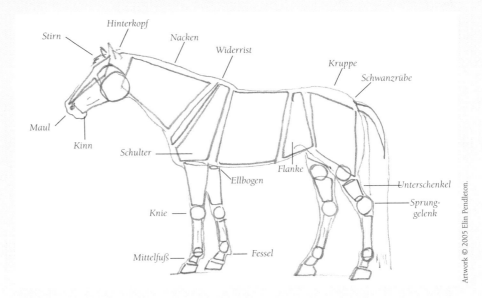

4 Es braucht nur noch einige Schatten und ein paar Linien für die Stalltür, und schon hat Ihr Pferd Halt im Bild. Diese Linien sollen leicht und fein sein, damit sie dem Hauptdarsteller des Bildes keine Konkurrenz machen. Mit einigen Parallelschraffuren entlang der Hauptmuskelstränge vervollständigen Sie den Körper des Ponys, der jetzt fast etwas stilisiert wirkt. Nun müssen Sie nur noch die Details des Gesichts vervollständigen.

FOHLEN

Fohlen haben eine ungeheure Lebensfreude und viel Sinn für Spaß. Sie laufen, hüpfen und springen für ihr Leben gerne herum und lieben es, wenn man ihnen dabei zusieht. Versuchen Sie, diese Daseinsfreude in Ihren Bildern einzufangen.

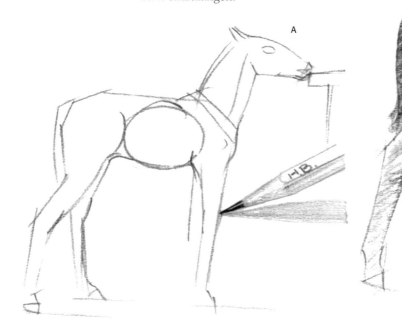

Um das Fohlen oben zu zeichnen, beginnen Sie mit einem Bleistift in Härte HB und einem Oval. Skizzieren Sie die übrigen Teile des Körpers und achten Sie darauf, dass alle Proportionen stimmen. Sehen Sie, wie lang die Beine im Vergleich zum Rest des Körpers sind? Mit einem Bleistift in Härte 6B schraffieren Sie das Fohlen vor und schwächen dann mit einem Papierwischer bestimmte Bereiche ab.

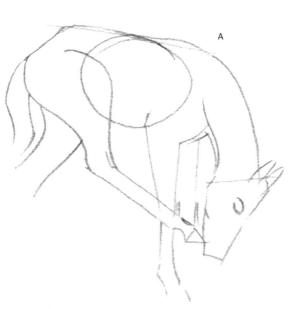

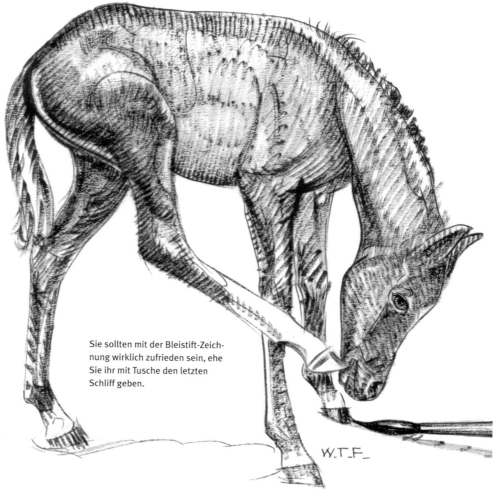

Sie sollten mit der Bleistift-Zeichnung wirklich zufrieden sein, ehe Sie ihr mit Tusche den letzten Schliff geben.

Das Fohlen wurde auf grobes Papier gezeichnet und mit einer speziellen drybrush-Technik perfektioniert: Wenn Sie die Umrisse des Fohlens mit Bleistift gezeichnet haben, tragen Sie für die hellen und mittleren Schattenbereiche Tusche oder schwarze Wasserfarbe auf. Nehmen Sie einen trockenen Pinsel und unverdünnte Tusche für die dunkelsten Bereiche und Details. So schaffen Sie aufgebrochene Linien und Kanten und können Fell gut darstellen.

Auch für dieses ausdrucksstarke Motiv wurde Tusche verwendet. Wenn Sie die Grundformen mit einem Bleistift in Härte HB skizziert haben, arbeiten Sie die Linien und Grundrisse weiter aus, bis Sie mit dem Ergebnis zufrieden sind. Nehmen Sie nun einen trockenen Pinsel und verteilen Sie sauberes Wasser auf dem Körper des Fohlens, aber gehen Sie nicht über die Umrisse hinaus! Nehmen Sie dann verdünnte Tusche mit dem Pinsel auf und verteilen Sie sie in gleichmäßigen Strichen Schicht um Schicht auf dem Körper. Diese Technik nennt man Aquarell, und sie ist wunderbar geeignet, wenn man weiche Farbübergänge zeichnen will. Allerdings ist diese Technik schwieriger, als das Zeichnen Nass-auf-Trocken oder die dry-brush-Technik links (▶ Seite 140).

Probieren Sie auch aus, ob Sie bessere Resultate erzielen, wenn Sie das Papier zwischendurch trocken werden lassen. Wenn Sie die Farbschichten auftragen, lassen Sie dabei hellere Stellen frei für die Lichtreflexe und tragen Sie dichte Schichten für die dunkelsten Stellen an Hals und Bauch auf. Mit der Spitze eines trockenen Pinsels ziehen Sie zum Schluss die feinen Umrisslinien und Details nach.

A

Achten Sie auf den Trab: Dabei arbeiten die Beine dieses munteren Fohlens diagonal.

An den dunkelsten Stellen tragen Sie mehrere Schichten verdünnter Tusche auf.

Für graue Partien verdünnen Sie die Tusche stark.

Einige Bereiche bleiben als Kontrast ganz weiß.

W.T.F.

Wasserfarbenpinsel Nr. 3

ARABER

Araberpferde sind feurige Tiere mit einer extravaganten Art, den Schweif zu tragen, und einem ausdrucksstarken Hechtkopf. Obwohl sie nicht sehr groß sind, ist diese Rasse berühmt für ihre Ausdauer, Intelligenz und Energie. Versuchen Sie den schlanken Körperbau und das Temperament in ihrer Zeichnung festzuhalten.

A

B

Versuchen Sie Brust und Gesicht möglichst gut zu treffen, um das Besondere der arabischen Pferde zu zeigen.

Aus diesem Blickwinkel wird das Rückgrat sichtbar. Schraffieren Sie dort und an den Schultern nur wenig. Das unterstreicht die Tiefe des Bildes.

Mit einem weichen Bleistift und einen Papierwischer arbeiten Sie das Pferd feiner aus. Lassen Sie großzügig Stellen weiß für die Lichtreflexe auf dem schimmernden Fell.

C

Die Beduinen in der Sahara lieben diese Pferde für ihre Ausdauer und Schnelligkeit.

SHETLANDPONY

Dies ist eine kleinsten Ponyrassen der Welt; sie stammt von den nördlich von Schottland gelegenen Shetland Inseln. Dieses Pony zeigt den typischen kleinen Kopf, den breiten Hals und den kompakten Körperbau seiner zähen Rasse.

Das Shetlandpony hat nur 90 Zentimeter bis 106 Zentimeter Schulterhöhe.

A

Beim Skizzieren der Grundrisse des Ponys müssen Sie genau auf die Richtigkeit der Proportionen achten: Der Körper ist nur etwa 2,5 Mal so lang wie der Kopf. Beginnen Sie in Schritt A mit einem großen Kreis und Ovalen, die den robusten Bau des Ponys einfangen. Mit groben Strichen schraffieren Sie die mittleren Grautöne; nehmen Sie einen Papierwischer für die dunkelsten Bereiche.

Shetlandponys haben einen auffallend breiten Hals.

B

Mit der Seite der Bleistiftmine und einem Papierwischer wird das helle Fell dieses Ponys gestaltet.

C

In Bewegung

Viele Traber haben eine extreme Kniearbeit. Um ein solches Pferd richtig zu zeichnen, müssen Sie Körper- und Beinhaltung genau treffen. Beginnen Sie mit einem Oval für den Körper und fügen Sie kreisförmige Partien für Rumpf und Brust hinzu. Dann werden der Kopf, die Beine und der Schweif skizziert sowie die auffallendsten Muskelpartien wie in Schritt A.

Beginnen Sie das Schraffieren mit kurzen parallelen Strichen an den dunkelsten Stellen.

Mit der Seite des Bleistifts oder mit dem Papierwischer die dunkelsten Stellen ausarbeiten.

Durch das Variieren der Schraffuren gewinnt der Körper sein Volumen.

Weiße Stellen für die Reflexe und als Kontrast aussparen.

In Schritt B und C schraffieren Sie den Verlauf der kraftvollen Muskeln auf dem Körper und im Gesicht des Pferdes. Mit dem Papierwischer verreiben Sie einige der mittleren und der dunkelsten Stellen. Zum Schluss überarbeiten Sie mit einem spitzen Bleistift in Härte 2B den Umriss und einige der Schraffuren.

Wenn Sie ein Pferd zeichnen wollen, dass sich aufbäumt, müssen Sie unbedingt auf die Richtigkeit der Proportionen achten. Denken Sie daran, dass sich der Schwerpunkt eines Pferdes über der Schulter befindet. Wenn sich das Tier zu weit nach vorne oder nach hinten lehnt, sieht es aus, als würde es umfallen.

A

Die Pose kann zu Beginn einige Schwierigkeiten bereiten. Geben Sie aber nicht auf. Machen Sie einfach weiter, bis die Proportionen stimmen.

Mähne und Schweif sollten nicht zu stark ausgearbeitet werden. Nur wenn sie locker und leicht wirken, betonen sie die Bewegung.

B

Die Proportionen müssen stimmen, bevor Sie mit den Schraffuren beginnen.

C

Beginnen Sie wie bei allen anderen Körpern auch mit einem Oval für die Mitte und fügen Sie Ovale für die Hinterbacken und Schultern hinzu. Dann skizzieren Sie Beine, Schweif, Hals und Kopf wie in Schritt A. Zeichnen Sie mit schnellen lockeren Strichen, damit die Pose spontan und natürlich wirkt.

Gehen Sie dann Schritt für Schritt weiter, bis das Bild fertig ist, und behalten Sie dabei Skelett und Muskelstruktur im Auge.

PFERD UND REITER

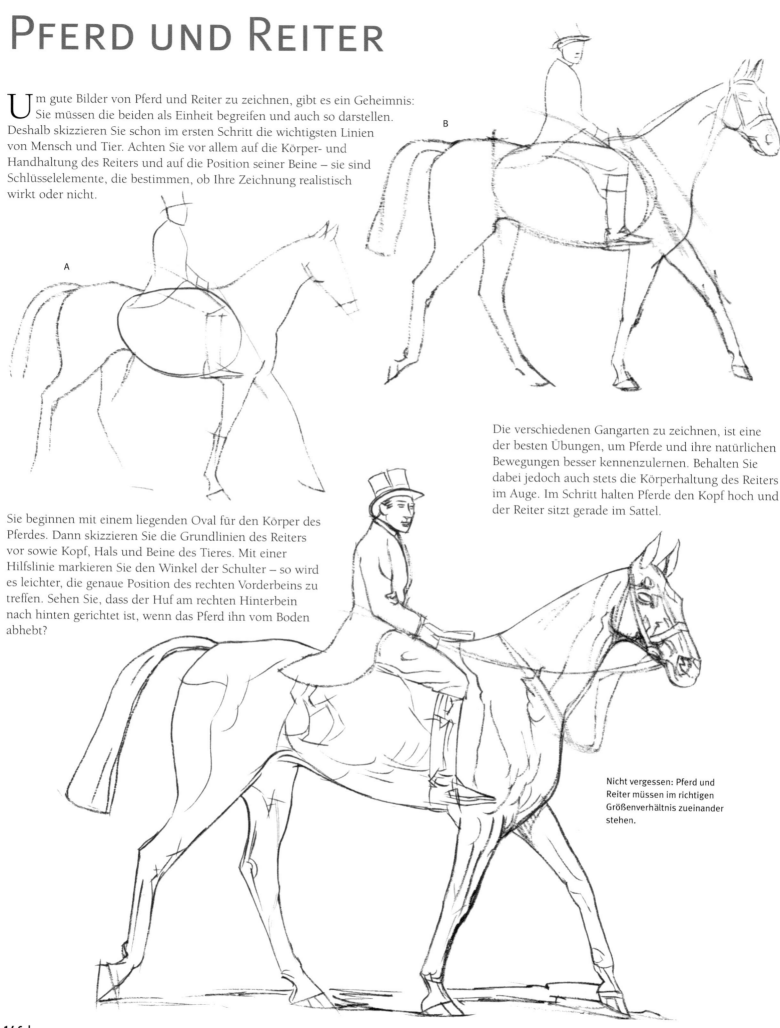

Um gute Bilder von Pferd und Reiter zu zeichnen, gibt es ein Geheimnis: Sie müssen die beiden als Einheit begreifen und auch so darstellen. Deshalb skizzieren Sie schon im ersten Schritt die wichtigsten Linien von Mensch und Tier. Achten Sie vor allem auf die Körper- und Handhaltung des Reiters und auf die Position seiner Beine – sie sind Schlüsselelemente, die bestimmen, ob Ihre Zeichnung realistisch wirkt oder nicht.

Die verschiedenen Gangarten zu zeichnen, ist eine der besten Übungen, um Pferde und ihre natürlichen Bewegungen besser kennenzulernen. Behalten Sie dabei jedoch auch stets die Körperhaltung des Reiters im Auge. Im Schritt halten Pferde den Kopf hoch und der Reiter sitzt gerade im Sattel.

Sie beginnen mit einem liegenden Oval für den Körper des Pferdes. Dann skizzieren Sie die Grundlinien des Reiters vor sowie Kopf, Hals und Beine des Tieres. Mit einer Hilfslinie markieren Sie den Winkel der Schulter – so wird es leichter, die genaue Position des rechten Vorderbeins zu treffen. Sehen Sie, dass der Huf am rechten Hinterbein nach hinten gerichtet ist, wenn das Pferd ihn vom Boden abhebt?

Nicht vergessen: Pferd und Reiter müssen im richtigen Größenverhältnis zueinander stehen.

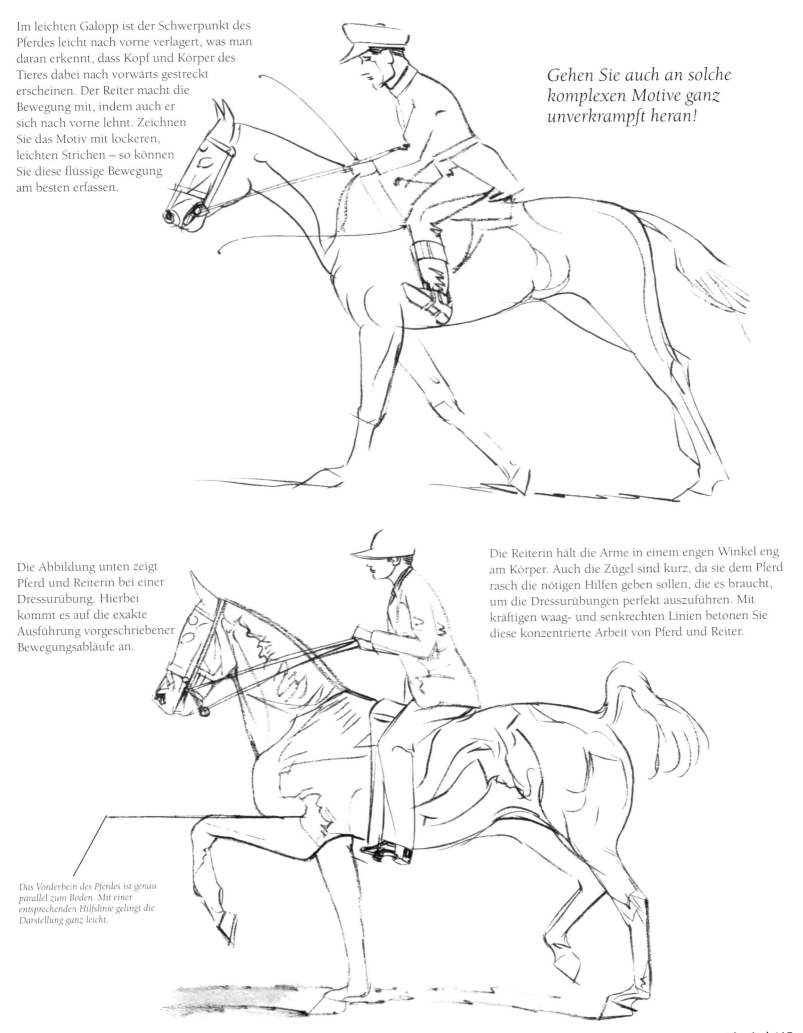

Im leichten Galopp ist der Schwerpunkt des Pferdes leicht nach vorne verlagert, was man daran erkennt, dass Kopf und Körper des Tieres dabei nach vorwärts gestreckt erscheinen. Der Reiter macht die Bewegung mit, indem auch er sich nach vorne lehnt. Zeichnen Sie das Motiv mit lockeren, leichten Strichen – so können Sie diese flüssige Bewegung am besten erfassen.

Gehen Sie auch an solche komplexen Motive ganz unverkrampft heran!

Die Abbildung unten zeigt Pferd und Reiterin bei einer Dressurübung. Hierbei kommt es auf die exakte Ausführung vorgeschriebener Bewegungsabläufe an.

Die Reiterin hält die Arme in einem engen Winkel eng am Körper. Auch die Zügel sind kurz, da sie dem Pferd rasch die nötigen Hilfen geben sollen, die es braucht, um die Dressurübungen perfekt auszuführen. Mit kräftigen waag- und senkrechten Linien betonen Sie diese konzentrierte Arbeit von Pferd und Reiter.

Das Vorderbein des Pferdes ist genau parallel zum Boden. Mit einer entsprechenden Hilfslinie gelingt die Darstellung ganz leicht.

SPRUNG UND GALOPP

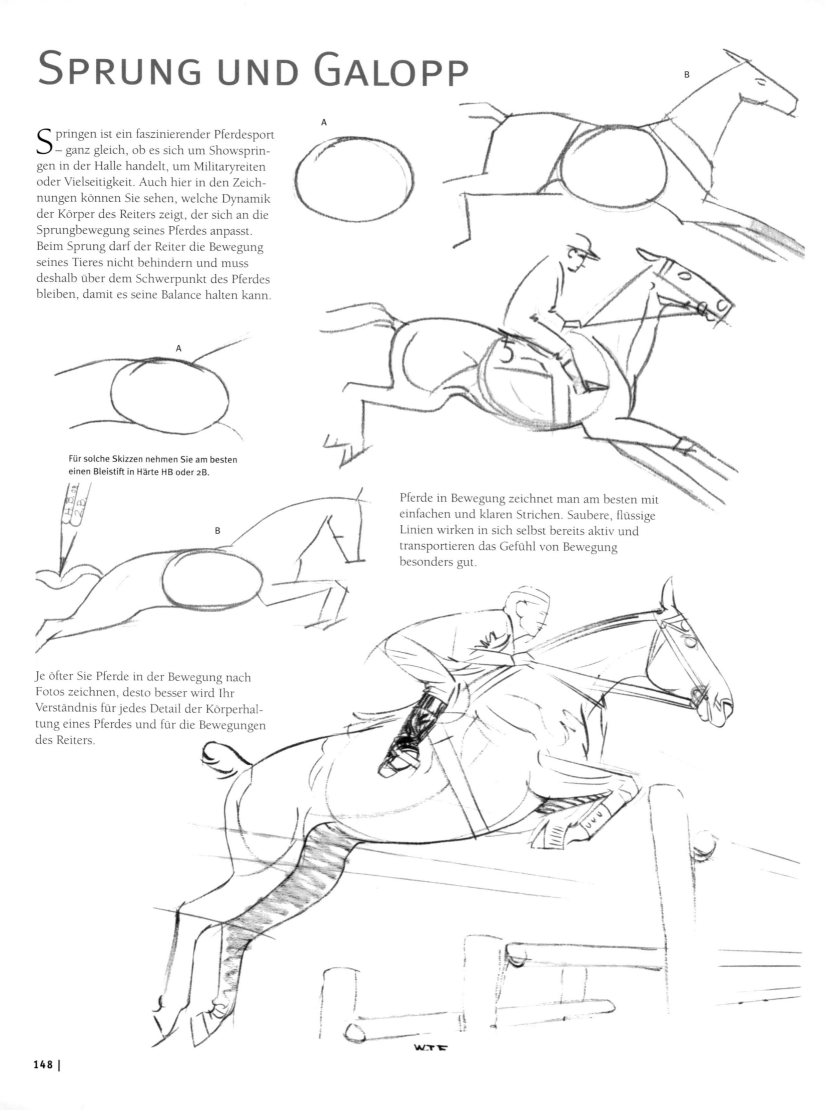

Springen ist ein faszinierender Pferdesport – ganz gleich, ob es sich um Showspringen in der Halle handelt, um Militaryreiten oder Vielseitigkeit. Auch hier in den Zeichnungen können Sie sehen, welche Dynamik der Körper des Reiters zeigt, der sich an die Sprungbewegung seines Pferdes anpasst. Beim Sprung darf der Reiter die Bewegung seines Tieres nicht behindern und muss deshalb über dem Schwerpunkt des Pferdes bleiben, damit es seine Balance halten kann.

Für solche Skizzen nehmen Sie am besten einen Bleistift in Härte HB oder 2B.

Pferde in Bewegung zeichnet man am besten mit einfachen und klaren Strichen. Saubere, flüssige Linien wirken in sich selbst bereits aktiv und transportieren das Gefühl von Bewegung besonders gut.

Je öfter Sie Pferde in der Bewegung nach Fotos zeichnen, desto besser wird Ihr Verständnis für jedes Detail der Körperhaltung eines Pferdes und für die Bewegungen des Reiters.

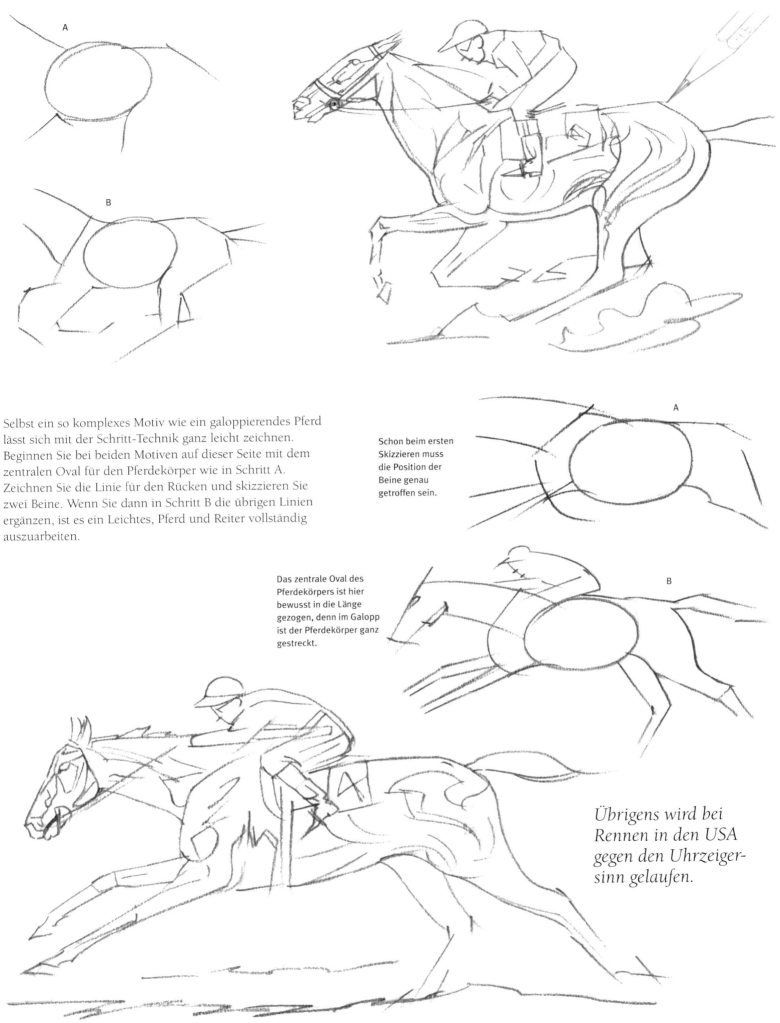

Selbst ein so komplexes Motiv wie ein galoppierendes Pferd lässt sich mit der Schritt-Technik ganz leicht zeichnen. Beginnen Sie bei beiden Motiven auf dieser Seite mit dem zentralen Oval für den Pferdekörper wie in Schritt A. Zeichnen Sie die Linie für den Rücken und skizzieren Sie zwei Beine. Wenn Sie dann in Schritt B die übrigen Linien ergänzen, ist es ein Leichtes, Pferd und Reiter vollständig auszuarbeiten.

Schon beim ersten Skizzieren muss die Position der Beine genau getroffen sein.

Das zentrale Oval des Pferdekörpers ist hier bewusst in die Länge gezogen, denn im Galopp ist der Pferdekörper ganz gestreckt.

Übrigens wird bei Rennen in den USA gegen den Uhrzeigersinn gelaufen.

William F. Powell

Faszination MENSCH

Wie faszinierend für uns Menschen die Abbildungen von Männern, Frauen und Kindern sind, zeigen die Museen dieser Welt: Kaum ein anderes Motiv hat in der Kunstgeschichte und in der Gegenwart Künstler so sehr bewegt. Nicht nur die ganz großen Maler und Zeichner wie Leonardo da Vinci oder Dürer haben großartige Selbstporträts hinterlassen – auch die modernen Strichmännchen von Keith Haring und anderen sind ein Ausdruck dieser tiefen Auseinandersetzung des Menschen mit sich selbst und mit der Menschheit.

Wenn auch Sie das Zeichnen von Menschen interessiert, dann sollten Sie nicht zögern, Ihre ersten zeichnerischen Gehversuche in diesem Bereich zu machen. Selbst ein Porträt wird Ihnen oft schon am Anfang gelingen – denn wie der bekannte amerikanische Zeichner William F. Powell einmal sagte: „Ein Gesicht zu zeichnen ist nicht schwieriger als alles andere auch".

PORTRÄTIEREN LEICHT GEMACHT

W enn Sie Menschen zeichnen möchten, beginnen Sie am besten mit Porträts. Die Formen sind einfach und die Proportionen leicht abzumessen. Außerdem lohnt es sich, Porträts anzufertigen: Es macht jeden Zeichner stolz, wenn ein Bild, das er von einem Menschen angefertigt hat, große Ähnlichkeit mit dem Modell besitzt – besonders wenn es sich um einen nahestehenden Menschen handelt. Warum also nicht mit Kinderporträts beginnen?

KINDERPORTRÄTS

Am besten nehmen Sie ein Foto als Grundlage, da Kinder nur mit Mühe länger still sitzen können. Studieren Sie die Gesichtszüge genau und versuchen Sie dann, nur das zu zeichnen, was Sie wirklich vor sich sehen, und nicht das, was Sie zu sehen glauben – oder gar das, was da sein sollte … Geben Sie nicht gleich auf, wenn die ersten Versuche noch kein Erfolg sind!

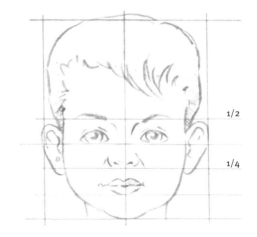

Kindliche Proportionen Zuerst teilen Sie da Gesicht mit einem waagrechten Strich in zwei Hälften; dann unterteilen Sie die untere Hälfte in Viertel. Diese Linien helfen Ihnen Augen, Nase, Ohren und Mund zu platzieren wie in der Abbildung.

1/2

1/4

Gesichtsmerkmale Bevor Sie sich an ein ganzes Porträt machen, sollten Sie zunächst einmal die einzelnen Merkmale üben, um ein Gefühl für die Formen zu bekommen. Sehen Sie sich Fotos in Zeitschriften und Büchern genau an und zeichnen Sie die unterschiedlichen Nase, Ohren, Lippen etc.

DIE HÄUFIGSTEN FEHLER

Bei den folgenden Skizzen des Jungen wurden viele Fehler gemacht. Versuchen Sie sie zu entdecken, ehe Sie die Texte lesen.

Ein gutes Foto Die meisten Künstler nehmen am liebsten einen gut gelungenen Schnappschuss als Vorlage. Je besser das Gesicht zu sehen ist, umso besser werden Sie es treffen.

Dünner Hals
So dünn wie hier ist der Hals des Jungen auf dem Foto nicht! Sehen Sie genau aufs Foto, um den Halsansatz richtig zu positionieren.

Zu schmale Stirn
Im Vergleich zu Erwachsenen ist die Stirn von Kindern viel größer. Alleine durch die schmalere Stirn sieht der Junge um Jahre älter aus.

Zu runde Backen
Kindliche Backen sind rund, aber kein Kind sieht wie ein Hamster aus! Wichtig sind auch die Ohren: Diese sind eher rund und nicht eckig.

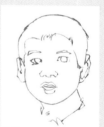

Wimpern wie Streichhölzer
Die Wimpern dürfen nicht wie Spikes aussehen. Und noch ein kleiner Trick: Zeichnen Sie die Zähne nicht einzeln, sondern mit einer Linie.

Das fertige Porträt Mit der Seite des Stifts schraffieren Sie die im Schatten liegenden Beeiche des Gesichts und verstärken dabei den Druck um das linke Auge, die Nase und am Kragen des Jungen. Die dunkelsten Stellen und das schwarze Haar zeichnen Sie ich mit der Seite eines Bleistifts Härte 2B und mit sich überlappenden Strichen. Nur den Pony gestalten Sie mit der Spitze des Stiftes.

Hilfslinien Zeichnen Sie als Erstes ein Oval mit einem angedeuteten Zentrum. Ziehen Sie senkrechte Hilfslinien wie oben rechts in der Abbildung. Dann zeichnen Sie sorgfältig die äußeren Umrisse des Gesichts. Erst wenn Sie mit dem Ergebnis zufrieden sind, radieren Sie die Hilfslinien aus.

ERWACHSENE ZEICHNEN

Obwohl Erwachsene etwas andere Proportionen haben, gehen Sie beim Zeichnen von erwachsenen Gesichtern im Prinzip ebenso vor wie bei Porträts von Kindern: Zuerst ziehen Sie Hilfslinien, dann folgen die Grundformen der Gesichtszüge. Sehr spannend sind Ansichten von Erwachsenen im Profil, denn hierbei zeigen sich Augenbrauen, Nase und Lippen besonders klar und deutlich.

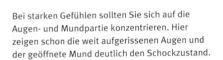

Im Profil Da viele Erwachsene sehr ausgeprägte Gesichter besitzen, macht es Spaß, sie von der Seite darzustellen wie in diesem Porträt, für das Spitze und Seite eines Bleistifts in Härte HB verwendet wurden.

Art by William F. Powell

Gesichtszüge erfassen Bei jedem Gesicht stellen sich immer wieder die Fragen nach den individuellen Proportionen: Wie groß sind die Abstände zwischen Haaransatz und Augen, zwischen Augen und Nase, zwischen Nase und Kinn, und wo genau liegen die Ohren?

Tipp

Wenn Sie kein Foto finden, auf dem eine Stimmung zu sehen ist, die Sie gerne abbilden würden, dann stellen Sie sich einfach vor den Spiegel und probieren Sie eine Emotion aus, die Sie anschließend zeichnen.

Viele verschiedene Stimmungen zu zeichnen kann lustig sein. Vor allem sehr extreme Emotionen sollten Sie aber nur als Studien auffassen und nicht als ernst zu nehmende Porträts. Arbeiten Sie völlig unverkrampft und legen Sie Kraft und etwas Spontanes in die Zeichnungen, als wären sie ein Schnappschuss. Gerade bei solchen Studien legen viele Künstler keinen Wert auf einen Hintergrund. Zeichnen Sie trotzdem nicht das nackte Gesicht, sondern noch Hals, Schultern und etwas Kleidung.

Bei starken Gefühlen sollten Sie sich auf die Augen- und Mundpartie konzentrieren. Hier zeigen schon die weit aufgerissenen Augen und der geöffnete Mund deutlich den Schockzustand.

Kleine Kinder haben zarte Gesichtszüge, die Sie am besten mit leichten Strichen zeichnen. Formen Sie ein solches Gesicht nur sanft mit Schraffuren, und nehmen Sie die Seite des Bleistifts, um die Mundpartie zu zeichnen. Die Augen sind etwas schmaler, da das glückliche Lächeln die Wangen des Jungen nach oben hebt.

Viel vom Gesicht wurde hier weiß gelassen, damit man sich ganz auf Augen und Mund konzentrieren kann. Gestalten Sie das Haar und die Gesichtszüge nur mit der Spitze des Stifts.

PROPORTIONEN

Wenn Sie einmal wissen, wie man ein Gesicht in seinen Proportionen richtig aufbaut, können Sie jeden Menschen zeichnen. Verinnerlichen Sie am besten die Abstände in der Abbildung rechts. Zeichnen Sie anschließend ein Oval als Kopf und teilen Sie es mit einer Linie von links nach rechts in zwei Hälften. Bei Erwachsenen liegen die Augen normalerweise auf dieser Linie. Die Entfernung zwischen ihnen ist etwa ein Auge breit. Auf der Trennlinie von oben nach unten (gestrichelt) liegt die Nase.

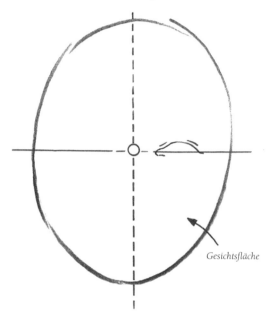

Gesichtsfläche

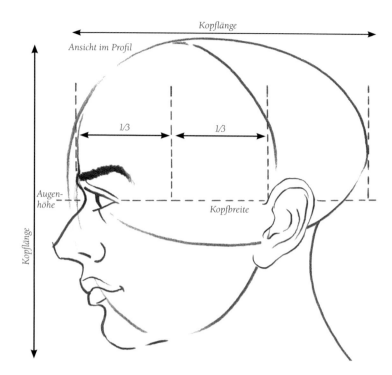

In der Ansicht unten sehen Sie, wie sie die übrigen Gesichtszüge an der richtigen Stelle platzieren. Prägen Sie sich dieses Grundschema gut ein, ehe Sie mit dem Zeichnen beginnen, und fertigen Sie am besten einige Skizzen aus dem Gedächtnis an. Die Nase endet in der Mitte zwischen Augenbrauenlinie und Kinn. Die Ohren beginnen auf Höhe der Augenbrauen und enden auf Höhe der Nase.

Fast immer entspricht die Breite des Kopfes mit der Nase der Länge des Kopfes – gemessen jeweils an der längsten bzw. breitesten Stelle. Um die Ohren an die richtige Stelle zu setzen, teilen Sie den Kopf in Drittel.

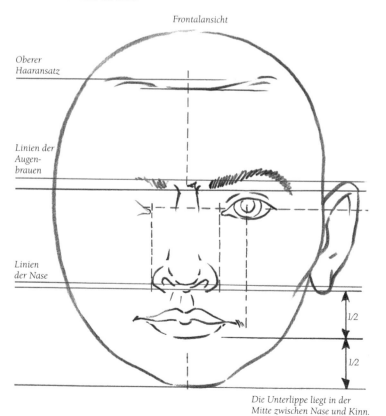

Frontalansicht

Oberer Haaransatz

Linien der Augenbrauen

Linien der Nase

1/2

1/2

Die Unterlippe liegt in der Mitte zwischen Nase und Kinn.

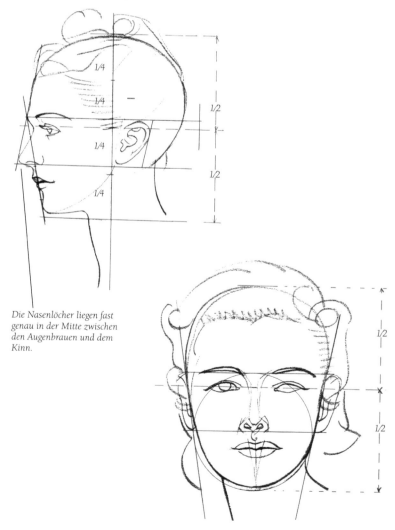

Die Nasenlöcher liegen fast genau in der Mitte zwischen den Augenbrauen und dem Kinn.

ELEGANTES FRAUENPORTRÄT

Ein besonders einfach zu zeichnendes Porträt kommt ganz ohne Schraffuren aus, wie das Profil der Frau auf dieser Seite. Es lässt sich schon mit ein wenig Augenmaß und Aufmerksamkeit auch von Anfängern gut umsetzen.

Mit den Proportionen beginnen Beginnen Sie mit einem Bleistift in Härte HB und zeichnen Sie zunächst nur eine Skizze der Proportionen wie in Schritt 1 gezeigt. Zeichnen Sie dann sehr aufmerksam die Grundformen der Gesichtsmerkmale an die richtigen Stellen wie in Schritt 2 und 3. Halten Sie den Stift locker und zeichnen Sie aus dem ganzen Arm heraus (▸ Seite 8), damit das Profil frisch und locker wirkt. Vergewissern Sie sich, dass alle Proportionen stimmen, ehe Sie weitermachen.

Zum Schluss arbeiten Sie die Details des Gesichts aus und schraffieren Lippen und Nase leicht.

Das Haar deuten Sie am besten mit den breiten Strichen eines zum Meißel gespitzten Zimmermannsbleistifts an.

Üben Sie so lange mit einfachen Profilansichten, bis Sie die Erfahrung haben, die Sie für komplexere Porträts brauchen.

GESICHTSPROPORTIONEN BEI ERWACHSENEN

Nur wer die Proportionen eines Gesichts korrekt erfassen kann, wird die Gesichtsmerkmale wie Augen, Nase, Mund, Ohren, Wangen, Kinn usw. richtig wiedergeben können. Wenn Sie ein Porträt zeichnen wollen, das wirklich Ähnlichkeit mit dem Vorbild hat, sollten Sie möglichst alles über das richtige Verhältnis der Gesichtsmerkmale zueinander sowie ihre Größe und Anordnung wissen

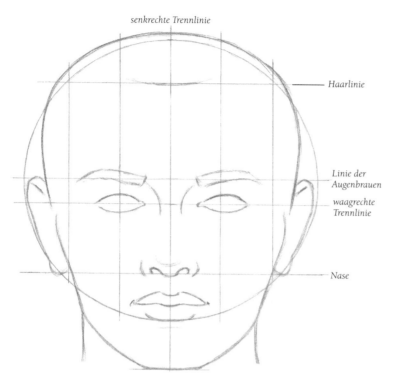

senkrechte Trennlinie

Haarlinie

Linie der Augenbrauen

waagrechte Trennlinie

Nase

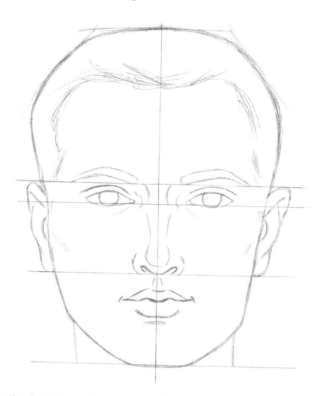

Hilfslinien Der Kopf ähnelt einem Ball, den man an den Seiten zusammengedrückt hat. Der Ball wird senkrecht und waagrecht halbiert, und das Gesicht lässt sich in drei waagrechte Abschnitte teilen durch die Haarlinie, die Linie der Augenbrauen und die Linie für die Nase. Mit diesen wenigen Hilfslinien können Sie im Prinzip jedes Gesicht erfassen.

Gesichtsmerkmale Die Augen liegen genau zwischen der waagrechten Trennlinie und der Linie der Augenbrauen. Die Nasenspitze liegt in der Mitte zwischen der Linie der Augenbrauen und dem Kinn. Die Unterlippe endet in der Mitte zwischen Nase und Kinn. Die Ohren reichen von der Linie der Augenbrauen bis zur Höhe der Nasenspitze.

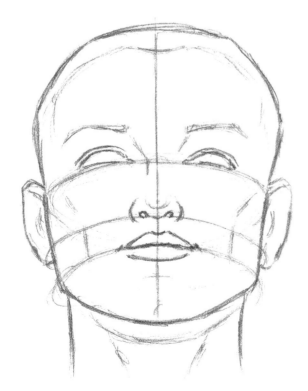

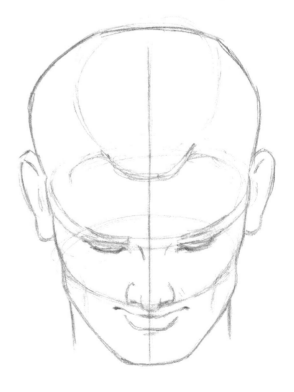

Den Blick heben Wenn man den Kopf hebt, wandern die waagrechten Hilfslinien als Bögen nach oben. Jetzt sind die Ohren etwas weiter unten, und von den Augen ist das Weiße besser zu sehen.

Den Blick senken Wen man den Kopf senkt, scheinen sich die Augen zu verengen und man kann viel mehr vom Kopf sehen. Die Ohren scheinen fast bis zur Haarlinie nach oben geschoben worden zu sein und werden von der waagrechten Trennlinie „festgehalten".

ANDERE BLICKWINKEL

Anfänger im Porträtieren wählen oft ein Profil, weil es leichter zu zeichnen ist und man sich nicht so sehr darum kümmern muss, die Gesichtsmerkmale parallel zu gestalten. Trotzdem müssen beim Profil und vor allem bei der anspruchsvolleren Dreiviertelansicht die Proportionen stimmen.

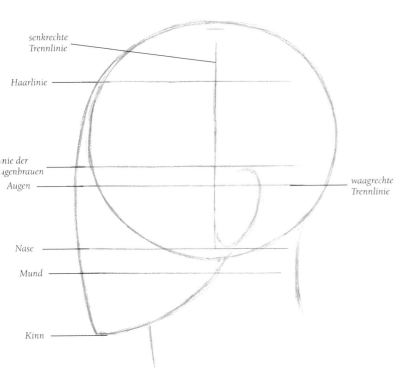

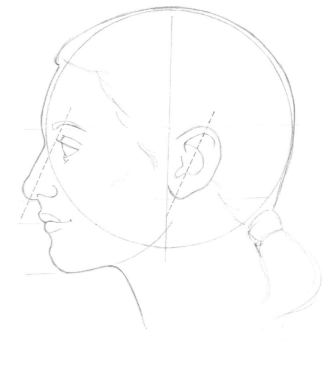

Grundwissen Profil Zeichnen Sie zunächst mit einem großen Zirkel einen Kreis. Mit zwei gebogenen Linien deuten Sie Gesicht und Kinn an. Platzieren Sie das Ohr gleich hinter der waagrechten Trennlinie.

Gesichtselemente einzeichnen Mithilfe des Zirkelkreises positionieren Sie die Elemente des Gesichts: Nase, Lippen und Kinn befinden sich außerhalb des Kreises, Augen und Ohren darin. Die gestrichelten Linien zeigen, dass Ohr und Nase parallele Hilfslinien haben.

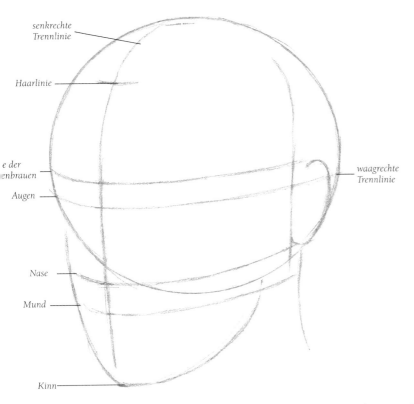

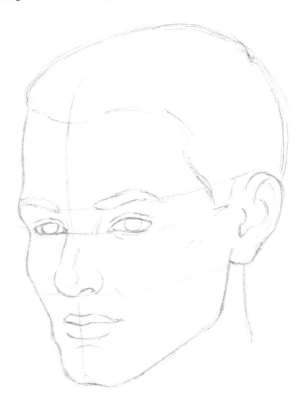

Bei einer Dreiviertelansicht kommt die senkrechte Trennlinie ins Spiel. Obwohl man mehr von der linken Gesichtshälfte sieht, ist die rechte zum Teil zu erkennen. Wenn man den Kopf so dreht, muss man die Hilfslinien als Bögen zeichnen.

Bei dieser Ansicht erscheint das linke Auge größer als das rechte. Dies ist Teil der sogenannten optischen Verkürzung, einer Technik, mit deren Hilfe Sie die Räumlichkeit eines Motivs erschaffen (▶ Seite 222).

WICHTIG: DIE AUGEN

Je besser Sie die Augen treffen, umso größer wird die Ähnlichkeit des Porträts mit Ihrem Modell. Augen sind aber auch wichtig, um die Stimmung und die Gefühle einer Person auszudrücken. Deshalb lohnt es sich sehr, wenn Sie die folgenden Abbildungen, die Augen von vorne oder von der Seite zeigen, genau studieren und immer wieder nachzeichnen. Achten Sie auch darauf, dass ein Auge von vorne gesehen eine völlig andere Form hat als von der Seite.

AUGEN

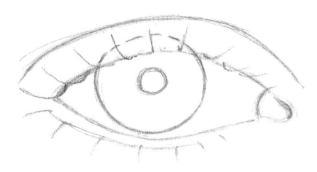 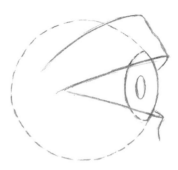

1 Zuerst den Kreis für die Iris zeichnen; dann das sichelförmige Augenlid darübersetzen. Wussten Sie, dass die Iris nie ganz zu sehen ist, da das Lid immer einen Teil überdeckt? Unterlid, erste Wimpern und den Augenwinkel vorzeichnen.

1 Da das menschliche Auge ein runder Körper ist, zeichnen Sie als Erstes einen gestrichelten Kreis, dann folgen das Ober- und das Unterlid. Von der Seite gesehen, haben Iris und Pupille die Form von Ellipsen, die oben und unten jeweils vom Lid überdeckt sind.

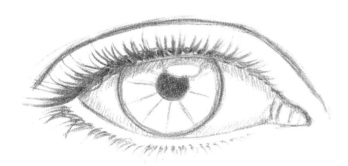 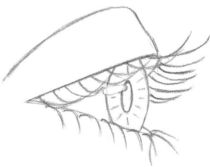

2 In die Iris zeichnen Sie jetzt Strahlen, die nach außen weisen. Dann folgen die Wimpern, der Schatten, den Oberlid und Wimpern aufs Auge werfen, sowie die schwarze Pupille und der Lichtreflex oben im Auge.

2 Wimpern zeichnen Sie bei der Seitenansicht vom inneren zum äußeren Augenwinkel mit kraftvollen Bögen. Die Wimpern sind über der Mitte des Auges länger als an den Seiten.

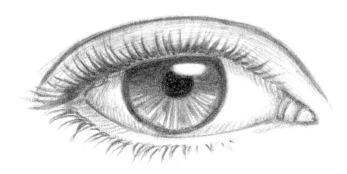 

3 Der Iris mit strahlenförmigen Strichen mehr „Farbe" geben. Ober- und das Unterlid formen Sie mit Schraffuren.

3 Beim Schraffieren der Lider arbeiten Sie die halbrunde Form heraus. Die Iris wird mit Strichen von innen nach außen „gefärbt". An den Lichtreflex denken!

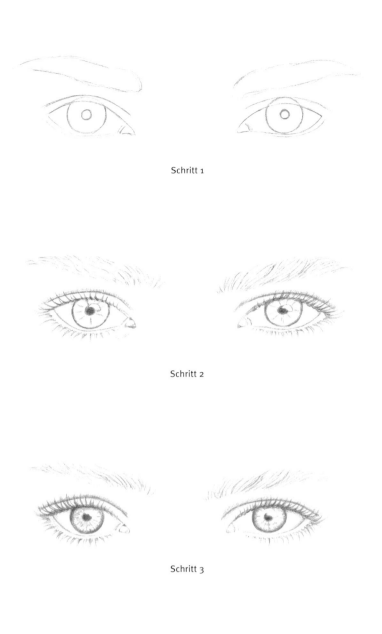

Schritt 1

Schritt 2

Schritt 3

Schritt 4

Augen und Augenbrauen Wenn Sie ein Auge ebenso gut von vorne wie von der Seite zeichnen können, ist es an der Zeit zu üben, wie man ein Augenpaar samt Augenbrauen und Ansatz der Nase so zu Papier bringt, dass die Proportionen stimmen und sich ein klarer Blick auf den Betrachter richtet.

- Beim Erwachsenen sind die Augen etwa die Länge eines Auges voneinander entfernt.
- Augen sind immer feucht – der Lichtreflex im Auge deutet dies an. An sich sollten Sie diese Stelle beim Schraffieren immer weiß lassen. Wenn Sie sie aus Versehen überzeichnen, radieren Sie den Reflex anschließend wieder aus.

BLICKE UND PERSÖNLICHKEIT

Mehrere Elemente zusammen bewirken, dass Augen sehr unterschiedliche Wirkungen haben. Die Augenform, der Schwung der Brauen, die Länge und Form der Wimpern sowie die Fältchen und Falten rund ums Auge sagen dem Betrachter alles über das Alter, das Geschlecht und sogar die Stimmung eines Menschen. Studieren Sie die folgenden Beispiele einmal genau – hier können Sie sehen, wie die einzelnen Elemente eingesetzt wurden, um die Persönlichkeit eines Menschen so einprägsam wie möglich zu zeigen.

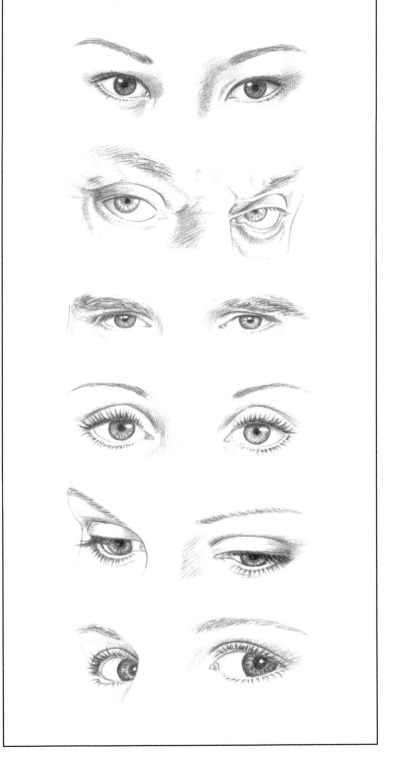

OHREN, NASE UND LIPPEN

NASEN

Nasen haben eine komplexe Form und bestehen aus vier Ebenen, die Sie im Kasten auf Seite 161 studieren können. Um die Nase einer bestimmten Person richtig darzustellen, zeichnen Sie zunächst genau diese viergeteilte Grundform: zwei Ebenen für den Nasenrücken, je eine Ebene für die Nasenflügel. Bevor Sie mit den Schraffuren beginnen, machen Sie sich bitte ein genaues Bild davon, wie das Licht auf die Nase fällt und wie es sie formt. Achten Sie darauf, dass die Nasenlöcher nur angedeutet sind – wenn sie zu dunkel erscheinen, ziehen sie den Blick des Betrachters auf sich und lenken vom Rest des Gesichts ab.

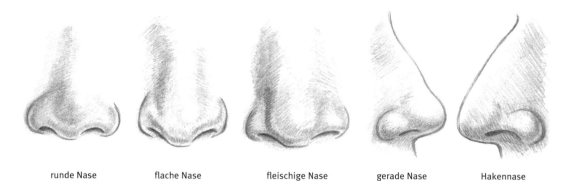

runde Nase   flache Nase   fleischige Nase   gerade Nase   Hakennase

OHREN

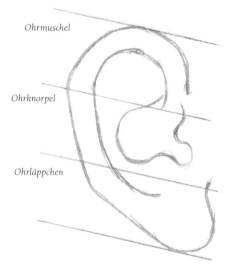

Ohrmuschel

Ohrknorpel

Ohrläppchen

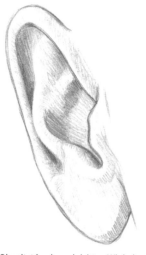

Tipp
Bei Männern sind die Nasenlöcher eher rechteckig, bei Frauen eher rund.

Aufbau Die Grundform des Ohrs entspricht einem Halbkreis, der aus drei Teilen besteht: Ohrmuschel, Ohrknorpel und Ohrläppchen.

Sitz Das Ohr sitzt in einem leichten Winkel seitlich im Kopf und ist meist etwa doppelt so lang wie breit.

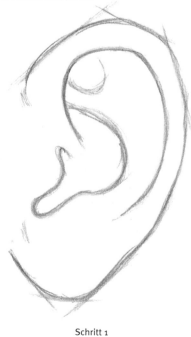

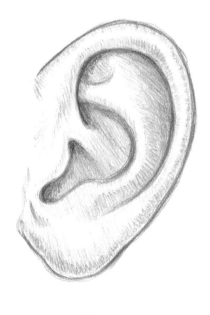

Schritt 1   Schritt 2   Schritt 3

Ohren zeichnen Zeichnen Sie zunächst die Grundform des Ohrs mit seinen drei Teilen vor. Deuten Sie die gerundeten Formen der Ohrmuschel und die Falten durch erste detaillierte Schraffuren an. Schraffieren Sie dann das übrige Ohr sorgfältig fertig.

LIPPEN

1 Zeichnen Sie zunächst den groben Umriss der Lippen vor. Die Oberlippe ragt bei fast allen Menschen ein wenig über die untere, vollere Lippe heraus.

2 Beginnen Sie die Schraffuren mit feinen Strichen – die Oberlippe mit Strichen von unten nach oben und die Unterlippe von oben nach unten. Zeichnen Sie die Linien der Unterlippe mit festeren Strichen ein.

3 Schraffieren Sie die Lippen zu Ende: Die dunkelste Partie ist dort, wo die Lippen aufeinandertreffen. Radieren Sie dann einige Stellen etwas aus und verleihen Sie damit den Lippen Form und Glanz. Um eine schöne, volle Oberlippe zu betonen, ist es oft klug, besonders große Reflexe auf die Oberlippe zu setzen.

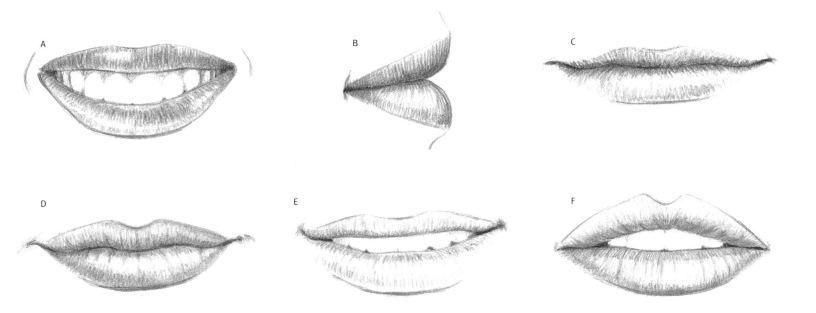

Erkennungszeichen Lippen Sie können bei jedem Bild selbst entscheiden, wie genau und detailliert Sie die Lippen darstellen möchten. In Abbildung A, B und D sehen Sie, wie man durch Grübchen ein Lächeln andeutet. In Abbildung A sind die Zähne einzeln ausgearbeitet, während E und F die Zahnreihen nur andeuten. Wie geschlossene Lippen wirken, zeigen Ihnen die Abbildungen B, C und D.

DIE ELEMENTE KOMBINIEREN

1 Die Nase deuten Sie mit vier Flächen an und fügen einen Kreis für die Nasenspitze dazu. Dann zeichnen Sie die Bögen der Lippen. Der kleine Kreis zwischen Oberlippe und Nase zeigt die Vertiefung dort an. Sehen Sie die Pfeile auf Ober- und Unterlippe? In dieser Richtung müssen Sie später jeweils schraffieren.

2 Als Erstes setzen Sie links und rechts der Nase Ihre ersten Schraffen, dann zeichnen Sie die Nasenflügel ein und arbeiten die Vertiefung zwischen Lippe und Nase etwas mehr aus. Schraffieren Sie die Lippen in Pfeilrichtung und zeichnen Sie den Spalt zwischen den Lippen ein. Achten Sie darauf, die richtige Form darzustellen.

3 Mit den letzten Schraffuren geben Sie Nase und Mund ihre Formen. Wenn es sich anbietet, fügen Sie noch Lichtreflexe ein. Hier wurden mit einem Knetradiergummi nachträglich unterschiedlich helle Lichtreflexe auf der Oberlippe, an der Nasenspitze und auf dem Nasenrücken angebracht.

KOPFHALTUNGEN

Diese vier Schachteln entsprechen den Kopfhaltungen, die Sie direkt darunter sehen! Solche simplen Schachteln zu zeichnen reicht aus, um die Haltung des Kopfes richtig zu treffen. Außerdem helfen Ihnen die Seiten der Schachteln die Ebenen des Gesichtes in der Front-, in einer Seitenansicht oder im Profil genau auseinanderzuhalten. Sobald Sie etwas Übung mit diesen beiden ersten Aufgaben haben, sollten Sie alle Köpfe auf dieser Seite zeichnen.

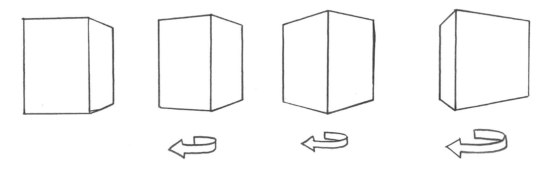

Achten Sie beim Zeichnen darauf, die Gesetze der Perspektive auf dem kleinen Raum, den Sie hier benützen, richtig einzuhalten. Erst wenn Sie ein Gefühl für die Räumlichkeit und das Arbeiten mit den (hier unsichtbaren) Fluchtpunkten entwickelt haben, sollten Sie sich an die Grobform eines Gesichts machen (▶ Reihe unten).

Mit nur ganz wenigen Strichen nimmt die grobe Form dieses lächelnden Männergesichts bereits Form an. Setzen Sie diese wenigen Striche aber mit Bedacht und nach den Regeln der Perspektive. Mehr zur Perspektive ▶ Seite 214 ff.

1

Alle Hilfslinien sollten nur angedeutet sein, damit sie im fertigen Bild nicht stören.

2
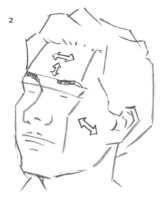

Wenn Sie beim Schraffieren die Striche in der Pfeilrichtung zeichnen, arbeiten Sie die Konturen des Gesichtes richtig heraus.

3
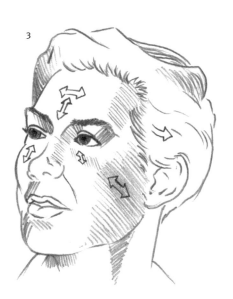

GESICHTSEBENEN

Beim Zeichnen von Porträts müssen Sie in der Lage sein, die einzelnen Ebenen eines Gesichts schnell zu erfassen. Sie brauchen diese Elemente beim Schraffieren, um Schatten, Licht und Reflexe richtig zu platzieren.

LICHTEFFEKTE IM GESICHT

Licht von oben Wenn Licht von oben aufs Gesicht fällt, werden die vorstehenden Bereiche wie Wangenknochen oder Nasenrücken hervorgehoben. Die Augen dagegen treten unter den Brauen zurück. Auch die Nasenflügel, das Kinn und der Hals liegen im Schatten.

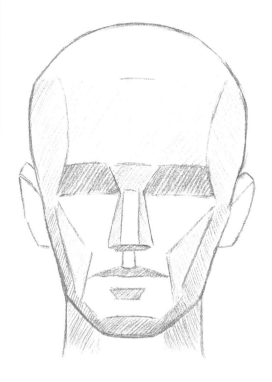

Licht von der Seite Hier liegen zwar die Augen auch im Schatten, aber die Seite des Gesichts und des Nackens sind jetzt im Hellen. Je weiter die Kopfpartie zum Nacken absinkt, umso dunkler werden die Schatten. Die Seite der Wangen wirkt wie eingesunken, und die Ohren werfen einen Schatten.

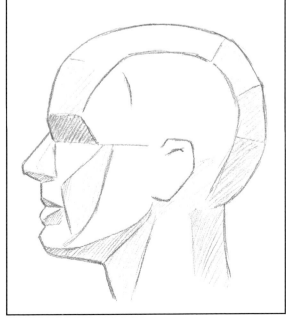

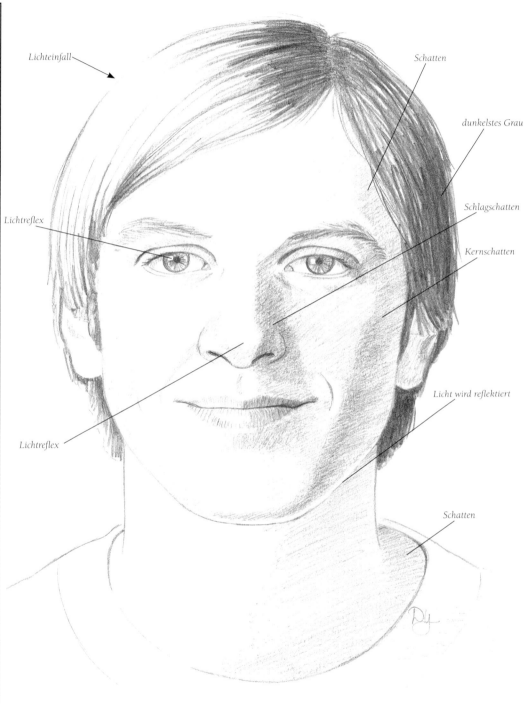

Lichteinfall · *Schatten* · *dunkelstes Grau* · *Schlagschatten* · *Kernschatten* · *Lichtreflex* · *Licht wird reflektiert* · *Lichtreflex* · *Schatten*

Es bedarf unterschiedlicher Schraffuren, um ein Gesicht mit Grautönen zu modellieren. Die dunkelsten Schatten (oder Kernschatten) entstehen dort, wo Licht bzw. Schatten und Gesichtspartie zusammenwirken. Vorstehende Elemente wie die Nase werfen dagegen Schlagschatten wie die Stelle rechts der Nase. Lichtreflexe erkennt man am besten, wenn sie direkt im Licht liegen. Bei diesem Porträt kommt das Licht von links oben. Deshalb sind das Haar links und die Stirn am hellsten, während alle Gesichtspartien, die gegenüberliegen, wie die linke Gesichtshälfte des jungen Mannes und sein Hals, mehr oder weniger im Schatten liegen und grau erscheinen. Außerdem gibt es eine Reihe von Flächen mit hellen Stellen wie hier das Kinn und die Stelle unter dem linken Auge.

PROFIL EINES MANNES

Ein Profil kann sehr dramatisch wirken, denn von der Seite erkennt man die individuellen Charakteristika eines Menschen viel deutlicher als in der Frontansicht. Aber gerade deshalb müssen Sie darauf achten, dass nicht ein spezielles Merkmal zu stark betont wird.

Bei einem Porträt von der Seite kommt es darauf an, die Hilfslinien ganz genau an der richtigen Stelle zu setzen, um die Proportionen des individuellen Gesichts, zu dem auch der Hinterkopf gehört, gut zu treffen.

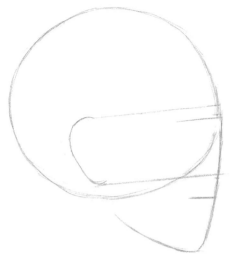

1 Nachdem Sie die Kopfform mit einem Kreis skizziert haben, nehmen Sie einen Bleistift in Härte HB und zeichnen Hilfslinien für Gesicht, Wangen und Kinn sowie für Augen, Nase, Mund und Ohr (▶ Seite 156). Arbeiten Sie dabei so nah wie nur möglich an Ihrer Vorlage.

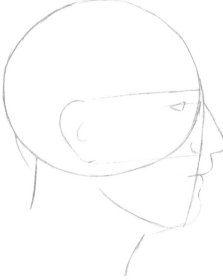

2 Anhand der Hilfslinien zeichnen Sie nun die Gesichtsmerkmale so ein, dass Sie das Individuelle, wie die etwas vorstehende Oberlippe, festhalten. Der Ausschnitt des Auges zeigt, wie klein das Auge im Profil wird (▶ Seite 158).

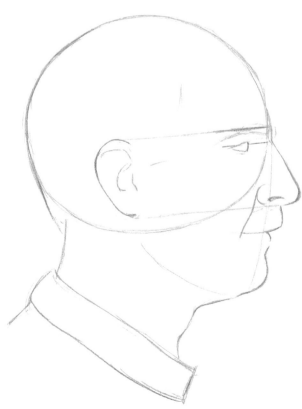

3 Beim Einzeichnen der Brauen achten Sie sehr genau auf die Abstände zwischen der Braue und den anderen Partien wie dem Auge und der Nase und versuchen den Bogen so exakt wie nur möglich zu treffen. Sobald Sie mit dem Umriss zufrieden sind, geht es an die ersten Details wie Hals und Adamsapfel.

4 Beim Profil ist der Sitz der Haarlinie besonders wichtig, da sie großen Einfluss auf die Stirn hat und mitbestimmt, ob Ihr Bild Ähnlichkeit mit der Person hat, die Sie porträtieren: Hier ist die Stirn sehr hoch. Dann arbeiten Sie weiter an den Gesichtszügen.

5 Nun sieht man die Ähnlichkeit schon. Deshalb nehmen Sie einen Bleistift in Härte 2B und bringen Räumlichkeit ins Bild: Nase und Wangen werden runder. Auf der Oberlippe deuten erste kleine Strichlein den Schnurrbart an – auf den Kopf setzen Sie kurze, rasche Striche fürs Haar. Es folgen Detailarbeiten an Auge, Ohr und Braue.

6 Arbeiten Sie weiter an Haaren, Augenbrauen und Schnurrbart mit dem Bleistift in Härte 2B mit Strichen in der Wuchsrichtung. Beim Haupthaar lassen Sie einige Stellen ganz weiß. Dann wenden Sie sich den Linien und Schatten im Gesicht zu und schraffieren Auge, Ohr und Nase (▶ Seite 228).

7 Am Mund die Lippen schraffieren und mit dem Knetradiergummi einen Lichtreflex setzen. Die Details am Ohr ausarbeiten und das Haar mit dunklen Strichen formen – dabei einige Lichtreflexe am Oberkopf erhalten. Stirn, Nase und Kinn schraffieren, nur auf den Wangen und der Stirn größere Stellen ganz weiß lassen, damit der Betrachter erkennt, dass das Licht seitlich von oben aufs Gesicht fällt.

FRONTANSICHT EINER FRAU

Wenn Ihnen das Zeichnen von Porträts Freude macht, sollten Sie nach den ersten Anfängen dazu übergehen, Menschen nach einem Foto zu zeichnen. Am besten sind Schwarz-Weiß-Fotos geeignet, denn hier können Sie die Grautöne in aller Ruhe studieren und in Ihr Bild übertragen.

Auf dem Foto kommen die feinen Gesichtszüge, die zarte Haut und die strahlenden Augen sehr schön zur Geltung. Achten Sie aber auch auf die individuellen Besonderheiten wie den leicht schiefen Mund, die Lachfältchen, die ziemlich weit auseinanderstehenden Augen und darauf, dass man die Nasenlöcher kaum sehen kann. Auf solche Details kommt es an, wenn Sie ein Porträt wirklichkeitsnah gestalten möchten.

4 Arbeiten Sie weiter behutsam mit Kohlestift und Kohle am Gesicht. Für besonders feine Übergänge verwischen Sie die Farbe behutsam mit dem Finger oder mit einem Papierwischer. Überschüssige Kohle nie mit einem Tuch abreiben, sonst verschmiert das Bild.

William F. Powell

1 Nehmen Sie einen gespitzten Kohlestift und zeichnen Sie die ersten Umrisse von Kopf, Haar und Kragen mit leichten Strichen ein. (Für dieses Porträt eignet sich Kohle besonders gut, da Sie mit ihr auch feinste Grautöne leicht darstellen können.) Zum Schluss folgen die Gesichtszüge.

2 Mit der Arbeit am Gesicht geht es weiter: Sie zeichnen Iris und Pupille ein sowie die Lachfältchen. Jetzt ziehen Sie das Foto am besten nochmals zu Rate, damit Sie alle Feinheiten des Gesichts gut treffen. Dann folgen erste Schraffuren.

3 Nehmen Sie nun die Seite des Kohlestiftes und zeichnen Sie mit seiner Hilfe die Gesichtsebenen ein. Mit dem Knetradiergummi radieren Sie dann die Lichtreflexe im Auge heraus. Für die dichten Haarpartien nehmen Sie am besten ein Stück Kohle.

TIPPS

Ein Gesicht zu zeichnen ist nicht schwieriger als alles andere auch. Das menschliche Gesicht hat eine gestaltete Oberfläche – ähnlich wie eine Landschaft oder auch ein Apfel. Diese Konturen bestehen aus Licht und Schatten wie bei jedem anderen Objekt. Allerdings sind die Konturen von Mensch zu Mensch verschieden. Und so besteht die Kunst des Porträtierens darin, diese Unterschiede zu erkennen und das Gesicht möglichst stimmig zu Papier zu bringen.

PROPORTIONEN AUSZÄHLEN

Wie Sie schon auf Seite 154 gesehen haben, sind die Proportionen des menschlichen Gesichts immer gleich. Damit Sie ein noch besseres Gefühl für die Verteilung der Elemente in einem Gesicht bekommen, hier noch ein paar Tricks: In diesem Beispiel sehen Sie auf einen Blick, wie sich die Abstände verteilen. Wichtig sind außerdem folgende Punkte:

- Die Augen liegen eine Augenlänge auseinander.
- Jedes Auge ist so lang wie die Nase breit.
- Der Mund reicht von der Mitte des einen Auges bis zur Mitte des anderen.

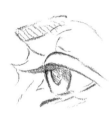

Der Mund von vorne Wenn Sie Lippen direkt von vorne zeichnen, dann hat die Oberlippe zwei „Gipfel" und dazwischen ein Tal. Die Unterlippe ist voller und ohne Bogen.
Tipp: Zeichnen Sie die Unterlippe, indem Sie die Stelle darunter schraffieren.

Augen im Profil Im Profil bleiben die Proportionen an sich erhalten. Auch wenn die Nase im Profil ein wichtiges Element ist, darf sie im Gesicht nicht dominieren.
Tipp: Auf den Sitz des Auges achten und die Lippen schön schwingen.

Die Dreiviertelansicht So eine Ansicht ist schwierig, weil Sie mit der Technik der optischen Verkürzung arbeiten müssen (▶ Seite 222). Denken Sie auch daran, dass Auge und Lippen hier gebogen erscheinen müssen.

Von vorne In der Ansicht von vorne erkennt man, dass Gesichter nicht symmetrisch sind. Meist ist ein Auge oder ein Ohr und eine Seite des Mundes oder der Nase kleiner und anders positioniert.

Profil Obwohl sich im Profil die Kopfform ändert, bleiben die Gesichtszüge an derselben Stelle. Es gilt: Die Nase nicht zu prominent zeichnen, auf den Sitz des Auges und auf den Übergang zwischen Unterlippe und Kinn achten.

Dreiviertelansicht Dieser Blickwinkel ist eine Herausforderung, da Sie das Gesicht verändern müssen, damit es natürlich aussieht. Am besten machen Sie eine Umrisszeichnung, ehe Sie beginnen. Achten Sie auf die Linien von Augen und Lippen.

ÄHNLICHKEIT – EINE HERAUSFORDERUNG

Jetzt können Sie zeigen, was Sie gelernt haben. Legen Sie die Proportionen mit Hilfslinien an und platzieren Sie die wichtigsten Elemente. Dann studieren Sie Ihr Modell genau: Wenn Sie wissen, was dieses Gesicht einzigartig macht, können Sie mit großer Sicherheit ein treffendes Porträt anfertigen.

Was man sieht Ein Foto hilft Ihnen, nur das zu zeichnen, was Sie wirklich sehen. Es hilft übrigens sehr, das Foto und auch die Zeichnung auf den Kopf zu stellen: Man kann viele Einzelheiten besser erkennen.

1 Mit einem Bleistift in Härte HB zeichnen Sie die groben Umrisse von Gesicht und Haaren. Setzen Sie die Hilfslinien (▶ Seite 154/156) und platzieren Sie Mund, Augen und Nase richtig. Sehen Sie, dass der Mund etwa ein Viertel des Gesichts ausmacht?

2 Mit einem Bleistift in Härte 2B zeichnen Sie die runden Elemente des Gesichts. Vergleichen Sie Zeichnung und Foto möglichst oft, damit Sie alle Eigenheiten des Gesichts wirklichkeitsgetreu wiedergeben, wie hier die Stupsnase, die etwas unsymmetrischen Augen und das große Lächeln.

GESICHTSZÜGE

Diese Zeichnung zeigt dieselbe junge Frau. Trotz der Veränderungen (Kleid, andere Pose, Ausdruck), erkennt man sie einwandfrei wieder. Das erreichen Sie nur, wenn Sie beim Zeichnen wirklichkeitsnah arbeiten und das einfangen, was einen Menschen einzigartig macht.

3 Radieren Sie die Hilfslinien aus und folgen Sie mit einem Bleistift in Härte 2B den Formen des Gesichts – achten Sie dabei auf die zarte Haut. Bei den Zähnen deuten Sie die Zwischenräume mit etwas unregelmäßigen Linien an. Mit einem Bleistift in Härte 3B formen Sie die ersten Haarsträhnen.

4 Um den Glanz des Haares schön wiederzugeben, arbeiten Sie mit einem Bleistift in Härte 4B und mit unterschiedlich langen Strichen. Am Oberkopf ziehen Sie behutsam einige Striche in die weißen Partien, damit der Übergang nicht so abrupt wirkt. Zum Schluss verfeinern Sie die Augen und den Mund.

FRAU VOR HINTERGRUND

Der Hintergrund eines Bildes trägt viel zu dessen Stimmung bei. Er sollte das Motiv ergänzen und deshalb nicht stärker hervortreten als das Motiv selbst. Bei Porträts zeichnen Sie einen hellen Hintergrund bei Personen mit dunklem Haar und einen dunklen für Personen mit hellem Haar.

Wenn ein Foto einen Hintergrund zeigt, der nicht aufs Bild soll, haben Sie alle künstlerische Freiheit, ihn zu verändern. Wichtig ist, den Hintergrund zum richtigen Zeitpunkt zu zeichnen.

1 Mit einem Bleistift in Härte HB skizzieren Sie die Grundformen von Kopf und Gesicht sowie die wichtigsten Hilfslinien. Zeichnen Sie dann die Positionen von Auge, Augenbrauen, Nase und Mund ein. Achten Sie darauf, dass die senkrechte Trennlinie (▶ Seite 157) nicht in der Mitte liegt, sondern in der linken Hälfte des Gesichts, weil die junge Frau den Kopf gedreht hat. Deuten Sie dann Hals und Haar an.

2 Nehmen Sie nun einen Bleistift in Härte 2B und arbeiten Sie an den Details der Augen, Augenbrauen, der Nase und am Mund. Nun folgt das Haar, dessen Fall Sie mit langen, schwingenden Linien bestimmen. Zeichnen Sie dann den Ausschnitt am Shirt ein.

3 In diesem Schritt beginnen Sie mit dem Hintergrund. Als Erstes zeichnen Sie noch die Iris in beiden Augen ein, dann schraffieren Sie mit gleichmäßig verteilten, leicht diagonalen Strichen einen rechteckigen Raum ums Gesicht. Anschließend arbeiten Sie mit einem Bleistift in Härte 3B die ersten dunkleren Partien im Haar aus. Würden Sie erst am Haar arbeiten und dann den Hintergrund einzeichnen, könnten Sie dabei das Haar ganz leicht verschmieren und Ihre Zeichnung zunichtemachen.

4 Mit einem Bleistift in Härte 2B arbeiten Sie die Details im Gesicht, am Hals und am Shirt weiter aus. Dann geht es mit einem 3B weiter: Füllen Sie das Haar auf mit einer weiteren Lage dunkler Striche. Dann beschäftigen Sie sich mit dem Hintergrund und gestalten ihn mit unterschiedlichen Feldern von Hell und Dunkel interessant. Zum Schluss glätten Sie die Übergänge mit einem Knetradiergummi.

DRAMATIK

Ein sehr dunkler Hintergrund verleiht jedem Bild einen unwiderstehlich dramatischen Effekt. Da die junge Frau im Bild unten von der Seite zu sehen ist, treffen die hellsten Stellen ihres Gesichts direkt auf die dunkelsten Bereiche des Hintergrunds. Damit nun wiederum ihr dunkles Haar nicht vom Hintergrund verschluckt wird, wenden Sie einen kleinen Trick an: Sie zeichnen einen Verlauf von Dunkel nach Hell, der sich so verteilt, dass die helleren Partien direkt hinter den strahlenden Lichtreflexen im Haar auf dem Oberkopf erscheinen.

ÄLTERE MENSCHEN ZEICHNEN

Wenn wir Menschen älter werden, lässt die Elastizität unserer Haut nach: Die Haut wird faltig, Nase und Ohren sinken etwas nach unten, und die Lippen werden schmaler. Zunehmend lässt auch die Sehkraft nach, und so haben viele ältere Menschen eine Brille. An all dies müssen Sie denken und es wahrheitsgetreu wiedergeben, wenn Sie einen älteren Menschen porträtieren wollen.

2 Nun zeichnen Sie die Umrisse der Brille und die ersten Anzeichen des Alters: Zarte Linien um die Augen (Krähenfüßchen) und die Falten auf der Stirn. Kinn und Wangen werden etwas breiter und weicher, da hier die Haut schon nachgegeben hat. Am Hals ist die Haut stellenweise sehr faltig und die Falten neben der Nase sind tief.

1 Zeichnen Sie zunächst den Umriss des Gesichts und dann die Hilfslinien, um Augen, Nase, Ohren, Augenbrauen und den Mund richtig zu positionieren. Da bei älteren Menschen die Lippen schmaler werden und sich zusammenziehen, zeichnen Sie die Lippen auch so. Dann deuten Sie noch die Umrisse des Haars an.

3 Nehmen Sie nun einen Bleistift in Härte 2B und beginnen Sie mit der Arbeit am Haar, an den Augen (Glanz und Leben durch Pupille und Iris) sowie mit den Falten rund um die Augen, um die Tränensäcke zu zeichnen. Dort, wo man die Fältchen durch die Brillengläser erkennen kann, verstärken Sie sie (▶ Kasten Seite 171).

4 Mit demselben Stift arbeiten Sie nun weiter die Details wie die Falten am Hals und Schraffuren im Gesicht aus. Zeichnen Sie die Augen fertig und betonen Sie den rechten Wangenknochen. Mit Schraffuren rund um Mund und Nase entsteht der Eindruck von weicher Haut in diesen Bereichen. Dann gestalten Sie die dunkleren Bereiche im Haar sowie die Ohrringe.

5 Zum Schluss wird das ganze Gesicht nochmals grau schraffiert – achten Sie dabei darauf, die entsprechenden Falten an den Augen zu vertiefen, damit sie nicht in der Fläche des Gesichts verschwimmen. Gehen Sie dabei aber behutsam vor und glätten Sie harte Übergänge mit dem Papierwischer (▶ Kasten unten). Zeichnen Sie nun den Knopf an der Bluse sowie das Muster auf dem Stoff. Halten Sie das Bild ein Stück weg und prüfen Sie, ob Sie mit dem Gesamteindruck zufrieden sind und ob Sie die Knochenstruktur, die Haut und die Falten gut getroffen haben.

Fältchen und Falten am Auge

Das Geheimnis natürlich wirkender Fältchen und Falten ist einfach: Sie dürfen in der Zeichnung nicht auffallen. Deuten Sie Fältchen mit weichen, hellen Schraffuren an – nicht mit harten, eckigen Strichen! Nehmen Sie am besten einen leicht stumpfen Stift. Sie können zu dick oder grob geratene Linien auch gut mit dem Papierwischer oder einem Tuch verreiben oder zu starke Übergänge mit dem Knetradiergummi mildern.

Wenn Sie jemanden zeichnen, der eine Brille trägt, dann vergrößern Sie die Fältchen hinter den Gläsern. Das gelingt ganz leicht, wenn Sie die Fältchen und den Abstand dazwischen etwas vergrößern.

ÄLTERER MANN

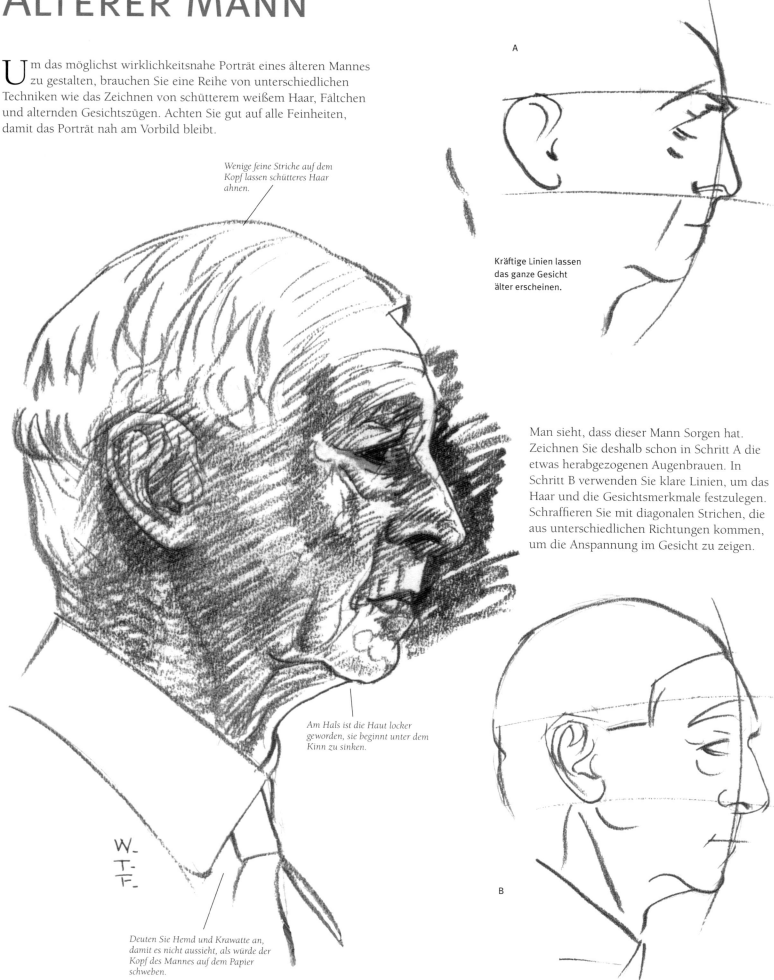

Um das möglichst wirklichkeitsnahe Porträt eines älteren Mannes zu gestalten, brauchen Sie eine Reihe von unterschiedlichen Techniken wie das Zeichnen von schütterem weißem Haar, Fältchen und alternden Gesichtszügen. Achten Sie gut auf alle Feinheiten, damit das Porträt nah am Vorbild bleibt.

A

Wenige feine Striche auf dem Kopf lassen schütteres Haar ahnen.

Kräftige Linien lassen das ganze Gesicht älter erscheinen.

Man sieht, dass dieser Mann Sorgen hat. Zeichnen Sie deshalb schon in Schritt A die etwas herabgezogenen Augenbrauen. In Schritt B verwenden Sie klare Linien, um das Haar und die Gesichtsmerkmale festzulegen. Schraffieren Sie mit diagonalen Strichen, die aus unterschiedlichen Richtungen kommen, um die Anspannung im Gesicht zu zeigen.

Am Hals ist die Haut locker geworden, sie beginnt unter dem Kinn zu sinken.

W-
T-
F-

B

Deuten Sie Hemd und Krawatte an, damit es nicht aussieht, als würde der Kopf des Mannes auf dem Papier schweben.

KÖRPER

So spannend es ist, Porträts zu zeichnen – erst in der Gesamtansicht einer Person erhalten wir die zusätzlichen Signale, die nur die Körpersprache auszudrücken vermag. Wie Sie Menschen auf einfache Weise richtig darstellen können, das zeigen Ihnen die Beispiele und Tipps im folgenden Abschnitt.

Unser Körper in Bewegung

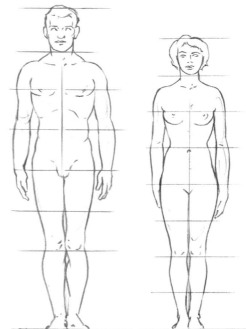

W er Menschen von Kopf bis Fuß zeichnen will, sollte sich mit den Elementen beschäftigen, die unseren Körper tragen. In vielen Kunstklassen müssen die Studenten erst einmal einige Zeit Skelette zeichnen – das ist eine ausgezeichnete Grundübung. Sie brauchen das nicht zu tun; doch die Zeichnung auf Seite 192/193 sollten Sie gut beherrschen und ebenso die Strichmännchen mit Kopf, Schultern und Rumpf, mit Armen, Beinen, Händen und Füßen. Sobald Sie ein Gefühl für die richtigen Proportionen entwickelt haben, geht es weiter.

Bewegung darstellen

Bewegungen halten Sie immer in einer schnellen Skizze fest. Fangen Sie dabei nur die Grundbewegung ein. Anschließend nehmen Sie sich dann zehn Minuten Zeit, um die ganze Person darzustellen, die gerade tanzt oder springt, schwimmt etc. Die Zeitbeschränkung zwingt Sie dazu, sich auf das Wesentliche zu konzentrieren.

Proportionen von Erwachsenen Erwachsene sind im Durchschnitt etwa 1,75 Meter groß, doch Künstler zeichnen sie oft ab 1.80 Meter, damit sie größer wirken. Männer haben breite Schultern und schmale Hüften, während Frauen schmale Schultern und breitere Hüften haben. Der Mittelpunkt ist nicht in Taillenhöhe, sondern liegt auf den Hüften, und die Finger reichen bis zur Hälfte der Oberschenkel. Behalten Sie diese Abbildung im Kopf, wenn Sie Erwachsene zeichnen.

Der menschliche Körper lässt sich auf einige wenige Grundformen reduzieren. Sie bekommen ein besseres Gefühl für den Aufbau, wenn Sie lernen, Menschen aus Dreiecken und anderen Formen zu zeichnen.

Mit Strichmännchen anfangen Beginnen Sie mit einfachen Strichmännchen, um ein Gefühl für Bewegungen zu bekommen. Zeichnen Sie dann für den Körper Ovale und Kreise dazu.

Bewegungen festhalten Zeichnen Sie zuerst Arme und Beine mit Hilfslinien vor, dann folgen Ovale und Kreise für Kopf und Rumpf. Zum Schluss zeichnen Sie die groben Umrisse.

Den Eindruck einer Bewegung verstärken Sie, indem Sie keine durchgezogenen Linien und keine perfekten Schatten zeichnen. Wichtiger ist es hier, sich auf die Umrisse der Tänzer zu konzentrieren und die Kleidung nur mit schnellen breiten Strichen anzudeuten.

MENSCHEN BEIM SPORT

Natürlich eignen sich vor allem Sportszenen dafür, Bewegungen zu studieren und zu zeichnen. Obwohl viele Künstler es lieben, Menschen beim Sport zu beobachten, zeichnet kaum jemand vor Ort. Viel besser ist es, Fotos zu machen! Zeichnen Sie auch dabei zuerst die Aktionslinie (▶ links), dann folgt der Körper. Achten Sie vor allem darauf, dass der Körper auf Ihrer Zeichnung im Gleichgewicht ist.

Kurz vor dem Wurf balancieren zum Beispiel Baseball-Spieler für einen Moment auf dem linken Bein. Für eine solche Bewegung zeichnen Sie ein S, das zeigt, wie der Spieler sich von Kopf bis Fuß im Gleichgewicht hält. Dies ist die Aktionslinie.

Der Schläger balanciert seinen Körper mit beiden Beinen aus, wenn er zum Schlag ausholt. Mit einem großen C und einem kleinen für den linken Fuß halten Sie die Aktionslinie dieser weit ausholenden Geste am besten fest.

Selbst wenn ein Sportler nur steht, zeigt er Bewegung. Die Tennisspielerin bereitet sich auf den Rückschlag vor. Sie steht geduckt und hat den Schläger erhoben. Zeichnen Sie zwei Bewegungslinien – eine für den Körper, eine für den Arm.

DIE BALANCE FINDEN

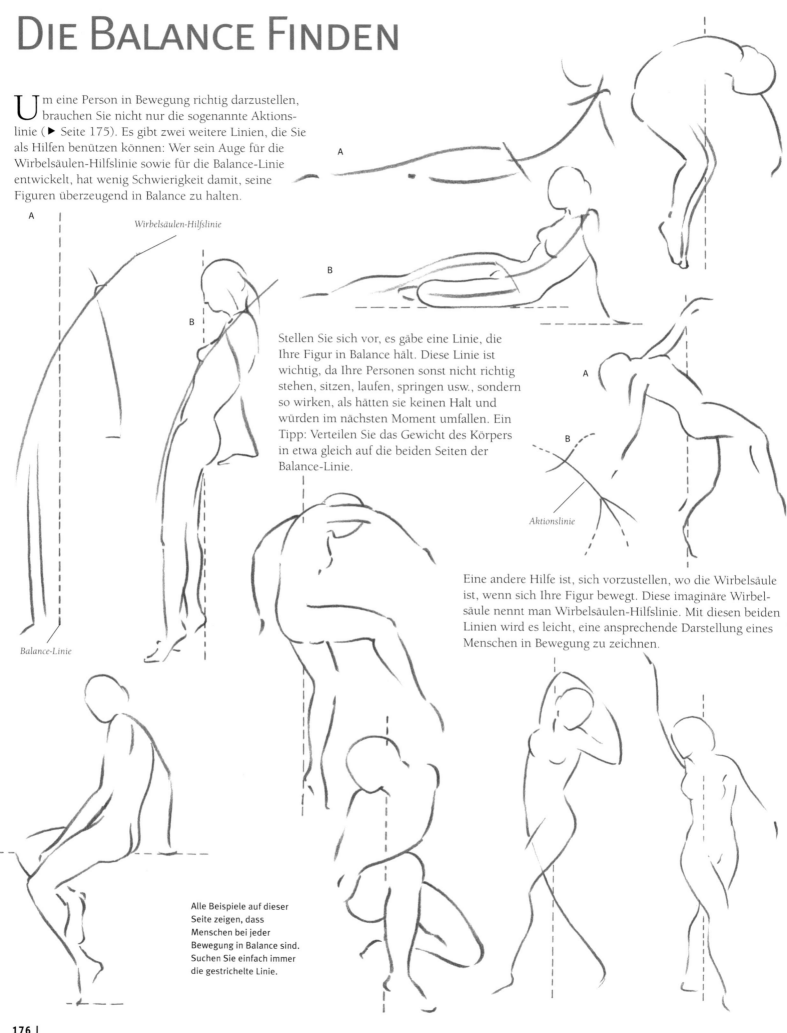

Um eine Person in Bewegung richtig darzustellen, brauchen Sie nicht nur die sogenannte Aktionslinie (▶ Seite 175). Es gibt zwei weitere Linien, die Sie als Hilfen benützen können: Wer sein Auge für die Wirbelsäulen-Hilfslinie sowie für die Balance-Linie entwickelt, hat wenig Schwierigkeit damit, seine Figuren überzeugend in Balance zu halten.

Wirbelsäulen-Hilfslinie

Balance-Linie

Stellen Sie sich vor, es gäbe eine Linie, die Ihre Figur in Balance hält. Diese Linie ist wichtig, da Ihre Personen sonst nicht richtig stehen, sitzen, laufen, springen usw., sondern so wirken, als hätten sie keinen Halt und würden im nächsten Moment umfallen. Ein Tipp: Verteilen Sie das Gewicht des Körpers in etwa gleich auf die beiden Seiten der Balance-Linie.

Aktionslinie

Eine andere Hilfe ist, sich vorzustellen, wo die Wirbelsäule ist, wenn sich Ihre Figur bewegt. Diese imaginäre Wirbelsäule nennt man Wirbelsäulen-Hilfslinie. Mit diesen beiden Linien wird es leicht, eine ansprechende Darstellung eines Menschen in Bewegung zu zeichnen.

Alle Beispiele auf dieser Seite zeigen, dass Menschen bei jeder Bewegung in Balance sind. Suchen Sie einfach immer die gestrichelte Linie.

DREHUNGEN UND WENDUNGEN ZEICHNEN

Wenn Menschen sich bewegen, dann dreht und beugt sich ihr Körper – und Sie müssen fähig sein, dies in Ihren Zeichnungen darzustellen. Bewegungen erkennt man sehr gut an der Kleidung, denn die Falten zeichnen im Stoff die Bewegungen nach und machen sie sichtbar. Greifen Sie auf das Grundwissen „Falten zeichnen" (▶ Seite 182) zurück, und denken Sie aber auch daran, dass Kleidung kräftige Falten wirft, wenn wir uns darin bewegen.

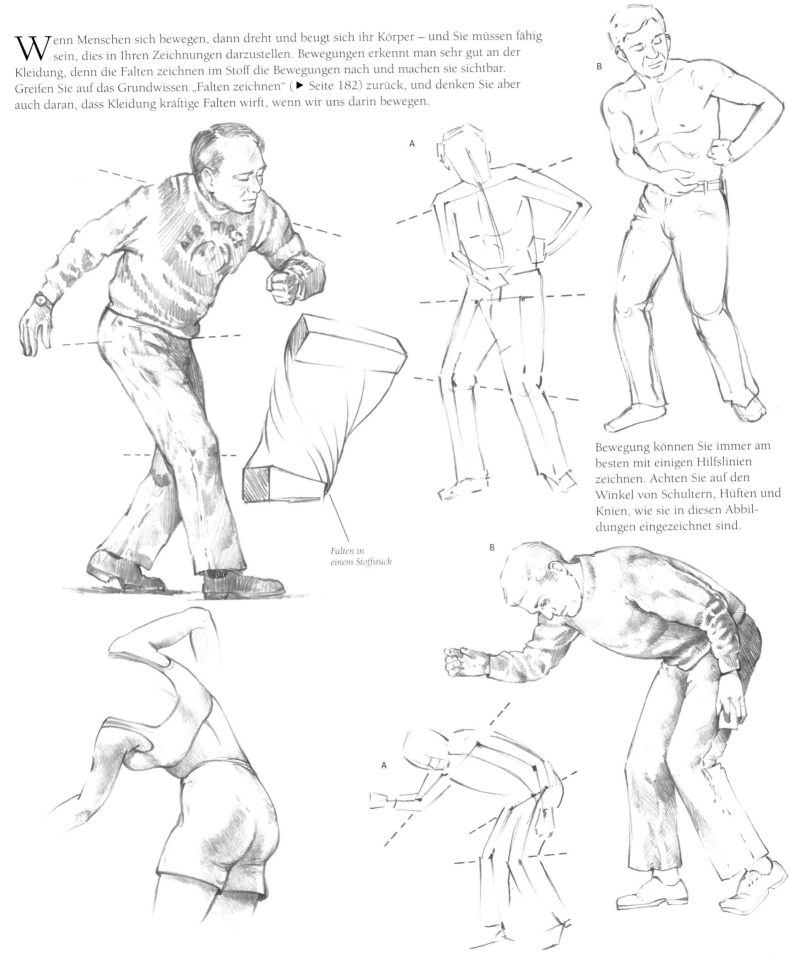

Falten in einem Stoffstück

Bewegung können Sie immer am besten mit einigen Hilfslinien zeichnen. Achten Sie auf den Winkel von Schultern, Hüften und Knien, wie sie in diesen Abbildungen eingezeichnet sind.

BALANCE DARSTELLEN

Zeichnen Sie als Erstes die Balance-Linie der Ballerina leicht vor – ebenso die Wirbelsäulen-Hilfslinie. Dann erst ergänzen Sie dazu die Umrisse des Körpers wie in Schritt 1. Achten Sie darauf, dass der Körper nicht eckig wirkt.

Das Gesicht Hier ist der Gesichtsausdruck wichtig. Erst wenn er das Gefühl wiedergibt, das die junge Frau in der gezeigten Tanzpose zeigt, wirkt das Porträt stimmig.

Auch in den Händen nimmt die anmutige, ernste Haltung nochmals deutlich Gestalt an. Ebenso zart wie die Ballerina sollten deshalb die Schraffuren auf den Händen, auf der Haut und auf dem Kleid sein: Bleiben Sie also bei sanften Grautönen.

HÄNDE UND FÜSSE

Hände und Füße sind nicht nur sehr ausdrucksstarke Körperteile, sondern auch eine künstlerische Herausforderung. Damit Sie mit den Proportionen einer Hand vertraut werden, zeichnen Sie als Erstes drei gebogene Linien, die alle denselben Abstand zueinander haben. Die Fingerspitzen enden alle an der äußeren Linie, die zweiten Gelenke an der zweiten Linie, und die Knöchel beginnen an der dritten Linie. Das erste Fingergelenk liegt etwa in der Mitte zwischen der ersten und zweiten Linie. Und: Die Handfläche ist genauso lang wie der Mittelfinger.

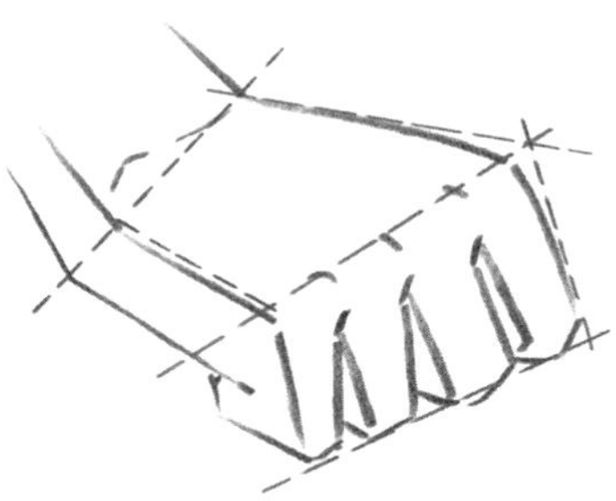

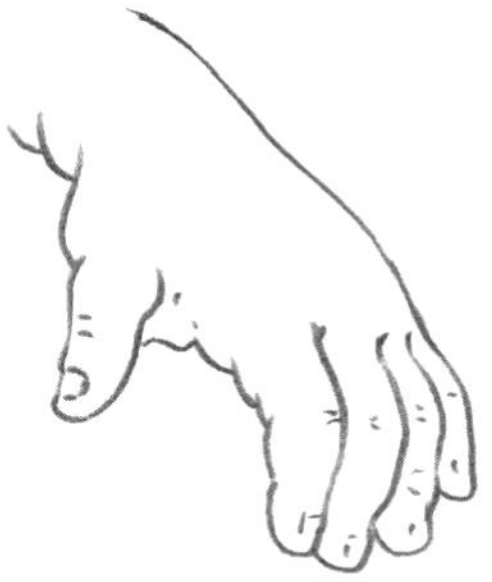

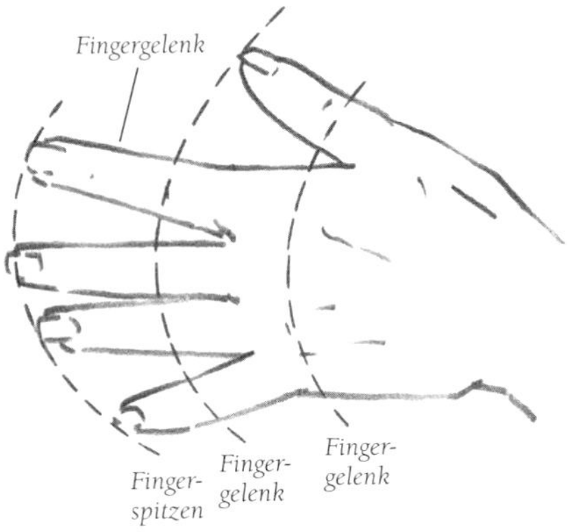

Fingergelenk

Finger-
spitzen

Finger-
gelenk

Finger-
gelenk

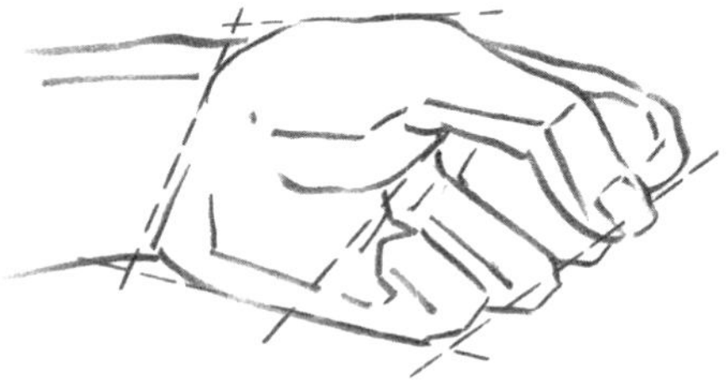

Ihre eigenen Hände
und Füße sind die
besten Vorlagen.

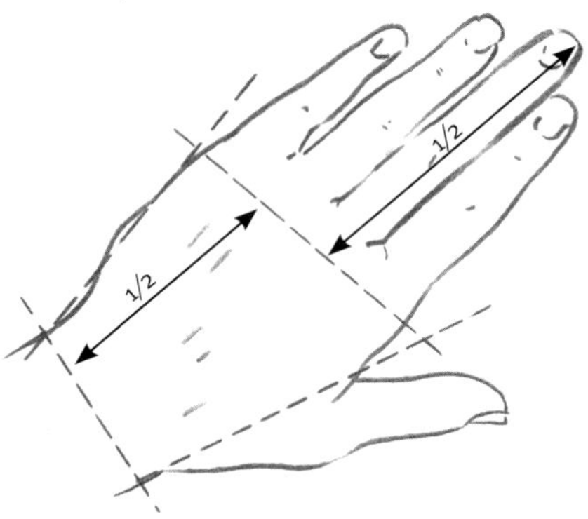

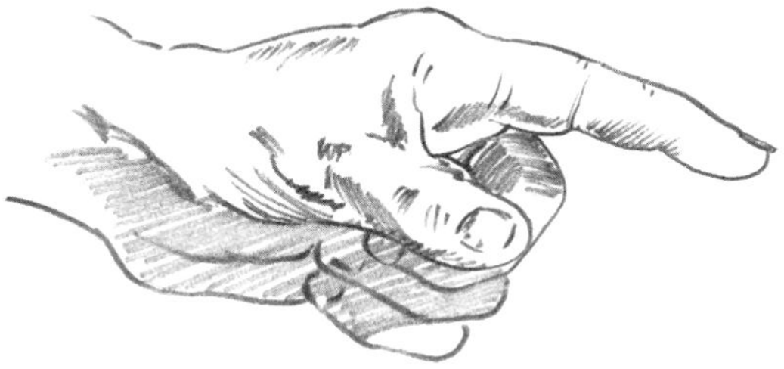

Jedes Mal, wenn man auch nur einen Finger bewegt, entsteht eine neue Ansicht. Üben Sie die verschiedenen Haltungen und schärfen Sie Ihr Auge für die Unterschiede, damit Sie Hände so zeichnen lernen, wie sie wirklich aussehen.

Zeichnen Sie Füße zunächst in den hier gezeigten Schritten. Wichtig ist dabei, zwei Ebenen zu unterscheiden – den Fuß und die Zehen. Sobald die Umrisse stimmen, arbeiten Sie die Gestalt der Füße zurückhaltend aus, sonst lenken Sie zu viel Aufmerksamkeit auf sie.

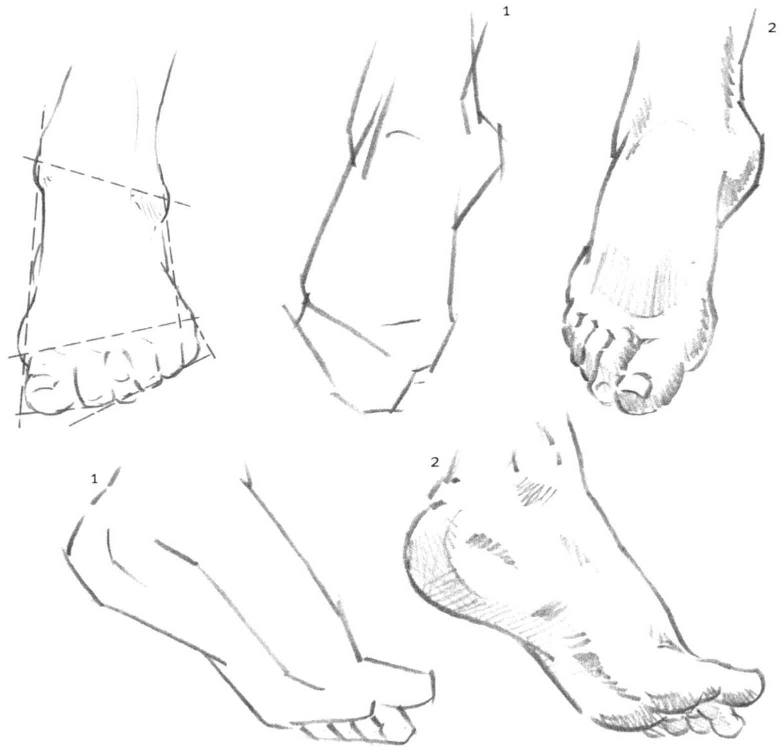

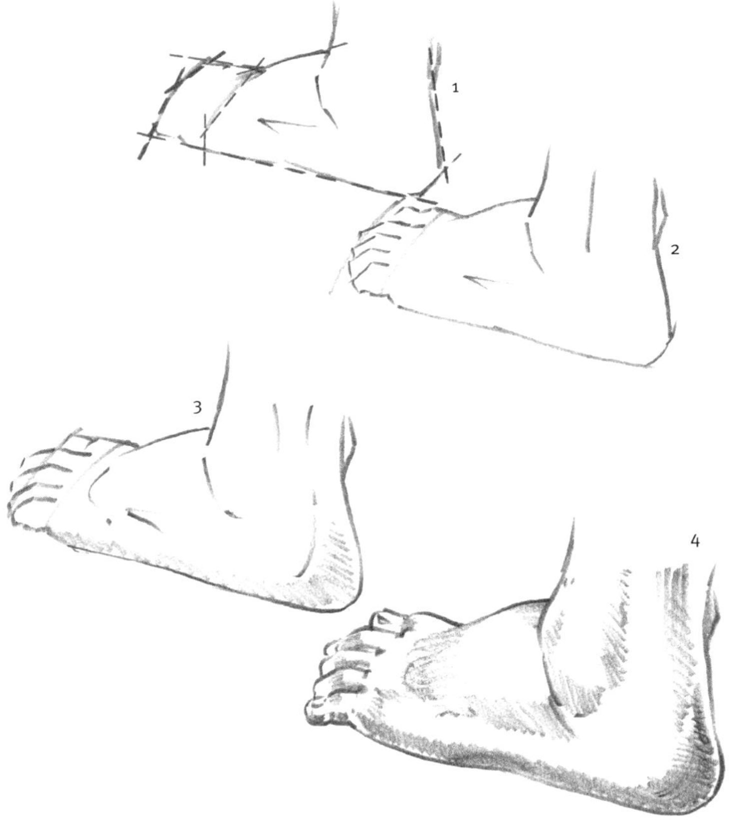

Nach dem Leben zeichnen

Wenn Sie die Gelegenheit haben, mit einem Modell zu arbeiten, dann nützen Sie sie bitte. Sie können in diesen Sitzungen sehr viel lernen. Der menschliche Körper ist immer wieder voller Überraschungen, und Sie werden mit Freude entdecken, dass Sie immer wieder neue Motive finden. Sie werden dabei auch erleben, dass es einen Unterschied macht, ob Sie schnell arbeiten müssen, um den Augenblick nicht zu verlieren und eine bestimmte Bewegung oder einen anziehenden Gesichtsausdruck festzuhalten, ehe sich Ihr Modell bewegt. Nutzen Sie die Chance, wenn Sie Familie und Freunde haben, um die Menschen, die Ihnen nahestehen, zu zeichnen. Wichtig ist übrigens, dass es Ihr Modell bequem hat, während Sie arbeiten; machen Sie genügend Pausen - das tut auch Ihnen gut -, und verlangen Sie nicht, dass jemand die ganze Zeit lächelt, denn dann verkrampfen sich die Gesichtsmuskeln.

Da Sie mit einem Modell wesentlich schneller zeichnen als sonst, wird sich Ihr Stil verändern und leichter und spontaner werden. Und Sie werden unvergessliche Momente „erwischen", wie diesen, in dem sich ein kleines Lächeln in die Augenwinkel des Mannes auf dem Schaukelstuhl gestohlen hat.

1 Mit einem Bleistift in Härte HB zeichnen Sie den Umriss des Mannes im Schaukelstuhl vor. Achten Sie darauf, dass Sie die Proportionen richtig erkennen und dass es nicht aussieht, als würden beide gleich umkippen. Sehen Sie, dass sich der Rücken des Mannes leicht nach vorn neigt, während die Rückenlehne des Schaukelstuhls nach hinten geneigt ist, und dass der Kopf des Mannes eine Linie mit dem hinteren Stuhlbein bildet? Verkürzen Sie das rechte Bein optisch (▶ Seite 222), aber zeichnen Sie den rechten Fuß größer als den linken, da er zum Betrachter weist.

2 Arbeiten Sie die ersten Details der Formen aus – einschließlich der Kleidung und der Schuhe. Bart und Hilfslinien für die Gesichtsmerkmale kommen dazu. Achten Sie beim Gesicht darauf, dass die Proportionen stimmen und dass Ihre Zeichnung Position, Größe und Eigenheiten des Gesichts richtig zeigt.

3 Mit einem Bleistift in Härte B zeichnen Sie Augen, Mund und Nase ebenso ein wie das Ohr und den Hut. Machen Sie mit dem Körper weiter, indem Sie seiner Form folgen und auch die Falten und den Fall der Kleidung berücksichtigen. Arbeiten Sie die Finger und den Rücken der linken Hand feiner aus. Beim Schaukelstuhl greifen Sie zum Lineal und zeichnen gerade Linien, wo nötig. Dann setzen Sie Schraffuren am Hut, an der Socke, an der hinteren Kufe und am Rücken.

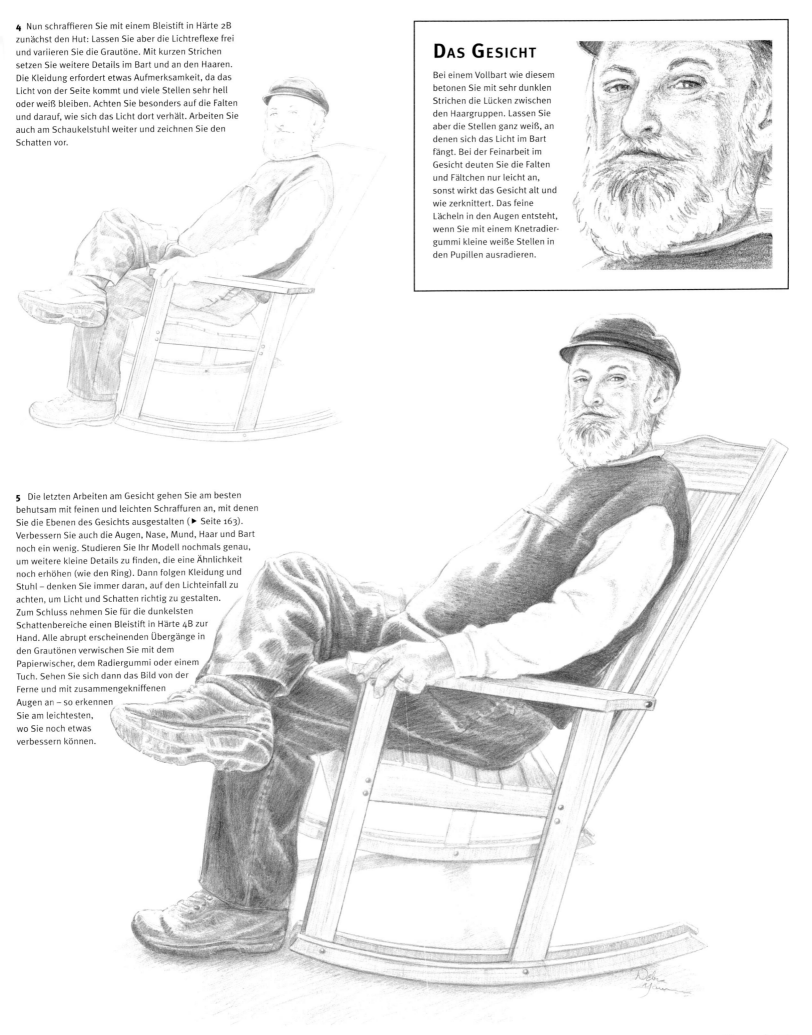

4 Nun schraffieren Sie mit einem Bleistift in Härte 2B zunächst den Hut: Lassen Sie aber die Lichtreflexe frei und variieren Sie die Grautöne. Mit kurzen Strichen setzen Sie weitere Details im Bart und an den Haaren. Die Kleidung erfordert etwas Aufmerksamkeit, da das Licht von der Seite kommt und viele Stellen sehr hell oder weiß bleiben. Achten Sie besonders auf die Falten und darauf, wie sich das Licht dort verhält. Arbeiten Sie auch am Schaukelstuhl weiter und zeichnen Sie den Schatten vor.

Das Gesicht

Bei einem Vollbart wie diesem betonen Sie mit sehr dunklen Strichen die Lücken zwischen den Haargruppen. Lassen Sie aber die Stellen ganz weiß, an denen sich das Licht im Bart fängt. Bei der Feinarbeit im Gesicht deuten Sie die Falten und Fältchen nur leicht an, sonst wirkt das Gesicht alt und wie zerknittert. Das feine Lächeln in den Augen entsteht, wenn Sie mit einem Knetradier- gummi kleine weiße Stellen in den Pupillen ausradieren.

5 Die letzten Arbeiten am Gesicht gehen Sie am besten behutsam mit feinen und leichten Schraffuren an, mit denen Sie die Ebenen des Gesichts ausgestalten (▶ Seite 163). Verbessern Sie auch die Augen, Nase, Mund, Haar und Bart noch ein wenig. Studieren Sie Ihr Modell nochmals genau, um weitere kleine Details zu finden, die eine Ähnlichkeit noch erhöhen (wie den Ring). Dann folgen Kleidung und Stuhl – denken Sie immer daran, auf den Lichteinfall zu achten, um Licht und Schatten richtig zu gestalten. Zum Schluss nehmen Sie für die dunkelsten Schattenbereiche einen Bleistift in Härte 4B zur Hand. Alle abrupt erscheinenden Übergänge in den Grautönen verwischen Sie mit dem Papierwischer, dem Radiergummi oder einem Tuch. Sehen Sie sich dann das Bild von der Ferne und mit zusammengekniffenen Augen an – so erkennen Sie am leichtesten, wo Sie noch etwas verbessern können.

KLEIDUNG UND FALTEN

Selbst wenn Sie schon gut darin sind, Körper in Bewegung zu zeichnen, so werden Ihre Bilder doch erst dann perfekt, wenn Sie auch wissen, wie man die Kleidung eines Menschen zeichnet, der sich bewegt.

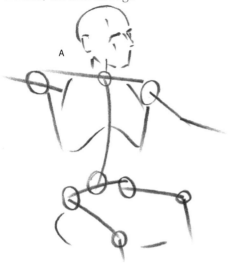

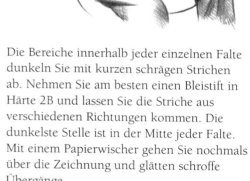

Sie zeichnen zuerst ein Strichmännchen und markieren jedes Gelenk mit einem Kreis. Dann zeichnen Sie die Umrisse der Kleidung und Hilfslinien für die Falten, die Ihnen später beim Schraffieren gute Dienste leisten werden. Beschäftigen Sie sich nur mit den großen Falten, und zeichnen Sie diese weiter mit Hilfslinien ein.

Die Bereiche innerhalb jeder einzelnen Falte dunkeln Sie mit kurzen schrägen Strichen ab. Nehmen Sie am besten einen Bleistift in Härte 2B und lassen Sie die Striche aus verschiedenen Richtungen kommen. Die dunkelste Stelle ist in der Mitte jeder Falte. Mit einem Papierwischer gehen Sie nochmals über die Zeichnung und glätten schroffe Übergänge.

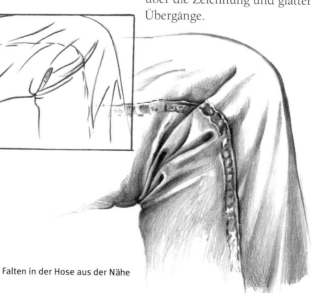

Falten im Hemd aus der Nähe

Falten in der Hose aus der Nähe

KINDER

Mit Kindern kann man die Welt immer wieder neu entdecken. Jedes Kind
erlebt die Welt neu und hat Fragen, die oft nicht nur drollig, sondern
sehr überlegenswert sind. Sie auf dem Weg ins Leben zu begleiten und zu
beobachten, wie sie aufmerksam einer Ameise zusehen, voller Freude ins
Meer rennen oder stundenlang Sandburgen bauen, macht große Freude.
Da die kindlichen Proportionen sich stark von denen Erwachsener unterscheiden, finden Sie alle wichtigen Basiskenntnisse für das Zeichnen von
Kindern im folgenden Abschnitt.

KINDER ZEICHNEN LEICHT GEMACHT

Kinder sind fast immer in Bewegung und entdecken nahezu stündlich neue Wunder. Sie dabei zu beobachten und zu zeichnen ist eine schöne künstlerische Aufgabe. Wenn Sie keine eigenen Kinder haben, nehmen Sie Ihren Skizzenblock und gehen auf den nächsten Spielplatz oder an den Strand und halten Ihre Eindrücke fest. Oft ist es sogar besser, wenn man die Kinder nicht kennt – man sieht sie dann unvoreingenommener.

Da Kinder sich – anders als Erwachsene – rasch und ohne Selbstkontrolle bewegen, müssen Sie auch schnell arbeiten. Beobachten Sie eine Szene einige Minuten, schließen Sie die Augen und formen Sie ein inneres Bild. Dann zeichnen Sie schnell und unkompliziert aus der Erinnerung. So sind Kinder!

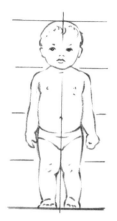

Das Kleinkind Am meisten fällt bei Kleinkindern der scheinbar unverhältnismäßig große Kopf auf.

Ein Teenager Etwa mit 10 Jahren nähert sich der Körperbau dem eines Erwachsenen.

In der Praxis Dieser kleine Junge ist ein typisches Kleinkind. Er hat einen großen Kopf, einen breiten Körper und pummelige Beine und Hände. Mit nur angedeuteten Schraffuren entsteht der Eindruck, dass es warm und sonnig ist – die weißen Stellen unterstreichen den Eindruck noch.

Das Alter treffen Dieses Mädchen ist noch jung, aber schon kein Kleinkind mehr. Der Kopf ist weniger groß, die Beine sind länger. Stolz, aber noch ein bisschen schüchtern, zeigt sie ihr Kunstwerk.

In Szene setzen Um die volle Aufmerksamkeit auf die Kinder zu lenken, wurden sie groß im Vordergrund gezeichnet.

WICHTIGE UNTERSCHIEDE

Natürlich gehört mehr dazu, ein Kind richtig zu zeichnen, als die Proportionen von Kopf und Körper abzuzählen (▶ Seite 190). Nicht nur das Gesicht unterscheidet sich von dem eines Erwachsenen: Kinderhände sind pummeliger, ihre Hände und Füße haben kürzere Finger und Zehen. Nicht selten steht der Bauch ein wenig vor, und überhaupt sind Kinder weich und rundlich. Zeichnen Sie Kinder deshalb am besten mit feinen Strichen – locker und frisch.

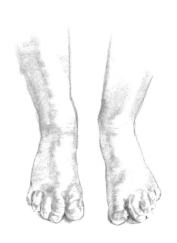

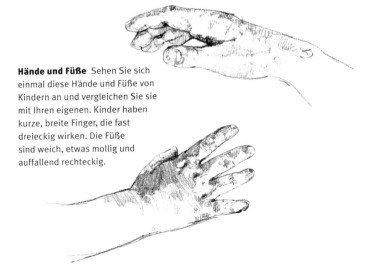

Hände und Füße Sehen Sie sich einmal diese Hände und Füße von Kindern an und vergleichen Sie sie mit Ihren eigenen. Kinder haben kurze, breite Finger, die fast dreieckig wirken. Die Füße sind weich, etwas mollig und auffallend rechteckig.

KINDLICHE GESICHTSPROPORTIONEN

rwachsene und Kinder haben völlig unterschiedliche Kopf-Proportionen. Kinder haben in aller Regel eine wesentlich stärker ausgebildete und im Verhältnis zum Rest des Kopfes auffallend große Stirn. Deswegen liegen bei Kindern auch die Augenbrauen und nicht die Augen auf der waagrechten Trennlinie. Vor allem sind bei Kindern die Augen wesentlich größer, runder und weiter voneinander entfernt als bei Erwachsenen. Wie Sie in der Abbildung unten erkennen können, nimmt man beim Zeichnen am besten waagrechte Linien zu Hilfe, mit denen man den Bereich zwischen der Augenbrauenlinie und dem Kinn beim Baby in vier gleich große Abschnitte unterteilt. Anhand dieser Linien können Sie dann die Augen, die Nase und den Mund an der richtigen Stelle im Gesicht platzieren. Diese Linien verschieben sich mit dem zunehmenden Alter der Kinder, wie Sie in den Abbildungen auf dieser Seite erkennen können.

Baby

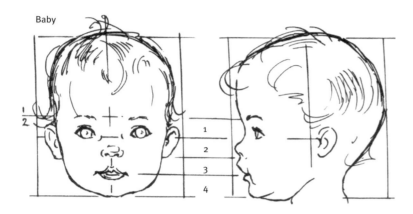

Wenn Kinder älter werden, wird ihr Gesicht schmaler und die Gesichtszüge verändern sich entsprechend.

Kleinkind

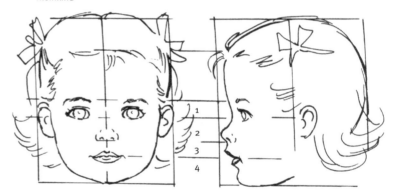

Sechsjähriger

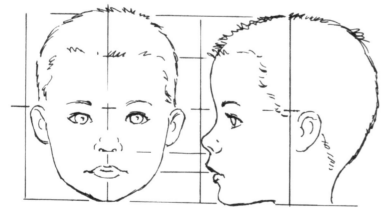

Während das Gesicht länger und schmaler wird, formt sich auch das Kinn eckiger aus und die Augen werden kleiner.

Zehnjähriges Mächen

MÄDCHEN IM PROFIL

Nur mit einer behutsamen Darstellung kann man Kindern gerecht werden. So einfache, zurückhaltende Zeichnungen sind ideal, um den zarten kindlichen Teint zu zeigen.

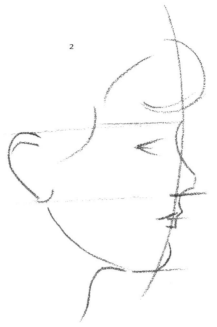

Als Erstes zeichnen Sie eine gebogene Hilfslinie wie in Schritt 1 und markieren mit horizontalen Strichen die Lage von Augenbrauen, Augen, Nase, Mund und Kinn. Erst in Schritt 2 ergänzen Sie die Gesichtsmerkmale und die Umrisse der Frisur. Bevor Sie weiterarbeiten, sehen Sie Ihr Modell nochmals an und vergleichen Sie, ob Sie alles gut getroffen haben.

Augenbraue

Auge

Nase

Mund

Kinn

Kinder haben weiche und runde Gesichtsformen.

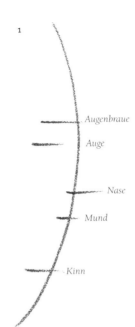

Der Haarreif muss sich an den Kopf anschmiegen und darf nicht aussehen, als wäre er ein Fremdkörper. Zeichnen Sie ihn so, dass er mit dem Haar zu verschmelzen scheint.

Mit einer Andeutung der Kleidung hat das Porträt mehr Halt auf dem Papier.

Für die Reinzeichnung nehmen Sie am besten einen schwarzen Filzstift.

Das Bild fertigstellen Ab Schritt 3 arbeiten Sie an der Fertigstellung des Porträts und zeichnen auch den Fall der Locken und Wellen im Haar. Zum Schluss geben Sie der Zeichnung mit kräftigen und sicheren Strichen mehr Ausdruck. Sie müssen auch das Haar nicht im Detail ausarbeiten – einige Linien reichen vollkommen.

MÄDCHEN MIT BLONDEM HAAR

Bei Menschen mit heller Haut und blondem Haar kommt es darauf an, nur sehr verhalten zu schraffieren: Es sollen zwar die Formen erkennbar sein, aber der Eindruck von Farbigkeit darf nicht entstehen. Bei blondem Haar skizzieren Sie am besten mit wenigen Strichen die Frisur, doch um die Fülle anzudeuten, setzen Sie nur noch einige wenige Linien.

Ein heller Typ Auf diesem Foto sind einige Stellen so hell, dass Wangen, Nase und Pony fast ganz weiß wirken. Für diese Partien lassen Sie in der Zeichnung viel weißes Papier stehen.

1 Mit einem Bleistift in Härte HB skizzieren Sie die Form von Kopf und Gesicht. Da das Mädchen den Kopf ein wenig nach links neigt, müssen Sie auch die senkrechte Trennlinie (► Seite 154) etwas nach links versetzen. Nun noch Augen, Nase und Mund auf den Hilfslinien platzieren und zum Schluss den schmalen Hals vorzeichnen.

2 Nun zeichnen Sie mit einem Bleistift in Härte 2B die Gesichtsmerkmale detaillierter ein. Obwohl Sie sich möglichst genau ans Foto halten sollten, ist hier auch künstlerische Freiheit gefragt: Der Pony fällt jetzt gerade über die Stirn, und die eine Haarsträhne, die der Wind nach links geblasen hat, wird ordentlich nach innen gebogen.

3 Während Sie weiter an den Details des Gesichts arbeiten, radieren Sie nach und nach die Hilfslinien aus. Lassen Sie sich beim Haar Zeit, damit Scheitel und Strähnen authentisch wirken – lassen Sie viel Papier weiß. Die dunkelsten Stellen sind neben dem Ohr, dort wo die Haare im Dunklen liegen. Denken Sie an die Ohrringe und an die Innenseiten der Ohren. Zeichnen Sie die Lippen ein und mit zarten waagrechten Linien den Hals.

4 Für das Gesicht selbst verwenden Sie nur ganz feine leichte Striche, damit die Haut so hell wie möglich leuchtet. Mit wenigen kurzen Strichlein entstehen die Grundformen der blonden Augenbrauen. Zeichnen Sie die Iris mit Strichen, die von der Pupille nach außen gehen und stricheln Sie den Kragen des Shirts vor.

FEINES HAAR

Vor allem bei Kindern ist blondes Haar sehr oft feiner als dunkles Haar. Zeichnen Sie diese Haarstruktur mit engen Partien, zwischen denen viel Weiß stehen bleibt; mit einigen kurzen Haarsträhnen an der Stirn rahmen Sie das Gesicht ein.

5 Mit einem Knetradiergummi setzen Sie einen Lichtreflex auf der Unterlippe. Dann zeichnen Sie noch einige dunklere Strähnchen ein und gestalten die Augenbrauen detaillierter. Dann machen Sie sich an die Sommersprossen (▶ Kasten unten). Das Shirt dagegen beenden Sie mit relativ dunklen Grautönen. Sie betonen nicht nur die hellen Farben des Mädchens, sondern verhindern auch, dass das Porträt ausgeblichen wirkt – was bei sehr hellen Menschen immer eine Gefahr ist.

SOMMERSPROSSEN

Sommersprossen wirken nur echt, wenn Sie jede einzeln zeichnen. Variieren Sie die Größe der Fleckchen ebenso wie den Abstand voneinander. Sie müssen natürlich nicht jede Sommersprosse zeichnen, die Ihr Modell hat! Einige reichen – und das Auge addiert die übrigen.

So nicht! Wenn Sie Sommersprossen so regelmäßig zeichnen wie hier, dann sehen sie unweigerlich wie Ausschlag aus.

Tipp Einige Sommersprossen sollten sich überlappen, einige dürfen heller oder dunkler als die übrigen sein – ändern Sie den Druck des Bleistifts.

KÖRPERPROPORTIONEN BEI KINDERN

Anhand der Abbildung unten auf der Seite können Sie auf einen Blick erkennen, wie Sie mithilfe der Größe des Kopfes eines Kindes die richtige Körpergröße für das jeweilige Alter finden. Da das Verhältnis von Kopf und Körper bei Kindern so wichtig ist, sollten Sie unbedingt die richtige Kopfgröße abmessen, wenn Sie ein Kind zeichnen wollen.

Die Zeichnung des kleinen Mädchens beginnen Sie mit einem einfachen Strichmännchen. Nehmen Sie dann Kreise, Ovale und Rechtecke, um die groben Körperformen festzulegen. Dann entwickeln Sie daraus den Körper und zeichnen die Umrisse der Kleidung ein.

Die Figur steht auf einem imaginären Podest und einer imaginären Mittellinie.

Hier hat das Mädchen Kontakt zum Podest.

Diese Linie hält das Mädchen in Balance.

15 Jahre
7¾ Köpfe

10 Jahre
7 Köpfe

5 Jahre
6 Köpfe

3 Jahre
5 Köpfe

1 Jahr
4 Köpfe

So nett Kleinkinder als Motive sind – da sie kaum je stillhalten, ist es besser, sie nach einer Fotografie zu zeichnen.

AKTZEICHNEN

Den menschlichen Körper in seiner ursprünglichen Nacktheit zu zeichnen ist für die meisten
Künstler spannend. Fast unerschöpflich sind die
Möglichkeiten der Aktzeichnung. Doch ihnen
allen liegt das Wissen über Anatomie und Form-
gebung zugrunde, die Sie in diesem
Kapitel lernen und üben können.

GRUNDWISSEN ANATOMIE

Wenn Sie sich intensiver mit dem Zeichnen von Akten beschäftigen möchten, brauchen Sie zumindest einige anatomische Grundkenntnisse.

In den vergangenen Jahren sind die führenden Köpfe aus Wissenschaft, Medizin, Sport und Kunst tief in die Geheimnisse des menschlichen Körpers eingedrungen. Doch das anatomische Wissen, das ein Künstler braucht, hat sich seit den Zeiten Leonardo da Vincis kaum verändert. Es ist sogar so, dass noch heute Blätter in Gebrauch sind, die aus dem 15. Jahrhundert stammen, denn während die Wissenschaft an der Funktion des Körpers interessiert ist, müssen Künstler „nur" die Formen kennen.

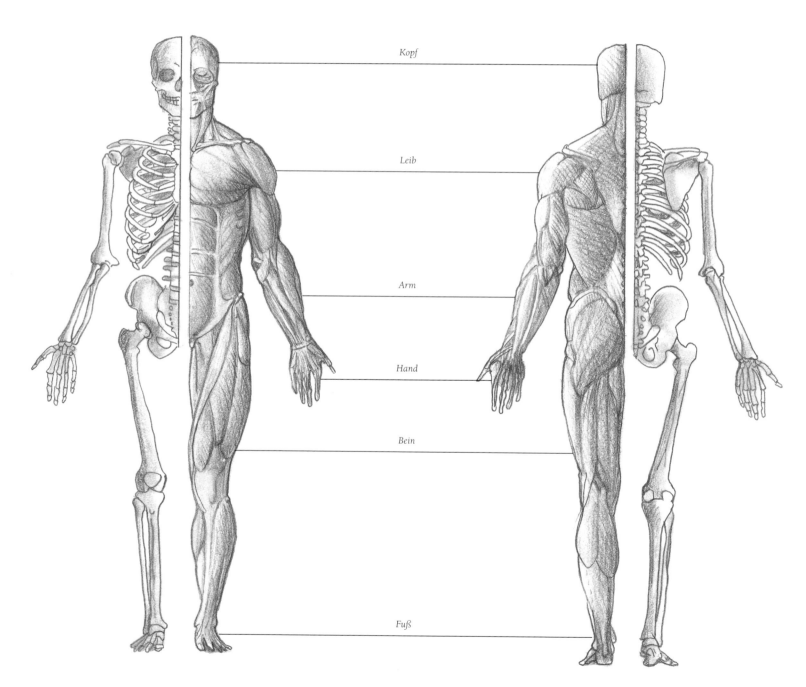

Kopf

Leib

Arm

Hand

Bein

Fuß

Schon in dieser Zeichnung sehen Sie die wichtigsten Knochen und Muskeln, die dem menschlichen Körper Festigkeit und Beweglichkeit schenken. Wenn Sie sich weiter mit Anatomie befassen möchten, stehen eine Reihe von Werken in jeder Bibliothek zur Verfügung.

Tipps zum Zeichnen

von vorne

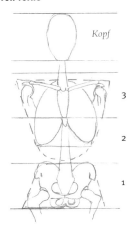

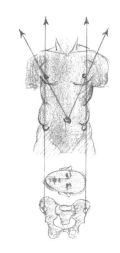

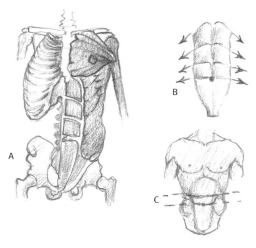

Der Beckengürtel ist ungefähr einen Kopf hoch. Der gesamte Leib vom letzten Nackenwirbel bis zum Beginn des Oberschenkelhalsknochens ist etwa drei Köpfe hoch.

Eine Figur mit wenigen Strichen und simplen Formen anzulegen ist die beste Grundlage einer figürlichen Zeichnung.

Die Brustwarzen sind etwa einen Kopf sowie etwa eine Beckenbreite voneinander entfernt.

Abbildung A zeigt, wie eng Muskeln und Knochen miteinander verbunden sind. Abbildung B zeigt, wie die Bauchmuskeln sich über dem Nabel in Richtung Hals als sogenanntes „Sixpack" gestalten – und in Abbildung C kann man die beiden waagrechten Trennlinien über dem Nabel und am Ende des Rippenbogens erkennen.

von hinten

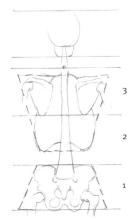

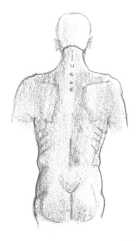

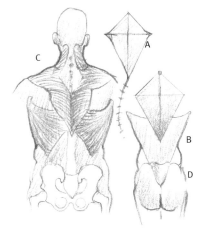

Ober- und Unterkörper lassen sich als zwei Dreiecke beschreiben – in der Rücken- ebenso wie in der Vorderansicht.

Anhand dieses „Strichmännchens" sehen Sie ein wichtiges Detail unserer Körperbalance – die Linie zwischen Nackenansatz und der Mitte des Kreuzbeins im Becken.

Bei einer Rückenansicht sind immer die unteren Rippen, einige Halswirbel und die Pobacken zu sehen.

Die obere Partie des Rückenmuskels (*Trapezius*) sieht wie ein Drache oder wie ein vierstrahliger Stern aus (Abbildung A und C). Die große Rückenmuskulatur (*latissimus dorsi*) dagegen erinnert an ein umgedrehtes Dreieck (Abbildung B).

von der Seite

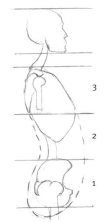

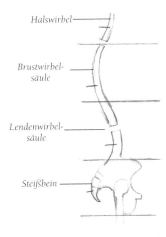

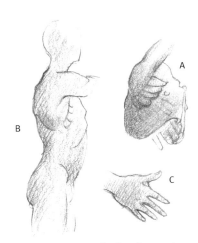

Von der Seite hat der menschliche Körper die Form einer Bohne. Denken Sie aber daran, die Proportionen einzuhalten – sie gelten immer.

Auch im Stand sind in der Seitenansicht des Menschen die Bohnenform sowie einige Ovale zu erkennen.

Die Wirbelsäule ist nicht gerade, sondern schwingt in vier Bögen, von denen der Bogen der Brustwirbel am längsten ist.

Auf Höhe der ersten Rippen beginnt der *serratus anterior* Muskel, der an den Schulterblättern endet (Abbildung A). Den Muskel erkennt man gut als Ausformung unterhalb des großen Rückenmuskels (*latissimus dorsi*) wie in Abbildung B. Am Ansatz hat der Muskel in etwa die Form von Fingern.

SITZENDE FRAU

Obwohl anatomisches Grundverständnis für das Zeichnen eines menschlichen Aktes einen wesentlichen Baustein darstellt, ist doch das fortschreitende Entwickeln eines Gespürs für den Körper ebenso wichtig. Beginnen Sie mit so einfachen Posen wie dieser, bei der Sie zudem den Vorteil haben, nicht den ganzen Körper gestalten zu müssen.

1 Nehmen Sie den Bleistift in die lockere Position (▶ Seite 8) und setzen Sie die ersten Formen des Motivs mit lockeren Strichen aufs Papier. Damit die Proportionen stimmen, teilen Sie die Figur waagrecht in vier gleich große Partien von jeweils der Länge des Kopfes. Zeichnen Sie dann den Brustkasten, die Schultern und das Becken als Kreise ein. Arme und Beine deuten Sie mit zylindrischen Formen an. Die Hilfslinie, die vom Hinterkopf bis zur Mitte der linken Brust verläuft, brauchen Sie, damit der Kopf in der Gesamtansicht an der richtigen Stelle sitzt.

2 Nachdem der Grundaufbau steht, wechseln Sie in die Schreibhaltung (▶ Seite 8), um jetzt die Feinheiten auszuarbeiten. Es geht vor allem darum, Skelett, Muskeln und Sehnen, die unseren Körper formen, anatomisch richtig zu zeichnen, um diesen weiblichen Körper zum Leben zu erwecken. Achten Sie jetzt vor allem darauf, die Proportionen richtig weiterzuführen. Ein gutes Werkzeug dazu ist eine Hilfslinie, die Sie von der Mitte des Halsansatzes durch den Nabel nach unten zeichnen. So markieren Sie die Mitte des Körpers. Der linke Oberarm ist parallel zu dieser Linie. Der rechte Arm dagegen bildet einen Winkel zum Körper und balanciert so die Pose aus.

3 Sie halten den Stift noch immer in Schreibposition, wenn Sie sich nun daranmachen, die ersten Details auszuarbeiten: Gesicht, Haare, Brüste, Tuch und Podest. Dann wechseln Sie in die Unterhand-Position (▶ Seite 8) und arbeiten mit unterschiedlichen Schraffuren die Schatten des Modells und des Podests aus. Gehen Sie noch nicht zu sehr in die Details, sondern konzentrieren Sie sich auf möglichst gleichmäßige Schraffuren.

4 Mit stärkeren und entschiedeneren Strichen füllen Sie zunächst den Hintergrund und die Zwischenräume zwischen Armen und Körper – dadurch wird der Umriss des Körpers definiert. An einigen Partien wie beim Haar, beim Gesicht oder beim gebeugten Arm zeichnen Sie die Konturen klar und kräftig. Andere Konturen wie der gestreckte Arm bleiben eher sanft.

5 Mit klassischen Schraffuren und mit Kreuzschraffuren wird das Bild fertiggestellt. Auf der Brust und am Bein setzen Sie am besten gerade Striche ein, um die Formen herauszumodellieren. Ein wichtiges dramaturgisches Mittel ist der dunkle Hintergrund. Das Auge wird dadurch wie magisch von den hellen Stellen des Bildes angezogen. Ganz zum Schluss kommt der Knetradiergummi zum Einsatz. Er ist besser als jedes andere Instrument dazu geeignet, helle Stellen aus dem Bild herauszuarbeiten. Sie können mit ihm Stellen sehr gut aufhellen und damit betonen und auch noch am Ende der Arbeit Lichtreflexe dort setzen, wo sie am besten zur Geltung kommen.

STEHENDE FRAU

Fast alle Anfänger wählen für einen Akt eine Vorderansicht. Dagegen ist
nichts zu sagen, denn so sind Anatomie und Proportionen besonders
gut zu erkennen. Doch diese Akte sind im Grunde langweilig. Die hier
gewählte Pose dagegen ist eine Herausforderung für den Zeichner und
weckt das Interesse des Betrachters, denn diese Rückenansicht mit
herausgerecktem Po bietet einen ungewöhnlichen Anblick und einen
frischen Zugang zum Thema. Selbst der Kopf ist nicht einfach gerade,
sondern geneigt, und verleiht dem Motiv zusätzliche Spannung. Experimentieren Sie unbedingt mit Ansichten und Posen, bis Sie Ihren eigenen
Stil gefunden haben.

1 Am einfachsten ist es, zunächst eine Art
Strichmännchen zu zeichnen, das aber bereits
die richtige Haltung einnimmt. Zeichnen Sie
also Kopf, Brustkorb, Becken, Arme und Beine
mit wenigen Strichen. Achten Sie dabei aber
darauf, dass die Körpersprache stimmt.

2 Machen Sie nun aus dem Strichmännchen
eine Figur, indem Sie die geometrischen
Grundformen einzeichnen (▶ Seite 16): Aus
einem Kreis wird eine Kugel, aus einem
Dreieck wird eine Pyramide usw.). Helfen Sie
sich auch mit wichtigen Linien wie einer
Verbindung zwischen Hals, Rücken, Kreuz
und Becken.

3 Beginnen Sie dann mit relativ großflächigen Schraffuren, die Ihnen als
Wegweiser für die hellen und dunklen Stellen dienen. Sie können diese
Schraffuren auch auf einem extra Blatt anfertigen, um sich über das
Schraffuren-Konzept für die Figur klar zu werden.

Variieren Sie die Strichstärke und Länge.

Schatten-trennlinie

4 Mit dem Stift in der lockeren Position (▶ Seite 8) zeichnen Sie die Muskeln und Formen des Körpers. Beobachten Sie sorgfältig und zeichnen Sie so aufmerksam wie möglich. Durch die Stärke und Länge der Striche sowie durch das Betonen interessanter Stellen wirkt die Figur dramatisch. Sehen Sie sich dann Ihre Figur aus Schritt 3 an und arbeiten Sie die Schatten aus. Dort wo sie enden, betonen Sie den Wechsel zum Licht mit kräftigen Strichen.

Reflektiertes Licht

5 Im Hintergrund betonen die harten, dunklen Striche den Kontrast zum weichen, gerundeten Körper. So erreichen Sie zweierlei: Die hellen Stellen an der linken Seite der Figur wirken strahlender, während die dunklen Schatten etwas abgemildert werden. Dann arbeiten Sie Gesicht, Haare und den Boden feiner aus und betonen die Schattenlinien noch etwas. Zum Schluss nehmen Sie einen Knetradiergummi und hellen die Lichtreflexe am Rücken auf.

LIEGENDER MANN

Wenn Sie die Anfänge des Aktzeichnens gemeistert haben, werden Sie nach neuen Herausforderungen Ausschau halten. Versuchen Sie sich einmal an einer etwas schwierigeren Pose wie dieser. Um diese Figur „richtig" wiederzugeben, müssen Sie die Regeln der Proportion außer Acht lassen: Nur wenn Sie manche Körperteile optisch verkürzt darstellen (▶ Seite 222) entsteht der Eindruck einer harmonischen Figur. So ist etwa der Unterschenkel winzig im Vergleich zum Fuß oder zum prominenten Oberschenkel. In diesem Fall müssen Sie den jungen Mann so zeichnen, wie Sie ihn sehen, und nicht so, wie es anatomisch richtig wäre.

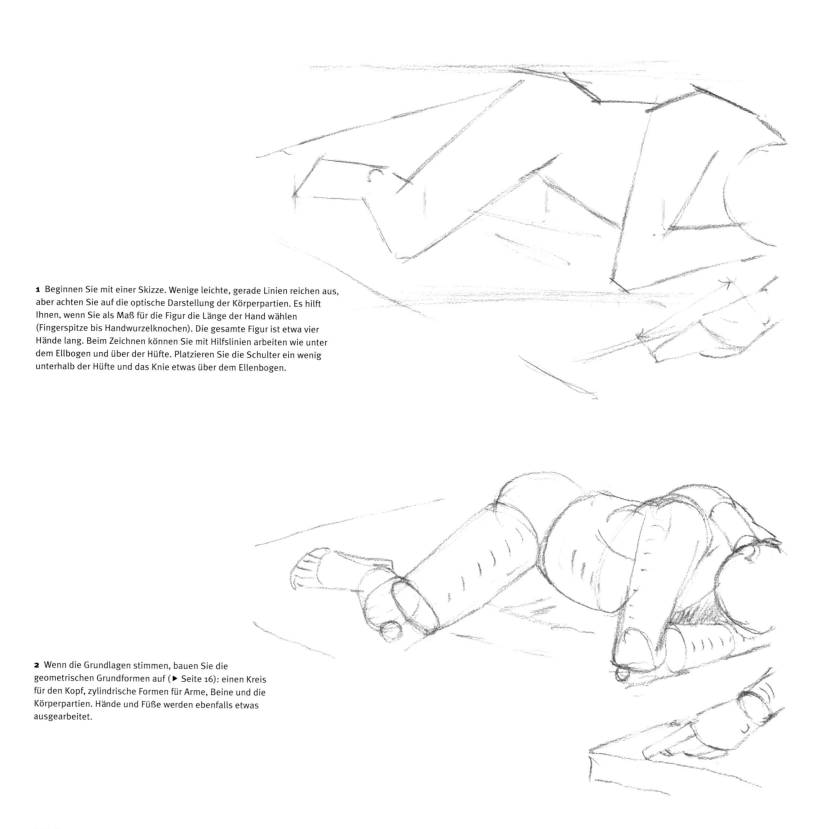

1 Beginnen Sie mit einer Skizze. Wenige leichte, gerade Linien reichen aus, aber achten Sie auf die optische Darstellung der Körperpartien. Es hilft Ihnen, wenn Sie als Maß für die Figur die Länge der Hand wählen (Fingerspitze bis Handwurzelknochen). Die gesamte Figur ist etwa vier Hände lang. Beim Zeichnen können Sie mit Hilfslinien arbeiten wie unter dem Ellbogen und über der Hüfte. Platzieren Sie die Schulter ein wenig unterhalb der Hüfte und das Knie etwas über dem Ellenbogen.

2 Wenn die Grundlagen stimmen, bauen Sie die geometrischen Grundformen auf (▶ Seite 16): einen Kreis für den Kopf, zylindrische Formen für Arme, Beine und die Körperpartien. Hände und Füße werden ebenfalls etwas ausgearbeitet.

3 Ehe Sie weiterarbeiten, sollten Sie sich nochmals vergewissern, dass die Figur gut und richtig liegt, denn jetzt sind Korrekturen noch ohne Weiteres möglich. Mit dem Stift in der lockeren Position (▶ Seite 8) zeichnen Sie Muskeln und andere auffallende Stellen der Körperlandschaft sorgfältig ein. Sie können auch ein Anatomiebuch zur Hilfe nehmen und sich intensiver mit Muskel- und Skelettteilen befassen.

4 Nun sind die Konturen richtig ausgearbeitet, aber erst das Schraffieren macht den Körper wirklichkeitsnah. Zeichnen Sie die Schatten aber nach einem Plan ein: Sehen Sie sich die Lage und die Beschaffenheit der Schraffuren genau an, ehe Sie zum Stift greifen. Wenn Sie die Schattenbereiche gut kennen, zeichnen Sie die Bereiche zunächst leicht ein und füllen Sie sie dann aus. Achten Sie auf die Schattenlinien und auf die unterschiedlichen Grautöne.

Stillleben UND STUDIEN

Zu den anspruchsvollsten Vorhaben gehören Stillleben (Stills). Hier gilt es nicht nur, zunächst einen oder mehrere Gegenstände so zu arrangieren, dass Sie ein fürs Auge spannendes und doch harmonisches Ganzes bilden. Ebenso wichtig ist, ein Gefühl dafür zu entwickeln, wie Sie die unterschiedlichen Formen und die Oberflächen der Gegenstände am besten darstellen: Ein Glaskrug, eine Ananas oder ein Messer z. B. sind so unterschiedlich, wie Dinge nur sein können. Ein jedes für sich individuell und künstlerisch anspruchsvoll in einem Still zur Wirkung zu bringen ist eine schöne Aufgabe, die Sie mit der Schritt-für-Schritt-Technik bestens meistern werden.

STILLEBEN ZUSAMMENSTELLEN

Um ein gutes Still zu komponieren, müssen Sie in erster Linie nur die Elemente für das Bild so arrangieren, dass sie einen angenehmen und harmonischen Anblick bieten. Das geht ganz einfach, wenn man sich an einige Grundregeln hält: (1) Sie wählen ein Bildformat, das zum Motiv passt. (2) Sie bestimmen einen Bildmittelpunkt und arrangieren die übrigen Gegenstände so, dass Sie das Auge dorthin führen. (3) Schließlich ist es wichtig, dass ein räumlicher Eindruck entsteht durch das Überlappen einzelner Gegenstände und die Anordnung auf unterschiedlichen Ebenen. Wenn Sie dies mehrfach ausprobieren und üben, wird es Ihnen immer leichter fallen, Stills zusammenzustellen.

STILLS KOMPONIEREN

Es macht viel Spaß, ein Still zu komponieren. Sie können es immer wieder umbauen und haben alle Zeit der Welt dafür, denn Gegenstände bewegen sich nicht von alleine! Zuerst wählen Sie die Gegenstände aus, die aufs Bild sollen, dann probieren Sie verschiedene Gruppierungen und Positionen aus, unterschiedlichen Lichteinfall und mehrere Hintergründe. Skizzieren Sie die unterschiedlichen Lösungen in schnellen Zeichnungen – dies ist unverzichtbar, um die optimale Lösung zu finden.

Mit Fotos arbeiten Ein gut komponiertes Still ist meist kein Zufallsergebnis. Man muss eher sehr genau überlegen und an Einzelheiten tüfteln, ehe das Ergebnis voll und ganz überzeugt. Es hilft, dabei Fotos zu machen, denn so können Sie am besten erkennen, wie Ihr Arrangement auf dem Blatt wirkt.

DAS FORMAT

1 Haben Sie sich für ein Querformat entschieden, dann heißt es wieder, genau hinsehen. Hier steht die Terrine nicht im Zentrum des Bildes. Das ist Absicht, denn sie ist das Zentrum des Arrangements. Stünde sie zudem auch noch im Zentrum der Zeichnung, würde der Blick nur auf sie fallen, und das Bild würde einen „toten" Eindruck machen. Zeichnen Sie die Grundformen der Bildelemente mit feinen Kreisen und Ellipsen vor.

Querformat Das Querformat wird traditionell für Landschaften verwendet, eignet sich aber auch hervorragend für Szenen im Haus. In diesem Beispiel ist das Gemüse so arrangiert, dass es das Auge auf den Bildmittelpunkt zieht – die Terrine. Selbst die Fugen der Fliesen fügen sich in die Gesamtkomposition.

Hochformat Hier wurde ein Hochformat gewählt, denn so passt nicht nur das Grün der Möhren besser ins Bild, sondern die Möhren bilden auch eine wundervolle Ergänzung zum Kranz des übrigen Gemüses. Die Knoblauchknolle vorne links und die Lage der Bohnen leiten das Auge zum Bildmittelpunkt. Der Hintergrund wurde mit leichten Schatten nur angedeutet, und die Fliesen wirken untergeordnet. Dies alles dient dazu, die Aufwärtsbewegung des Blickes zu unterstützen, damit das Auge die Terrine im Bildmittelpunkt leichter findet.

2 Nun arbeiten Sie die ersten Details an der Terrine und die ersten Schatten ein, verwenden aber immer noch leichte Striche.

3 Beginnen Sie mit dem Schraffieren der Formen an der Terrine. Dunkeln Sie die Schatten weiter ab und machen Sie sich daran, die Gestalt der übrigen Gemüse auszuarbeiten. Sie können z. B. mit der Paprika und einer Kartoffel beginnen.

4 Nun folgen die Formen der übrigen Gemüsesorten, für die Sie auch unterschiedliche Schraffuren verwenden sollten, um sie individueller zu gestalten, wie gleichmäßige Striche für die Haut von Zwiebel und Knoblauch, oder unregelmäßigere Striche für Tomaten.

5 Zum Schluss dunkeln Sie die Schatten, die von den Objekten geworfen werden, mit einem weichen Stift noch etwas nach.

KIEFERNZAPFEN

Die raue Oberfläche eines Kiefernzapfens ist eine schöne Herausforderung. Nehmen Sie einen Bleistift in Härte HB und skizzieren Sie die Umrisse des Zapfens sowie Baumstamm und Wurzel vor
wie in Schritt A. Verstärken Sie dann Baumstamm und Wurzel und
zeichnen Sie ein Gitternetz über den Zapfen.

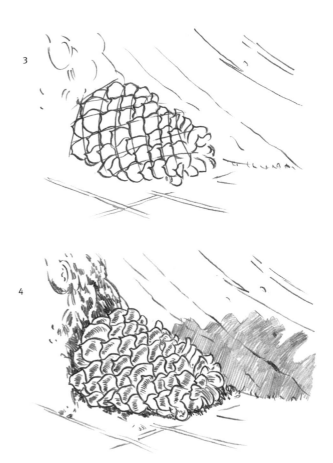

1

2

xxxx

Die Details Zeichnen Sie Stück für Stück die Schuppen, die zum Ende des Zapfens größer
werden. In Schritt 4 beginnen Sie mit den Schraffuren am Zapfen sowie am Baumstamm und
der Wurzel. Der Schatten des Zapfens ist gebogen, weil die Wurzel rund ist.

Arbeiten mit Zwischenräumen Das
Gras und die verstreuten Kiefernnadeln
in Schritt 5 entstehen dadurch, dass Sie
nicht Halm für Halm zeichnen, sondern
die Zwischenräume schraffieren. So
erscheinen nach und nach die Nadeln
und Grashalme auf dem Papier
(▶ Seite 15).

DETAILS AUSARBEITEN

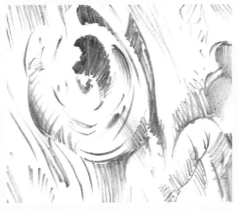

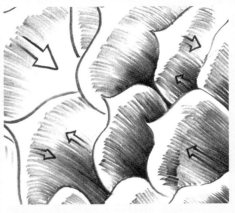

Hilfslinien Die raue Borke und das Astloch am verwitterten Stamm skizzieren Sie zunächst mit Hilfslinien vor. Erst wenn Sie damit zufrieden sind, beginnt das Schraffieren.

Oberfläche Mit kurzen, harten Strichen schaffen Sie den Eindruck einer harten rauen Fläche, weichere, längere Striche vermitteln etwas Sanftes. Für den Baum kombinieren Sie beides.

Die Schuppen Sie müssen jede Schuppe einzeln zeichnen und dabei in die angegebene Richtung schraffieren. Arbeiten Sie mit weichen Strichen, die Sie nah nebeneinander setzen.

6

BLUMENSCHALE

Obwohl gerade Stills dazu verleiten, perfekte Bilder anzufertigen, die bis ins letzte Detail ausgearbeitet sind, kommt das dem Bild nicht immer zugute. Um Ihnen das zu zeigen, wurde dieses Bild recht locker gestaltet. Nehmen Sie zunächst einen Bleistift in Härte HB und zeichnen Sie die groben Umrisse mit feinen Hilfslinien vor.

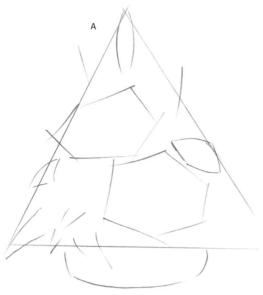

A

B

Für diese Zeichnung wurde eine lockere, eher skizzenhafte Arbeitsweise gewählt. Sie macht das fertige Bild besonders leicht und ansprechend.

Dieser Ausschnitt (oben) zeigt, wie die Blütenblätter und Blätter schraffiert wurden. Gehen Sie hier noch nicht zu sehr ins Detail.

In dieser Vergrößerung können Sie gut erkennen, wie die Schatten durch gekonntes Verreiben (▶ 19) entstehen. Zeichnen Sie die Schatten mit der Breitseite eines Bleistifts in Härte HB vor, verreiben Sie die Partien dann behutsam mit einem Papierwischer.

EIN GLAS

Dieses Still braucht etwas mehr Planung. Sie nehmen am besten einen Zeichenkarton mit einer Beschichtung, einen Bleistift in Härte HB sowie einen Härte 2B für die tiefsten Schatten. Außerdem ist ein Zimmermannsbleistift gut für den Hintergrund geeignet.

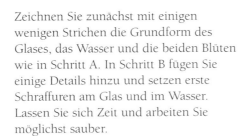

B

Mit dem Zimmermannsbleistift schraffieren Sie den Hintergrund kräftig. Er soll dunkler sein als der Schlagschatten des Glases. Im Schlagschatten sind viele helle Stellen – nicht übersehen!

Zeichnen Sie zunächst mit einigen wenigen Strichen die Grundform des Glases, das Wasser und die beiden Blüten wie in Schritt A. In Schritt B fügen Sie einige Details hinzu und setzen erste Schraffuren am Glas und im Wasser. Lassen Sie sich Zeit und arbeiten Sie möglichst sauber.

Die Pfeile in der Abbildung unten zeigen Ihnen, wie Sie den Stiel, den Teller und den Boden des Glases am besten schraffieren. Lassen Sie die Stellen, an denen sich das Licht bricht, weiß. Sie sind bei Glas besonders wichtig, denn sie lassen es transparent erscheinen.

Halten Sie sich bei den letzten Feinarbeiten an die fertige Zeichnung – hier können Sie Licht und Schatten in Ruhe studieren. Wenn Bleistift in die weißen Stellen auf dem Blatt kommt, radieren Sie ihn gleich aus. Zum Schluss spitzen Sie Ihre Bleistifte Härte HB und 2B und fügen die letzten Details hinzu.

Tischszene

Dieses Motiv zeichnen Sie am besten auf dicken Zeichenkarton mit leicht körniger Beschichtung und mit einem Bleistift in Härte HB. Die körnige Beschichtung lässt die einzelnen Striche dunkler und interessanter aussehen.

Schon mit einfachen Küchenutensilien und Kochzutaten können Sie spannende Szenen zusammenstellen.

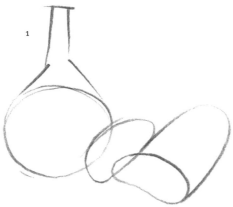

Auf Kleinigkeiten achten Hier sehen Sie aus der Nähe, wie sich das Glas im Wein spiegelt. Als Künstler müssen Ihnen solche Details auffallen, damit die Zeichnung glaubwürdig und spannend wird.

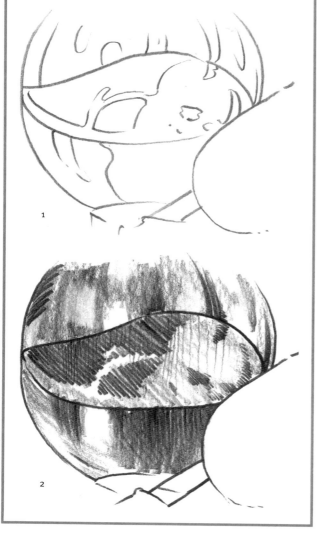

Vorzeichnen Sie zeichnen zunächst mit leichten Strichen den Grundriss der Flasche und des Brotes vor wie in Schritt 1, dann kommen der Henkel an der Flasche, der Umriss des Messers und des Brettchens wie in Schritt 2. Arbeiten Sie weiter an den Details wie in Schritt 3 und fügen Sie die ersten Linien für den Hintergrund ein.

Licht und Schatten Lassen Sie die Stellen für die Lichtreflexe von vornherein weiß. Fügen Sie dann die ersten Schraffuren mit gleichmäßigen Strichen ein – wie in Schritt 4 entweder diagonal oder senkrecht.

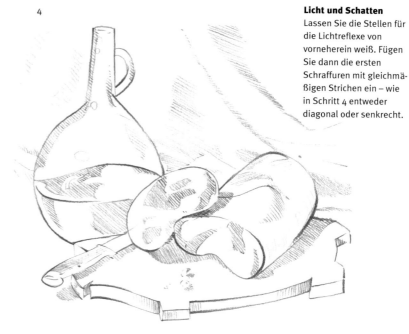

Die Form finden Um die unebene Oberfläche des Brotes darzustellen, setzen Sie Strukturen auf die Schnittflächen wie kleine Striche, Punkte oder Fleckchen. Für die Kruste nehmen Sie längere Striche, die so aussehen, als würden sie sich um das Brot herum dehnen. Unregelmäßige Winkel lassen die Brotkruste noch knuspriger aussehen.

Glas Damit Glas natürlich aussieht, durchscheinend wirkt und glänzt, gehen Sie einfach in drei Schritten vor. Zunächst zeichnen Sie, wie hier an Rand, Hals und Henkel der Flasche zu sehen ist, die Umrisse und alle Stellen, an denen sich das Licht spiegelt, sowie alle, an denen die Schatten am tiefsten sind. Dann schraffieren Sie den Rest und lassen die Stellen weiß, die glänzen sollen.

ZUM *Nachschlagen*

Der letzte Teil der Zeichenschule ist Spezialthemen gewidmet, die jeder gut brauchen kann, der sich eingehender mit der spannenden Kunst des Zeichnens beschäftigen möchte. Hier finden Sie nicht nur Tipps für einen mitreißenden Bildaufbau, sondern auch noch viel Wissenswertes über das Arbeiten mit Perspektiven, Oberflächen, zum Gestalten mit Licht und die Auswahl der besten Fotos als Vorlage.

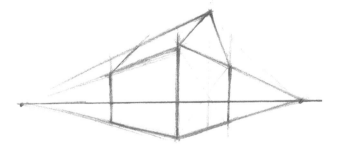

KOMPOSITION

Ein gutes Still beginnt mit der Vorbereitung, der bewussten Komposition der Bildelemente. Laut Lexikon ist die Komposition oder das Arrangement „der Vorgang, in dem Teile oder Elemente so zusammengestellt werden, dass sie ein neues Ganzes ergeben." Dieses Ziel erreichen Sie, indem Sie die Gegenstände, die Sie zeichnen wollen, zunächst so zusammenstellen, dass Sie mit der Gesamtwirkung zufrieden sind. Danach müssen Sie die Wirkung auf Papier übertragen.

Sehen Sie sich dazu die Beispiele des Bildaufbaus auf dieser Seite an. Hier wurden nicht nur die Objekte, sondern auch der Hintergrund, die Schatten und der freie Platz auf ideale Weise so arrangiert, dass attraktive und interessante Motive entstanden sind.

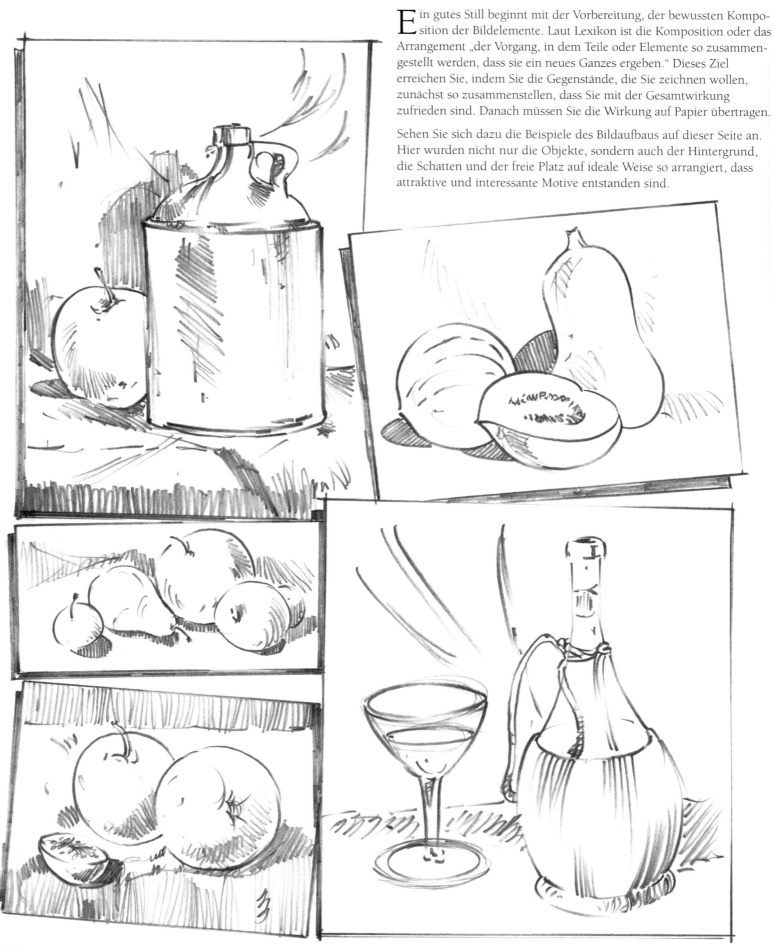

Der Gesamteindruck eines Bildes beruht immer auf dem Zusammenspiel der verschiedenen Formen und Linien. Achten Sie vor allem darauf, dass das Auge des Betrachters zum Bildmittelpunkt gelenkt wird, wie an diesen Beispielen aus der Natur gut zu erkennen ist.

Bei diesem Baum mit fächerförmiger Krone wird der Blick zum Stamm gelenkt.

Im quadratischen Bild unten formt das Zusammentreffen der Zweige, die aus unterschiedlichen Richtungen kommen, den Bildmittelpunkt. Dieser sollte allerdings nie in der Mitte des Blattes liegen! Im Hochformat rechts schaffen die geschwungenen Linien und Bögen den Rhythmus des Bildes.

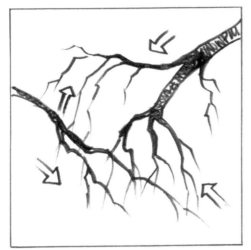

Im unteren Bild ist der große Baum im Vordergrund. Die harten Linien des Stammes werden durch das weiche Laub im oberen Bildteil abgemildert. Doch erst das Gebüsch im Hintergrund rechts macht das Bild ausgewogen.

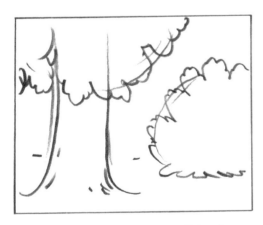

Die Landschaft oben zeigt, wie man ein Panorama aufbaut. Die großen Bäume rechts im Bild finden einen Ausgleich durch die Gruppen kleinerer Bäume. Durch die Positionierung der wichtigsten Bildelemente rechts und links wirkt die Mitte des Bildes sehr ruhig.

Hier sehen Sie, wie eindrucksvoll das Detail eines Baums sein kann. Das Motiv ist ausgewogen durch die unterschiedlichen Linien, die das Auge durchs Bild leiten.

Der große Baum im Vordergrund erhält durch die Berge, Wolken und weiter entfernten Bäume das nötige Gegengewicht.

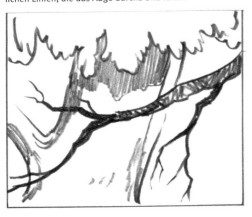

GRUNDWISSEN PERSPEKTIVE

An sich ist Zeichnen einfach: Man bringt die Umrisse und Formen, die man sieht, zu Papier. Bleiben Sie dabei angstfrei und locker – und wenn Sie einen Fehler entdecken, dann liegt es vermutlich daran, dass Sie eine der Regeln des perspektivisch richtigen Zeichnens nichts angewendet haben. Kein Bild muss so präzise sein, dass es geometrisch hundertprozentig richtig ist, aber je näher sie an die richtige Perspektive herankommt, desto wirklichkeitsnäher erscheint es.

Üben ist der einzige Weg, auf dem Sie Ihre Zeichenkünste und das Zusammenspiel zwischen Hand und Auge trainieren können. Am besten sehen Sie Ihre Fortschritte übrigens, wenn Sie jede Zeichnung in einem Skizzenbuch festhalten. Im Folgenden finden Sie einige Grundübungen zur Perspektive. Beginnen Sie mit der Ein-Punkt-Perspektive.

EIN-PUNKT-PERSPEKTIVE

Aus dieser Perspektive liegt die Seite einer Schachtel ganz nah am Betrachter und ist parallel zum Horizont auf Augenhöhe.

Horizontlinie

1. Zeichnen Sie eine waagrechte Linie, schreiben Sie „Augenhöhe" oder „Horizont" dazu und zeichnen Sie unterhalb der Linie die Seite einer Schachtel.

2. Ziehen Sie dann eine feine Linie von der rechten oberen Ecke des Rechtecks zu einem Punkt auf dem Horizont. Dort zeichnen Sie den Punkt größer ein und nennen ihn „FP (Fluchtpunkt). Alle seitlichen Linien treffen sich dort.

3. Nun ziehen Sie von der linken oberen Ecke eine feine Linie ebenfalls zum Fluchtpunkt. Mit einer waagrechten Linie zeichnen Sie – wie in der Abbildung – die hintere Kante der Schachtel.

4. Wenn Sie jetzt wie in der Abbildung zu sehen, alle Linien, die zur Schachtel gehören, verstärken, haben Sie eine Grundform aus perfekter Ein-Punkt-Perspektive. Nun können Sie ein Buch, eine Kiste oder ein Haus daraus machen.

ZWEI-PUNKT-PERSPEKTIVE

Bei einer Zwei-Punkt-Perspektive ist die Ecke der Schachtel nahe am Betrachter. Man braucht deshalb zwei Fluchtpunkte auf dem Horizont. In dieser Perspektive ist nichts parallel zum Horizont.

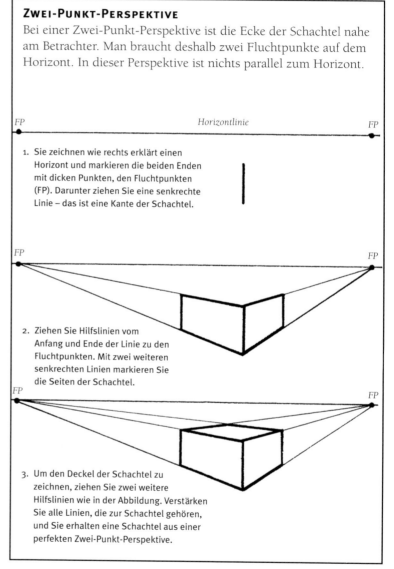

1. Sie zeichnen wie rechts erklärt einen Horizont und markieren die beiden Enden mit dicken Punkten, den Fluchtpunkten (FP). Darunter ziehen Sie eine senkrechte Linie – das ist eine Kante der Schachtel.

2. Ziehen Sie Hilfslinien vom Anfang und Ende der Linie zu den Fluchtpunkten. Mit zwei weiteren senkrechten Linien markieren Sie die Seiten der Schachtel.

3. Um den Deckel der Schachtel zu zeichnen, ziehen Sie zwei weitere Hilfslinien wie in der Abbildung. Verstärken Sie alle Linien, die zur Schachtel gehören, und Sie erhalten eine Schachtel aus einer perfekten Zwei-Punkt-Perspektive.

EIN DACH RICHTIG KONSTRUIEREN

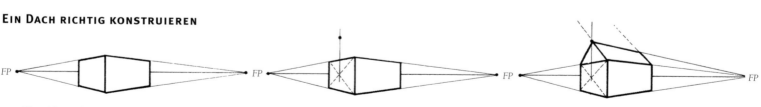

1. Sie zeichnen eine Schachtel aus der Zwei-Punkt-Perspektive.

2. Sie ziehen von Ecke zu Ecke zwei Hilfslinien, die sich in einem Punkt kreuzen. Von diesem Mittelpunkt aus zeichnen Sie eine Linie senkrecht nach oben und machen dort, wo der Dachfirst sein soll, einen Punkt.

3. Mithilfe des rechten Fluchtpunkts zeichnen Sie den Winkel, in dem das Dach aufliegt, dann den First markiert, der am markierten Punkt endet. Zeichnen Sie dann wie in der Abbildung das Ende des Dachs ein. Die abgewinkelten Hilfslinien des Daches führen zu einem dritten Fluchtpunkt, der sich irgendwo am Himmel über dem Haus befindet.

GRUNDFORMEN

Wer zeichnet, sollte vier geometrische Körper kennen: Würfel, Zylinder, Kegel und Kugel. Mithilfe dieser Grundformen können Sie selbst schwierige Motive auf einfache Weise beginnen.

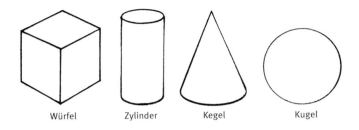

Würfel   Zylinder   Kegel   Kugel

KÖRPER SCHRAFFIEREN

Jeder Gegenstand erhält nur durch das richtige Schraffieren räumliche Tiefe. Durch die unterschiedlichen Grautöne entsteht der Eindruck von Tiefe und Gestalt. Unten sehen Sie einen Kegel, einen Zylinder und eine Kugel – einmal nur mit Strichen gezeichnet und darunter mit Schraffuren.

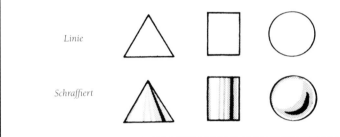

Linie

Schraffiert

OPTISCHE VERKÜRZUNG

Definiert ist die optische Verkürzung so: Man gibt die Linien eines Objektes kürzer wieder als sie in Wirklichkeit sind, damit das Objekt unter den Prinzipien der Perspektive optisch richtig aussieht. Hier sehen Sie einige Beispiele.

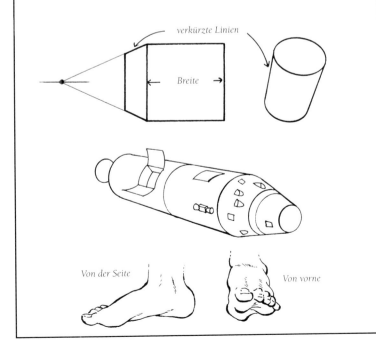

verkürzte Linien

Breite

Von der Seite   Von vorne

ELLIPSEN

Wenn man einen Kreis unter einem bestimmten Blickwinkel ansieht, nimmt er die Form einer sogenannten Ellipse an. Legt man eine Hilfslinie durch die längste Stelle der Ellipse, wo wird sie in zwei Teile geteilt. Eine Ellipse hat immer die Höhe des ursprünglichen Kreises. Unten sehen Sie die Ellipsen, die man sieht, wenn sich eine Münze dreht.

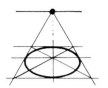

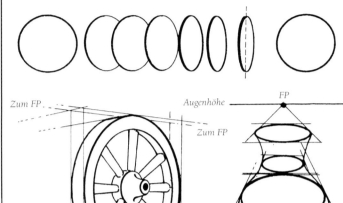

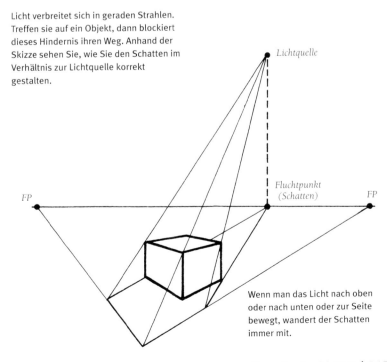

Zum FP   Augenhöhe   FP

Zum FP

Zum FP   Zum FP

Mithilfe der Fluchtpunkte werden die Ebenen einer Ellipse bestimmt.

SCHLAGSCHATTEN

Wenn es in einem Bild nur eine Lichtquelle gibt (z. B. die Sonne), dann hängen alle Schatten von ihr ab und alle Schatten gehen vom selben Punkt aus. Dieser Punkt liegt immer direkt unter der Lichtquelle. Schatten liegen immer auf derselben Ebene wie das Objekt, das sie wirft, und sie folgen der Struktur der Oberfläche, auf die sie fallen.

Licht verbreitet sich in geraden Strahlen. Treffen sie auf ein Objekt, dann blockiert dieses Hindernis ihren Weg. Anhand der Skizze sehen Sie, wie Sie den Schatten im Verhältnis zur Lichtquelle korrekt gestalten.

Lichtquelle

FP   Fluchtpunkt (Schatten)   FP

Wenn man das Licht nach oben oder nach unten oder zur Seite bewegt, wandert der Schatten immer mit.

WICHTIGE PERSPEKTIVEN

Schon wenig Wissen über das Arbeiten mit Perspektiven hilft Ihnen sehr dabei, Bilder von Landschaften oder Gebäuden eindrucksvoller und besonders anschaulich zu gestalten. Vor allem die sogenannte Lineare Perspektive ist leicht zu erlernen und überaus nützlich.

GRUNDBEGRIFFE

Einige Begriffe sind gerade für das Verständnis von Perspektiven in der Landschaft besonders wichtig.

- Die *Horizontlinie* ist ganz einfach die Linie, die sich auf Augenhöhe des Betrachters befindet. Bei Landschaftsbildern ist sie fast immer identisch mit dem gezeichneten Horizont.
- Unter dem *Fluchtpunkt* versteht man den Punkt, an dem sich zwei Linien, die in der Wirklichkeit zueinander parallel verlaufen,

treffen. Das mag theoretisch klingen, ist aber in Bildern schnell zu erkennen. Nehmen Sie den Weg, der sich im Bild rechts zum Farmhaus schlängelt. Sein Fluchtpunkt liegt neben der rückwärtigen Veranda.

- Auch die Schienen von Eisenbahngeleisen treffen sich optisch im Fluchtpunkt – sie sind das klassische Beispiel für eine *Ein-Punkt-Perspektive.*
- Mit zwei Fluchtpunkten arbeiten Sie dagegen, wenn Sie ein Gebäude von der Seite, zeichnen. Jede Seite hat dann ihren eigenen Fluchtpunkt – und diese liegen jeweils auf der linken sowie auf der rechten Seite des Gebäudes. Ein Beispiel für diese *Zwei-Punkt-Perspektive* sehen Sie unten in der kleinen Zeichnung.

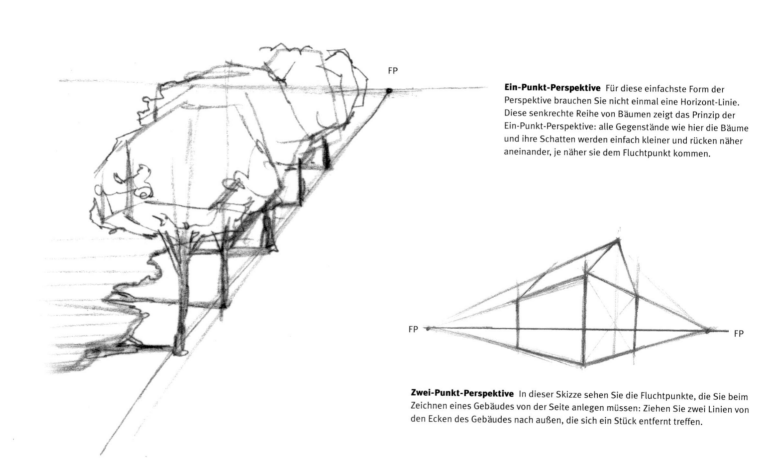

Ein-Punkt-Perspektive Für diese einfachste Form der Perspektive brauchen Sie nicht einmal eine Horizont-Linie. Diese senkrechte Reihe von Bäumen zeigt das Prinzip der Ein-Punkt-Perspektive: alle Gegenstände wie hier die Bäume und ihre Schatten werden einfach kleiner und rücken näher aneinander, je näher sie dem Fluchtpunkt kommen.

Zwei-Punkt-Perspektive In dieser Skizze sehen Sie die Fluchtpunkte, die Sie beim Zeichnen eines Gebäudes von der Seite anlegen müssen: Ziehen Sie zwei Linien von den Ecken des Gebäudes nach außen, die sich ein Stück entfernt treffen.

Techniken richtig anwenden Dieses Farmhaus irgendwo in den USA wurde vor Ort geskribbelt und später im Detail ausgearbeitet. Sie erkennen deutlich, dass der Zaun im Vordergrund und die Telefonleitung im Hintergrund rechts mit der Ein-Punkt-Perspektive angelegt sind. Das Gebäude selbst wurde in der Zwei-Punkt-Perspektive gezeichnet. Übrigens liegt der Fluchtpunkt des Zauns außerhalb des Blattes.

Entfernungen zeigen Dieser geschäftigen Straßenszene in einer amerikanischen Großstadt liegt die einfache Ein-Punkt-Perspektive zugrunde. Zusätzlich wurden jedoch noch andere Techniken angewendet: Manche Objekte überlappen sich, und im Hintergrund werfen die Wagendächer heller. So entsteht der Eindruck, dass das Verkehrschaos bis zum Horizont reicht ...

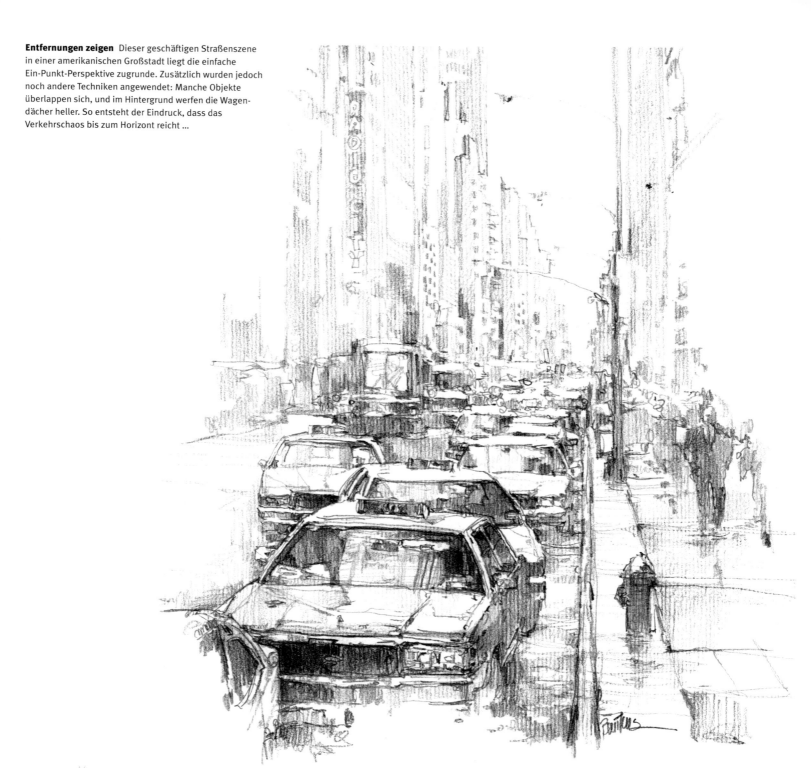

Skribbeln Sie viel Schon so ein rasch hingeskribbelter Entwurf zeigt ganz deutlich, ob Ihre Perspektive stimmt. Hier sieht es so aus, als stünde der Betrachter am Fenster eines oberen Stockwerks.

PERSPEKTIVE IN INNENRÄUMEN

Da es in Innenräumen keine echte Horizontlinie gibt, gestalten Sie die Zeichnung auf einen Punkt in Augenhöhe, den Sie selbst wählen, wie hier die Stuck-Rosette neben dem Vorhang. Von diesem Punkt als Fluchtpunkt bewegen sich alle Linien weg. Zusätzlich arbeiten Sie im Vordergrund mit dunkleren Grautönen und insgesamt mehr Schraffuren und Details. Aber nicht übertreiben, denn die Entfernung ist gering.

Den Grundriss aufbauen In diesem Bild ist das Gebäude im Vordergrund – daher muss es groß und prominent im Bild zu sehen sein. In Schritt 1 zeichnen Sie nur die wichtigsten Umrisse und Grundformen – je weniger Striche Sie verwenden, umso besser. Prüfen Sie genau, ob die Perspektiven stimmen, ehe Sie weiterarbeiten.

Formen geben Fangen Sie mit dem Schraffieren des Hintergrundes an (Bleistift in Härte 2B). Zeichnen Sie Striche in unterschiedlicher Richtung – achten Sie dabei auch auf kleinste Unterschiede in den Grautönen. Arbeiten Sie mit senkrechten Strichen an den Mauern, um einen Kontrast zur umliegenden Natur zu schaffen. Füllen Sie dann die Zwischenräume beim Wasserrad und beginnen Sie mit der Wasserleitung.

Im Hintergrund schraffieren Sie dort besonders dunkel, wo Sie den Blick hinlenken wollen.

Die Zeichnung ausarbeiten An einigen Stellen wirkt die Zeichnung unfertig, so als sei hier etwas nur schnell skizziert worden. Das macht das Bild sehr anziehend. Denken Sie an dieses Phänomen, wenn Sie an eigenen Landschaften arbeiten – nicht zu sehr im Details ausarbeiten!

MENSCHEN IM RAUM

Wenn Sie in einer Szene mehrere Menschen darstellen, müssen diese in der richtigen Perspektive angeordnet sein. Wie bei jedem anderen Motiv auch zeichnen Sie zunächst einen Fluchtpunkt (FP). Jede Figur, die Sie an diesem Grundaufbau ausrichten, ist perspektivisch richtig dargestellt.

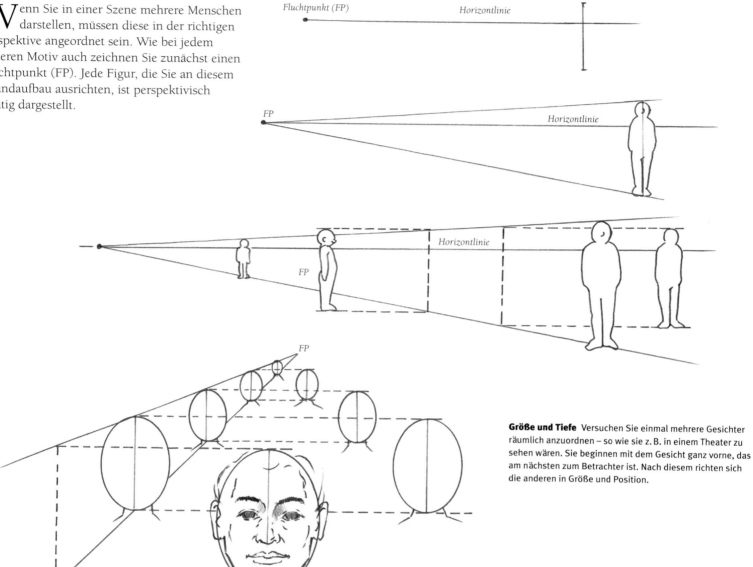

Größe und Tiefe Versuchen Sie einmal mehrere Gesichter räumlich anzuordnen – so wie sie z. B. in einem Theater zu sehen wären. Sie beginnen mit dem Gesicht ganz vorne, das am nächsten zum Betrachter ist. Nach diesem richten sich die anderen in Größe und Position.

Mit dieser Technik lassen sich auch ganze Personen sehr einfach abbilden. Im Diagramm rechts sehen Sie, wie alles auf den Fluchtpunkt im Hintergrund zustrebt. Natürlich können Sie in einem Bild auch mehrere Fluchtpunkte realisieren (▶ Seite 214 ff.).

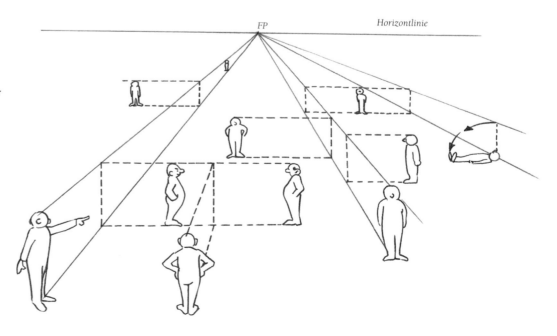

MOTIVE PLATZIEREN

Entscheidend ist, den Aufbau zu finden, der dem Motiv am besten entspricht. Sie dürfen z. B. den Mittelpunkt des Motivs nicht ins Zentrum des Blattes setzen. Sehen Sie sich die Augen des Mädchens unten an. Sie blicken jedes Mal in eine andere Richtung und führen so den Blick des Betrachters.

Zoom Wenn Sie eine ungewöhnliche Darstellungsform z. B. für ein Gesicht suchen, bietet sich das Zoomen an. Bei dieser Technik wird nur ein Ausschnitt übergroß zu Papier gebracht, und schon haben Sie ein auffallendes Bild.

Objekte kombinieren Zwischen unterschiedlichen Gegenständen auf einem (abstrakten) Bild schaffen verbindende Kreise oder Ellipsen einen starken Bezug.

Kurven und Schwünge Wenn Sie Harmonie und Balance in einem Bild darstellen wollen, bieten sich solche weichen Linien an. Zeichnen Sie einige Linien aufs Papier und lassen Sie sich von den entstehenden freien Räumen zur weiteren Gestaltung inspirieren.

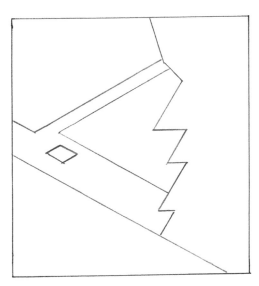

Scharfe Kanten Mit solchen scharfen Kanten gestalten Sie dramatische Spannung. Zeichnen Sie einfach einige gerade Linien, die spitz aufeinander zulaufen. Auch Zickzack-Linien verleihen jedem (abstrakten) Gemälde eine dynamische Ausstrahlung.

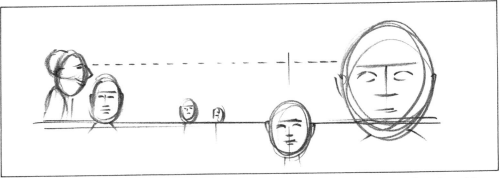

In den Beispielen oben und unten können Sie sehen, wie alleine die Haltung der Arme oder die Blickrichtung bzw. einige Führungslinien das Auge des Betrachters zu einem bestimmten Punkt leiten. Üben Sie zunächst mit diesen Beispielen, dann probieren Sie eigene Ideen aus.

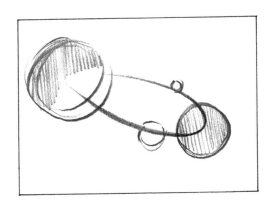

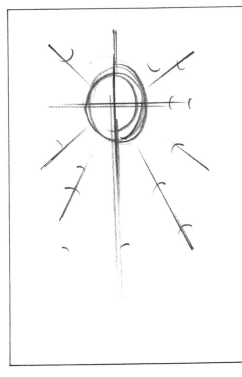

OPTISCHE VERKÜRZUNG

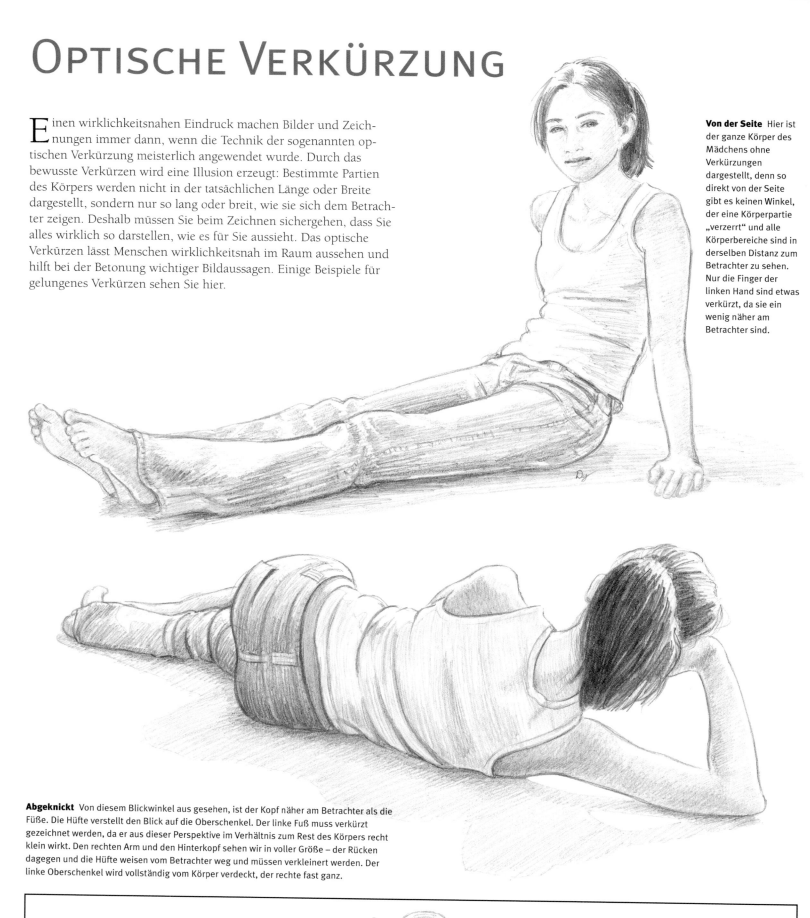

Einen wirklichkeitsnahen Eindruck machen Bilder und Zeichnungen immer dann, wenn die Technik der sogenannten optischen Verkürzung meisterlich angewendet wurde. Durch das bewusste Verkürzen wird eine Illusion erzeugt: Bestimmte Partien des Körpers werden nicht in der tatsächlichen Länge oder Breite dargestellt, sondern nur so lang oder breit, wie sie sich dem Betrachter zeigen. Deshalb müssen Sie beim Zeichnen sichergehen, dass Sie alles wirklich so darstellen, wie es für Sie aussieht. Das optische Verkürzen lässt Menschen wirklichkeitsnah im Raum aussehen und hilft bei der Betonung wichtiger Bildaussagen. Einige Beispiele für gelungenes Verkürzen sehen Sie hier.

Von der Seite Hier ist der ganze Körper des Mädchens ohne Verkürzungen dargestellt, denn so direkt von der Seite gibt es keinen Winkel, der eine Körperpartie „verzerrt" und alle Körperbereiche sind in derselben Distanz zum Betrachter zu sehen. Nur die Finger der linken Hand sind etwas verkürzt, da sie ein wenig näher am Betrachter sind.

Abgeknickt Von diesem Blickwinkel aus gesehen, ist der Kopf näher am Betrachter als die Füße. Die Hüfte verstellt den Blick auf die Oberschenkel. Der linke Fuß muss verkürzt gezeichnet werden, da er aus dieser Perspektive im Verhältnis zum Rest des Körpers recht klein wirkt. Den rechten Arm und den Hinterkopf sehen wir in voller Größe – der Rücken dagegen und die Hüfte weisen vom Betrachter weg und müssen verkleinert werden. Der linke Oberschenkel wird vollständig vom Körper verdeckt, der rechte fast ganz.

DIE FINGER

Auch für so kleine Objekte wie die Finger gelten die Regeln der Verkürzung: Nur das zeichnen, was Sie aus der jeweiligen Perspektive wirklich sehen können.

Blickwinkel In der Seitenansicht (A) erscheint die Fingerspitze wesentlich kleiner als der Knöchel. Von vorne gesehen (B) sind Knöchel und Fingerspitze gleich groß. In der Verkürzung sehen der Nagel und die Fingerspitze ziemlich eckig aus und der Nagel ist sehr kurz.

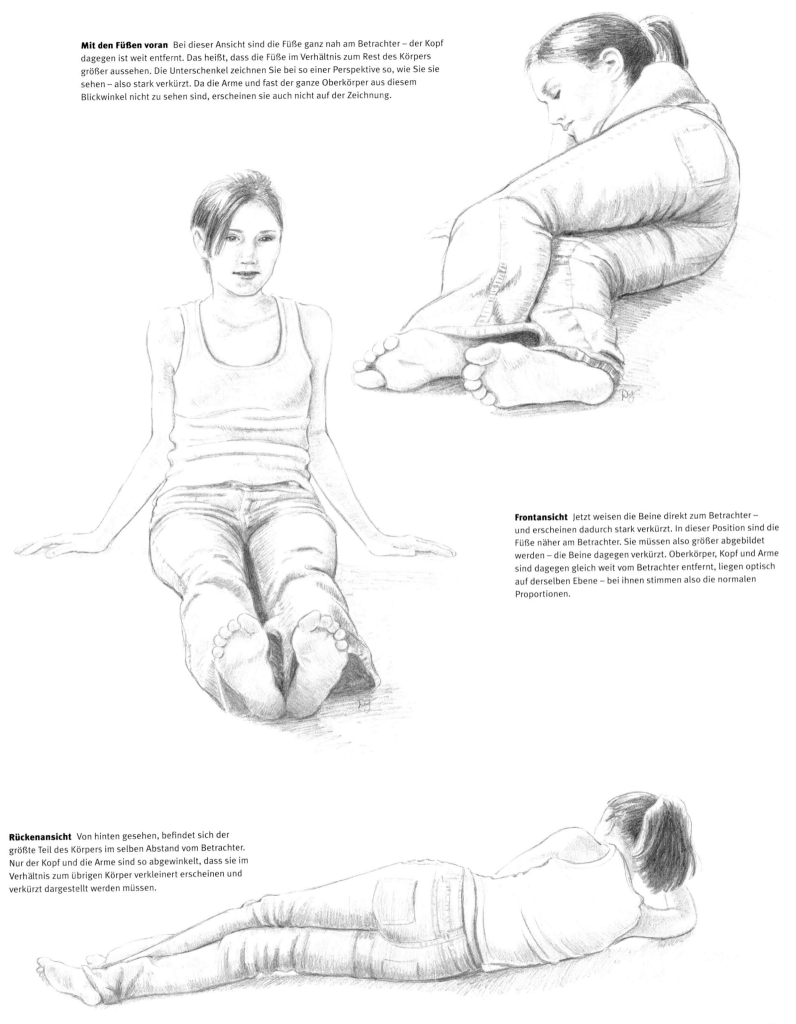

Mit den Füßen voran Bei dieser Ansicht sind die Füße ganz nah am Betrachter – der Kopf dagegen ist weit entfernt. Das heißt, dass die Füße im Verhältnis zum Rest des Körpers größer aussehen. Die Unterschenkel zeichnen Sie bei so einer Perspektive so, wie Sie sie sehen – also stark verkürzt. Da die Arme und fast der ganze Oberkörper aus diesem Blickwinkel nicht zu sehen sind, erscheinen sie auch nicht auf der Zeichnung.

Frontansicht Jetzt weisen die Beine direkt zum Betrachter – und erscheinen dadurch stark verkürzt. In dieser Position sind die Füße näher am Betrachter. Sie müssen also größer abgebildet werden – die Beine dagegen verkürzt. Oberkörper, Kopf und Arme sind dagegen gleich weit vom Betrachter entfernt, liegen optisch auf derselben Ebene – bei ihnen stimmen also die normalen Proportionen.

Rückenansicht Von hinten gesehen, befindet sich der größte Teil des Körpers im selben Abstand vom Betrachter. Nur der Kopf und die Arme sind so abgewinkelt, dass sie im Verhältnis zum übrigen Körper verkleinert erscheinen und verkürzt dargestellt werden müssen.

VERKÜRZUNG IM DETAIL

Das Hauptproblem beim verkürzten Zeichnen von Menschen ist, dass Menschen keine klaren geometrischen Formen haben. Man muss die Körperteile, die man verkürzt darstellen möchte, teilweise recht seltsam zeichnen, damit sie optisch richtig aussehen.

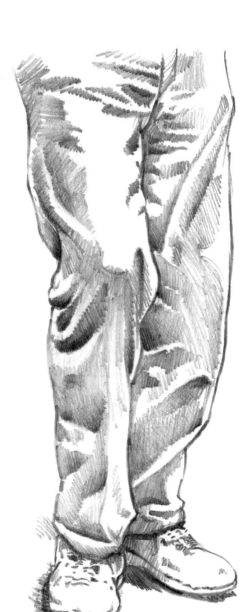

Der Arm, der hier neben der Tastatur auf dem Schreibtisch liegt, wirkt, sieht aus, als sei er verkümmert. Denken Sie immer daran: Die Körperteile, die nah am Betrachter sind, dürfen nur wenig schraffiert werden – und alles, was weiter weg ist, muss undeutlicher gezeigt werden.

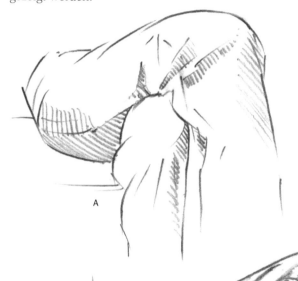

Beim Sitzen mit überkreuzten Beinen schraffieren Sie die Unterseite des rechten Oberschenkels am dunkelsten, da er am weitesten vom Betrachter entfernt ist. Wichtig ist, die Beine und die Falten der Hose korrekt vorzuzeichnen, ehe Sie mit den Schraffuren beginnen.

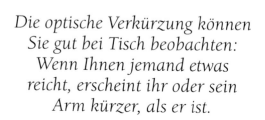

Die optische Verkürzung können Sie gut bei Tisch beobachten: Wenn Ihnen jemand etwas reicht, erscheint ihr oder sein Arm kürzer, als er ist.

EINE GUTE POSE

Nicht jedes Foto ist gut, und nicht jede Haltung oder Pose eines Menschen ist eine geeignete Vorlage für eine Zeichnung. Wichtig ist, dass die Haltung natürlich und ausgewogen ist. Es gibt bestimmte Bewegungen, die ein Bild zum Hingucker machen. Und andere, die steif oder langweilig wirken. Achten Sie darauf, dass Arme und Beine nicht in alle möglichen Richtungen weisen – es sei denn, Sie wollen einen Menschen in Bewegung zeigen (▶ Seite 174 ff.). Es ist besser, wenn Ihr Modell entspannt ist und seine oder ihre Haltung geschlossen wirkt. Im Idealfall zeigt sich in der gewählten Pose die Persönlichkeit oder man sieht etwas, das die Person interessiert. Machen Sie immer viele Fotos und wählen Sie nur das beste aus.

FOTOS AUSWÄHLEN

A

B

C

Tipps für die Auswahl Im Foto A hat der Junge zwar eine stabile und geschlossene Haltung, aber er wirkt steif und abweisend – so, als er würde er seine Persönlichkeit verstecken wollen. In Foto B ist seine Haltung zwar wesentlich entspannter, aber seine Arme und Beine wirken etwas verdreht und die ganze Haltung ist nicht richtig ausbalanciert. Dazu kommt noch, dass das Licht hinter ihm ausbricht. Foto C dagegen ist eine sehr gelungene Aufnahme dieses jungen Mannes. Er fühlt sich wohl, Hände und Füße sind in einer guten und natürlichen Haltung. Die Drehung des Kopfes um 90° bringt angenehme Spannung ins Bild und macht die Pose interessanter. Nur das Licht ist nicht optimal. Trotzdem ist dieses Foto die beste Vorlage von allen.

1 Mit einem Bleistift in Härte HB zeichnen Sie die Grundformen. Den Kopf positionieren Sie über dem Körper – orientieren Sie sich dabei an einer senkrechten Hilfslinie wie in Schritt 1. Deuten Sie die Formen von Armen und Beinen an, aber achten Sie darauf, die Position genau zu treffen. Dass es sich um eine Dreiviertelansicht des Gesichts handelt, sehen Sie an der senkrechten Linie, die den Kopf in ungleiche Hälften teilt. Zeichnen Sie dann die waagrechten Linien ein, die Sie für die Gesichtszüge brauchen. Dann folgen noch die groben Umrisse der Schuhe, der Saum der Shorts und die Ärmel des T-Shirts.

3 Bevor Sie weiter ins Detail gehen, sollten alle Proportionen stimmen. Radieren Sie dann alle Hilfslinien aus. Mit einem Bleistift in Härte B arbeiten Sie das Haar und die Gesichtszüge feiner aus. Dann werden die Finger und die Fingernägel detaillierter dargestellt – ebenso die Arme, Beine und die Kleidung. Radieren Sie alle Linien, die Sie dabei nicht mehr brauchen, vorsichtig mit einem Knetradiergummi aus. Da in der Originalfotografie die Schnürsenkel etwas komisch aussehen, „biegen" Sie sie etwas gerade.

2 Nun wird es schon genauer. Als Erstes setzen Sie die ersten Linien der Gesichtszüge auf die Hilfslinien. Lassen Sie sich dabei nicht von Ihrer Erinnerung leiten, sondern sehen Sie immer wieder auf das Foto, nach dem Sie zeichnen, um eine möglichst große Ähnlichkeit zu erzielen. So kommt es bei diesem Bild eines Jungen darauf an, seine hohe Stirn und die weit auseinanderstehenden Augen zu zeigen. Umreißen Sie dann noch das Haar und geben Sie der Kleidung erste Falten. Zeichnen Sie zum Schluss die Finger der linken Hand und den rechten Ellbogen und verfeinern Sie die Details an den Schuhen – die Schnürsenkel nicht vergessen!

4 Das Haar zeichnen Sie mit einem Bleistift in Härte 2B in der natürlichen Wuchsrichtung – an den Stellen, an denen Lichtreflexe im Haar sind, lassen Sie das Papier einfach weiß. Die entsprechenden Stellen um die Augen, auf den Wangen, unterhalb der Lippen und den Hals schraffieren Sie etwas dunkler. Für Augenbrauen und Wimpern nehmen Sie einen sehr spitzen feinen Bleistift. Bestimmte Bereiche der Beine, die Fingerspitzen, die Arme und andere Stellen, die auf dem Foto im Schatten liegen, werden ebenfalls dunkler. In diesem Arbeitsschritt gestalten Sie gleichzeitig die Form von Armen und Beinen mit (▶ Kasten rechts). Beim Schraffieren der Kleidung an die Falten im Stoff denken!

5 Nehmen Sie nun einen gut gespitzten Bleistift in Härte 2B zur Hand, um mit leichten Strichen das Gesicht zu gestalten. Die Stellen, die im direkten Sonnenlicht liegen, wie der Punkt auf der Nasenspitze und einige Stellen auf den Wangen, bleiben weiß. Um die zarten jugendlichen Gesichtszüge am besten wiederzugeben, sollten Sie die Formen behutsam ausarbeiten und die Richtung der Striche öfter einmal wechseln. Der rechte Arm bleibt oben weiß, da er direkt im Licht liegt. Sonnenschein fällt auch am Rücken auf das T-Shirt sowie auf einige Falten der Kleidung – hier bleibt das Papier ebenfalls weiß. Mit einem Bleistift in Härte 3B zeichnen Sie zuerst die dunkelsten Stellen im Haar und auf der Kleidung, ehe Sie wieder den Stift Härte 2B zur Hand nehmen. Zum Schluss zeichnen Sie die Schuhe fertig, ohne zu sehr ins Detail zu gehen. Nun deuten Sie mit einigen Grashalmen, Blättern und kleinen Schatten den Boden an, auf dem der Junge Platz genommen hat.

KÖRPER GESTALTEN

Nur durch unterschiedliche Grautöne – vom tiefsten Schiefergrau bis hin zu weißen Stellen auf dem Papier - werden mit dem Bleistift die Formen des Körpers gestaltet. Arme und Beine sowie andere zylindrische Grundformen (▶ Seite 16) zeichnen Sie mit geschwungenen Strichen, mit denen Sie die natürlichen Körperformen abbilden. Im nebenstehenden Beispiel mit der übertriebenen Darstellung der Striche können Sie das Prinzip der wechselnden Linienführung gut erkennen.

LICHT UND SCHATTEN

Vor allem wenn man Menschen abbildet, ist einer der wichtigsten Aspekte beim Zeichnen das Arbeiten mit Licht. Licht kann die Wirkung eines Menschen sehr dramatisch gestalten und im Betrachter eine Reihe von Emotionen auslösen. Sanftes Licht verströmt Ruhe. Es lässt Gegenstände hell und etwas sonnig erscheinen, und wir neigen dazu, die Stimmung von Menschen, die von ruhigem Licht umgeben sind, als heiter oder gar fröhlich zu empfinden. Kräftigere Striche dagegen betonen den Kontrast zwischen Hell und Dunkel, lassen die Details scharf hervortreten und wirken immer ausgesprochen dramatisch. Längere Schatten tauchen jedes Bild in größere Düsternis - Menschen wirken mit längeren Schatten bedrückt. Im Beispiel auf dieser Seite liegen deutliche Schatten auf dem Gesicht, und so erscheint das Lächeln eher nachdenklich statt heiter.

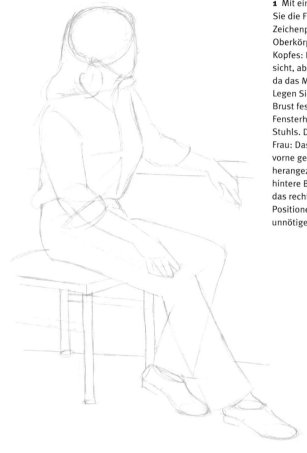

1 Mit einem Bleistift in Härte HB umreißen Sie die Figur der Frau auf feinem weißem Zeichenpapier. Beginnen Sie mit dem Oberkörper und mit den Umrissen des Kopfes: Der Körper ist eine Dreiviertelansicht, aber das Gesicht erscheint im Profil, da das Modell aus dem Fenster sieht. Legen Sie die Positionen von Schulter und Brust fest; zeichnen Sie den unteren Fensterholm, beide Arme und den Sitz des Stuhls. Dann erst folgen die Beine der Frau: Das rechte Bein hat sie ganz nach vorne gestreckt, das linke zu sich herangezogen. Deuten Sie das linke, hintere Bein nur an, aber zeichnen Sie das rechte Bein ganz durch, damit die Positionen richtig sind. Radieren Sie alle unnötigen Hilfslinien aus.

3 Mit nur wenig Druck zeichnen Sie nun die ersten Schatten im Gesicht, am Hals, an den Armen und am Handrücken. An diese ersten Stellen lehnen Sie später die gesamte Ausarbeitung der Schatten an. Sehen Sie sich auch die Fotografie an, die als Vorlage dient, um die hellsten Stellen auf den Jeans und auf der Bluse zu definieren, denn diese Partien bleiben ganz weiß. Das Haar erhält erste Schraffuren, die dem Fall der Strähnen folgen. Der Stuhl wird nur vorne schraffiert.

2 Nehmen Sie nun einen Bleistift in Härte B und verfeinern Sie die Darstellung des Kopfs – dabei immer die unnötigen Hilfslinien ausradieren. Arbeiten Sie auch an der Bluse und an den Jeans. Hier müssen Sie z. B. Säume und Nähte gestalten. Auch die Rückenlehne des Stuhls sowie den ganzen übrigen Stuhl können Sie jetzt ebenso zeichnen wie die Hände und die Form der Sandalen. In diesem Schritt ist es zunächst nur wichtig, die Gesamterscheinung der Frau richtig einzufangen. Schraffuren und Stimmungen folgen anschließend.

Helles Tageslicht Die Frau sitzt vor einem bodentiefen Fenster. Deshalb fällt helles Sonnenlicht von der Seite und von vorne auf das Modell. Dieses sehr helle Licht macht das Motiv interessant, weil es helle Partien ebenso entstehen lässt wie tiefe dunkle Schatten.

5 Für die letzten Details nehmen Sie einen gut gespitzten Bleistift in Härte B. Mit ihm akzentuieren Sie das Haar und die Streifen der Bluse. Die Jeans werden der Form der Beine folgend weiter ausgearbeitet. Um das Gesicht zu vollenden, nehmen Sie nur die äußerste Spitze eines Stifts und legen eine weitere Schicht zarter Schraffuren auf die Haut. Licht, das von der Bluse reflektiert wird, beleuchtet den Kiefer. Solche Lichtreflexe sehen Sie auch auf ihren Armen und Fingern. Schraffieren Sie die Unterarme behutsam, um ihre Form zu zeigen. Nun folgt der übrige Stuhl, auch hier lassen Sie die hellsten Stellen weiß. Da dieses Porträt eine Frau in hellem Sonnenschein zeigt, bleiben relativ viele Stellen auf dem Bild weiß – wie z. B. das rechte Knie oder die Kehle. In einem anderen Licht wäre das Porträt viel weniger intensiv. Zum Schluss arbeiten Sie am Flechtwerk der Schuhe und an den Schatten, die der Stuhl und die sitzende Frau werfen. Nehmen Sie klassische diagonale Schraffuren (▶ Seite 10) und zeigen Sie den Verlauf des Schattens, der nach hinten weist.

4 Gestalten Sie das Gesicht mit leichten Strichen, lassen Sie nur die Stellen frei, an denen das Licht am hellsten ist. Radieren Sie alle Hilfslinien aus, die Sie fürs Schraffieren eingezeichnet haben. Machen Sie mit den Streifen auf der Bluse weiter und folgen Sie den Falten und Kurven des Stoffs. Lassen Sie auch hier die hellsten Stellen weiß. Nachdem Sie noch die ersten Details der Schuhe festgehalten haben, nehmen Sie einen Bleistift Stärke 2B und zeichnen die ersten auffallenden Schatten an der Innenseite des linken Beins und im Haar ein. Skizzieren Sie dann die Umrisse des Schattens auf dem Boden. Sehen Sie sich nochmals die Lichtpunkte und die Schatten in der Fotovorlage an. Mit den Schatten am Rücken und auf den Beinen des Stuhls beenden Sie diesen Arbeitsschritt.

OBERFLÄCHEN 1

V erschiedene Oberflächen sind ein großes Vergnügen: Sie zeichnen jede in einer anderen Technik und bringen sofort spannende Momente in jedes Bild. Testen Sie einmal Ihre Beobachtungsgabe: Erkennen Sie die unterschiedlichen Eigenschaften von Oberflächen? Hat der Gegenstand, den Sie ansehen, eine raue oder eine glatte Oberfläche, ist sie hell oder dunkel, reflektiert sie das Licht? Wenn Sie sich sicher sind, versuchen Sie Ihre Beobachtungen in einem Bild darzustellen. Ein Haus mit verputzten Mauern wirkt deshalb völlig anders als eines mit einer Backsteinfassade oder mit Holzpaneelen, weil diese so unterschiedliche Oberflächen haben. Selbst ein Stück Brot, das abgebrochen wurde, sieht gänzlich anders aus als eines, das jemand mit dem Messer abgeschnitten hat. Andere Oberflächen wie einen Baumstumpf oder einen Felsen können Sie nur durch die Kombination mehrerer Techniken naturgetreu zeichnen – weiche, verwischte Partien und Striche wechseln sich bei beiden ab.

Anhand einer solchen Skizze können Sie ganz schnell erkennen, ob das Still als Ganzes „funktioniert".

Eine der besten Übungen zum Zeichnen von Oberflächen ist ein Stillleben aus Gegenständen mit sehr unterschiedlichen Oberflächen. Suchen Sie in Ihrem Haushalt unterschiedlichste Dinge zusammen und arrangieren Sie sie zu einem dynamischen Ganzen. Für dieses Beispiel wurden Holz, Glas, Silber, Stoff, Flüssiges und Porzellan gewählt. Während Sie mit dem Motiv auf Seite 231 arbeiten, können Sie sich immer wieder in Ruhe die Ausschnitte auf dieser Seite ansehen, an denen Sie die Details in der Vergrößerung erkennen.

Krümel Die Oberfläche des Hefestückchens besteht aus langen geraden Strichen, damit sie glatt erscheint. Das abgebrochene Stückchen wird mit kurzen, engen Strichen in unterschiedlich dunklen Grautönen schraffiert. Die Rosinen bestehen aus kleinen, sehr dichten Strichen, die mit einem Bleistift in Härte HB gesetzt wurden.

Glas Durchsichtiges, reines Glas zeichnet man am besten gar nicht! Stattdessen gestaltet man hellere und dunklere Partien – und vor allem die Flüssigkeit im Glas. Mit der Seite und der Spitze eines Bleistifts Härte HB und unterschiedlichen Grautönen wurde das Getränk gezeichnet. Achten Sie auf den Glasrand, der die Flüssigkeit trennt.

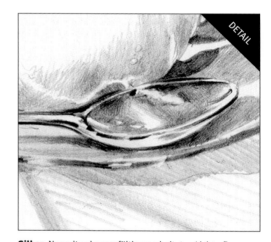

Silber Nur mit sehr sorgfältig gearbeiteten Lichtreflexen entsteht die Illusion von Metall. Wichtig ist hier, auf die Details zu achten: So umgeben den glänzenden Silberlöffel einerseits dunkle Umrisse, andererseits wirft er Lichtreflexe auf die Porzellantasse. Nehmen Sie einen Bleistift in Härte HB und einen Papierwischer, wenn er zu dunkel wird.

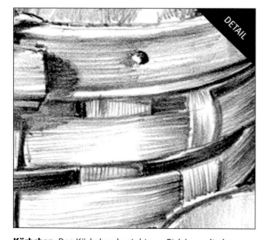

Körbchen Das Körbchen besteht aus Strichen mit einem spitzen Bleistift in Härte HB. Zeichnen Sie waagrechte Striche für die waagrechten Bänder und senkrechte Striche für die senkrechten. Zu Anfang und Ende einer Flechte sind die Striche dicht und dunkel – sie werden zur Mitte hin heller und leichter, und an einer Stelle bleibt die Mitte weiß.

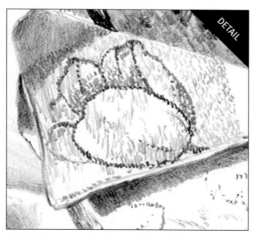

Stoff Mit kurzen senkrechten Strichen geben Sie das Webmuster des Stoffes wieder. Nehmen Sie am besten einen Bleistift in Härte HB mit einer stumpfen Spitze. In derselben Art und Weise arbeiten Sie auch bei den Schlagschatten, nur sind die Striche hier fester und stehen näher zusammen. Das Blumendesign zeichnen Sie mit unterschiedlichen Strichen.

Kaffee Obwohl Kaffee fast schwarz ist, reflektiert er doch an seiner Oberfläche das Licht vom Rand der Tasse. Auch die Oberfläche selbst weist unterschiedliche Grautöne auf. Zeichnen Sie die unterschiedlichen Grautöne und nehmen Sie erst zum Schluss einen Knetgummi und radieren Sie die Lichtreflexe im Kaffee aus.

3 Erst nachdem die Objekte komplett mit allen Grautönen gezeichnet waren, wurden die Lichtreflexe nachträglich mit dem Radiergummi gesetzt und die dunkelsten Partien mit Bleistiften Härte 2B und 4B akzentuiert.

1 Zunächst werden nur die groben Umrisse der Objekte mit einem Bleistift in Härte HB skizziert. Danach zeichnen Sie mit sehr leichten, feinen Strichen die genauen Umrisse. Für diesen Schritt brauchen Sie viel Zeit und Aufmerksamkeit, denn nur wenn jetzt schon alle Proportionen, die einzelnen Gegenstände in sich und das Ganze stimmen, wird das Still harmonisch. Das Tischtuch wurde nur angedeutet, da es später mit Schraffuren ausgearbeitet wird.

2 Anschließend gestalten Sie Objekt für Objekt in der jeweils am besten passenden Technik (▶ Seite 230). Verwenden Sie zunächst einen Bleistift in Härte HB für die hellsten Grautöne, nehmen Sie erst anschließend die Härten 2B und 4B zur Hand. Nehmen Sie sich immer nur einen Gegenstand nach dem anderen vor, sonst verwirrt die Vielzahl der Details.

OBERFLÄCHEN 2

Je besser Sie die Oberflächen von Gegenständen und Pflanzen
zeichnen können, desto realistischer und interessanter werden Ihre
Bilder. Zudem macht es einfach Spaß, die Vielfalt unterschiedlicher
Oberflächen kennenzulernen und etwa dem Charakter von schim-
merndem Metall oder rauen Baumrinden mit dem Stift nachzuspüren.

DIE PASSENDE TECHNIK FINDEN

Das Erste, was Sie zur Gestaltung von Oberflächen brauchen, ist eine
Einschätzung, womit Sie es zu tun haben. Für das Zeichnen schim-
mernder Flächen wie bei Metall oder Glas greifen Sie zu Ihren
härteren Stiften und zu weichem Papier. Denn diese Oberflächen
reflektieren viel Licht, die Reflexe sind scharf definiert und Sie
müssen Ihre Striche gut kontrollieren können. Um unregelmäßige
natürliche Oberflächen wie Baumrinde zu zeichnen, nehmen Sie
dagegen am besten eine Auswahl an harten und weichen Stiften
sowie Papier mit gröberer Struktur, das knorrigen Ästen und Zweigen
und jedem wettergegerbten Stamm zusätzliches Profil verleiht.

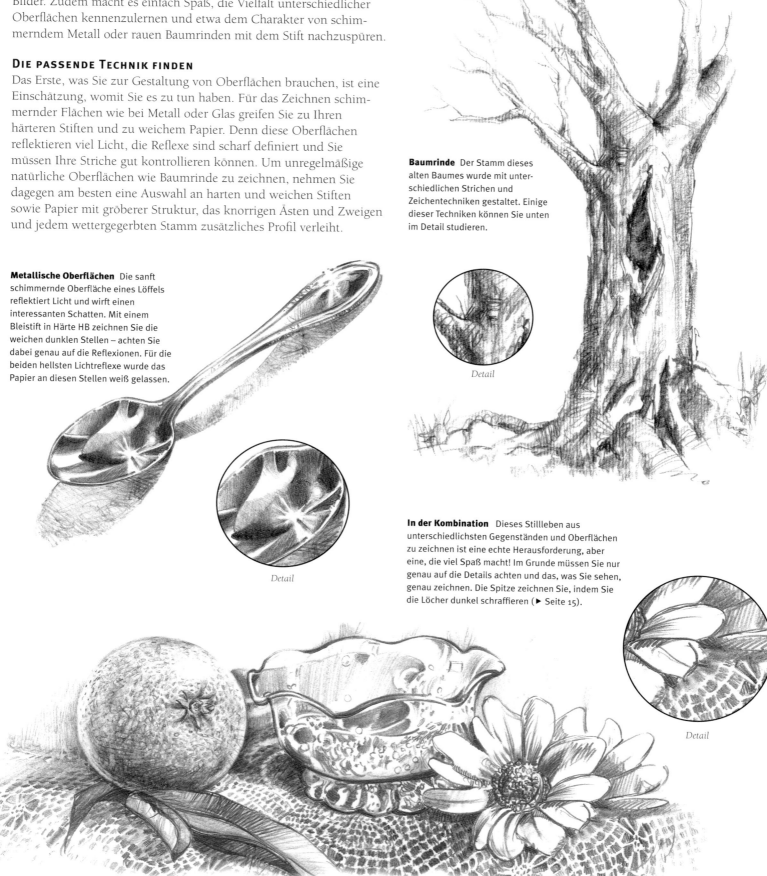

Metallische Oberflächen Die sanft
schimmernde Oberfläche eines Löffels
reflektiert Licht und wirft einen
interessanten Schatten. Mit einem
Bleistift in Härte HB zeichnen Sie die
weichen dunklen Stellen – achten Sie
dabei genau auf die Reflexionen. Für die
beiden hellsten Lichtreflexe wurde das
Papier an diesen Stellen weiß gelassen.

Detail

Baumrinde Der Stamm dieses
alten Baumes wurde mit unterschiedlichen Strichen und
Zeichentechniken gestaltet. Einige
dieser Techniken können Sie unten
im Detail studieren.

Detail

In der Kombination Dieses Stillleben aus
unterschiedlichsten Gegenständen und Oberflächen
zu zeichnen ist eine echte Herausforderung, aber
eine, die viel Spaß macht! Im Grunde müssen Sie nur
genau auf die Details achten und das, was Sie sehen,
genau zeichnen. Die Spitze zeichnen Sie, indem Sie
die Löcher dunkel schraffieren (▶ Seite 15).

Detail

Schimmerndes Metall Am glänzenden Blech dieses Oldtimers lassen sich alle spiegelnden Oberflächen hervorragend üben. Um die schimmernden Stellen als einfache Formen zu erkennen, müssen Sie die Augen etwas zusammenkneifen und die Umrisse so einzeichnen, wie Sie sie sehen. Danach schraffieren Sie die mittleren und die dunkleren Bereiche. Die fast schwarzen Stellen kommen zum Schluss, und für die Details des Wagens nehmen Sie einen sehr spitzen Bleistift in Härte HB.

Tipp

Alle Fahrzeuge sind technische Objekte und verlangen ein entsprechendes Herangehen. Nehmen Sie für die feinen Details einen Stenostift. So erhält Ihre Zeichnung genau den richtigen Charakter.

STRUKTUREN SAMMELN

Eine Vielzahl von Oberflächen befindet sich direkt unter Ihren Augen. In jedem Haushalt sammeln sich Gegenstände unterschiedlichster Struktur. Blätter aus dem Garten, zerknitterte Alufolie, Reis, Fliegengitter usw. lassen sich wunderbar studieren und bei Gelegenheit liefern sie interessante Hintergründe.

Nehmen Sie ein dünnes Blatt Papier und rubbeln Sie die Struktur mit dem Bleistift durch. Mit dem Radiergummi, mit Wachsmalkreide oder mit den Fingern können Sie über die Flächen reiben oder rubbeln und sie weiter verändern. Experimentieren Sie auch mit strukturiertem Papier – so entstehen die interessantesten Effekte.

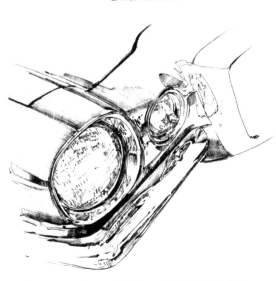

Details Diese gebogene Stoßstange, die Lichter und der Kotflügel sind eine faszinierende Detailstudie. Achten Sie bei solchen Zeichnungen ganz besonders genau auf alle Details, auf die Reflexe im Metall und auf die Formen.

Momentaufnahmen

Da man auf Reisen oft besonders interessante Motive findet, hat es sich bewährt, immer und überall eine Kamera dabeizuhaben. Wenn die Zeit nicht ausreicht, um ein Skribble anzufertigen, ist ein Foto eine wertvolle Erinnerung. Nehmen Sie Landschaften, Gebäude oder Details auch einmal aus ungewöhnlichen Blickwinkeln auf. Zuhause können Sie die Aufnahmen so lange aufheben, bis Sie sie für eine Zeichnung brauchen.

MOTIVE FINDEN

Nicht immer ist das eigene Auge das beste. Deshalb lohnt es sich immer, auch nach Postkarten oder Reiseführern Ausschau zu halten, in denen die Orte, die Sie besuchen, fotografiert sind. Nur beim Zeichnen müssen Sie ehrlich sein: Sie dürfen die Aufnahmen anderer zwar als Inspiration verwenden, aber nie als direkte Vorlage für ein Bild, da Sie sonst das Urheberrecht verletzen würden. Ihr erklärtes Ziel sollte es sein, unverwechselbare Originale zu schaffen!

Fotos als Vorlage Ein Foto muss nicht perfekt sein! In diesem Foto sind nur die Palmen und die Wolken gut zu sehen. Sie sind aber eine wertvolle Vorlage für die Zeichnung unten.

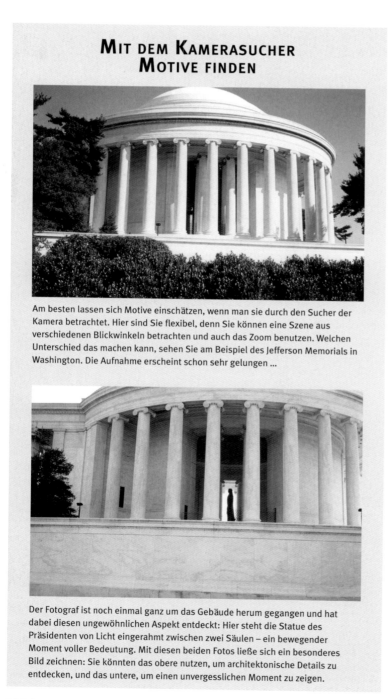

MIT DEM KAMERASUCHER MOTIVE FINDEN

Am besten lassen sich Motive einschätzen, wenn man sie durch den Sucher der Kamera betrachtet. Hier sind Sie flexibel, denn Sie können eine Szene aus verschiedenen Blickwinkeln betrachten und auch das Zoom benutzen. Welchen Unterschied das machen kann, sehen Sie am Beispiel des Jefferson Memorials in Washington. Die Aufnahme erscheint schon sehr gelungen ...

Der Fotograf ist noch einmal ganz um das Gebäude herum gegangen und hat dabei diesen ungewöhnlichen Aspekt entdeckt: Hier steht die Statue des Präsidenten von Licht eingerahmt zwischen zwei Säulen – ein bewegender Moment voller Bedeutung. Mit diesen beiden Fotos ließe sich ein besonderes Bild zeichnen: Sie könnten das obere nutzen, um architektonische Details zu entdecken, und das untere, um einen unvergesslichen Moment zu zeigen.

1 Für diesen Sonnenuntergang zeichnen Sie zunächst nur die Umrisse der Küste mit einem Bleistift in Härte HB vor. Wichtig: Sehen Sie, dass die Horizontlinie etwas unterhalb der Bildmitte liegt?

2 Nach und nach gestalten Sie dann die Umrisse aller Objekte aus – versuchen Sie dabei die Linien möglichst hell und leicht zu halten. Wichtig in diesem Schritt ist, dass alle Elemente in der richtigen Perspektive und Proportion getroffen wurden.

5 Mit der Spitze und der Seite eines Bleistifts Härte 2B wurden zum Schluss die unterschiedlichen Schatten gestaltet. Machen Sie nicht zu viel am Horizont – er soll hell und leicht wirken, um in weiter Entfernung zu erscheinen.

3 Mit der Seite eines Bleistifts Härte HB zeichnen Sie nun in nahezu immer selben Grauton und mit möglichst gleichem Winkel die Wolken am Himmel ein. Dann erst folgt das Wasser.

4 Jetzt kommen die ersten Details. Achten Sie beim Schraffieren darauf, dass die Strich-richtung der Richtung der Wasseroberfläche und der Felsen folgt.

EXPERIMENTE

Zeichnen ist eine sehr kreative Tätigkeit, und das Experimentieren mit neuen Materialien ist eines der besten Mittel, um die Fantasie anzuregen. Sehen Sie sich die Abbildungen auf dieser Doppelseite an. Sie erhalten einen kleinen Eindruck davon, was man mit herkömmlichen Bleistiften und Buntstiften, mit Tinte oder mit Tusche, aber auch mit Kohle und mit Kreidestiften alles darstellen kann. Doch diese Zeichnungen sollen Sie nur dazu anregen, selbst immer neue Wege zu gehen.

TIERE ZEICHNEN

Tiere sind nicht nur faszinierende Lebewesen mit unterschiedlichem Charakter – jedes ist auch auf seine ganz eigene Weise schön. Es gibt zierliche und winzige Wesen, aber auch Kolosse und machtvolle Raubtiere. Ihre Federn, ihr Fell, ihre Schuppen, Schnurrbarthaare usw. stellen für einen Zeichner teilweise große Herausforderungen dar. Versuchen Sie einmal selbst, das struppige Fell eines jungen Kojoten oder die Mähne eines erwachsenen Löwen, die Zickzack-Streifen eines Zebras oder die auffallende Schwarz-Weiß-Zeichnung eines Pandas möglichst ausdrucksvoll abzubilden.

Conté-Kreide oder Aquarellfarbstift Mit den Pastell-Kreiden lässt sich z. B. das raue Fell dieses jungen Kojoten besonders gut darstellen. Mit lockeren Strichen wird das längere Haar gezeichnet. Dann tragen Sie Farbe rund um das Auge und im Gesicht auf und verwischen sie etwas. Nehmen Sie dafür einfach Ihre Finger und einen weichen Pinsel und wenig Wasser: Sie können auch mit einer weißen Kreide über die schwarze gehen.

Tusche Mit Tusche und Wasser können Sie solche lebhaften Tierzeichnungen anfertigen. Je nachdem, mit wie viel Wasser Sie die Tusche verdünnen, erzielen Sie mehr oder weniger Dichte. Der Panda wurde zunächst mit stark verdünnter Tusche und der Seite des Pinsels vorgezeichnet. Danach lassen sich die dunkleren Partien gut mit weniger verdünnter Tusche und einem kleinen Rundpinsel ausarbeiten.

Buntstifte Dieser Tigerkopf wurde mit einer schwarzen Wachsmalkreide gezeichnet. Arbeiten Sie am besten mit der Seite der Kreide, die Sie in der lockeren Position halten, damit die dunklen Stellen des Fells so weich aussehen wie hier. Papierwischer sind für Wachsmalkreiden nicht gut geeignet – deshalb wurde nur an den Augen sehr vorsichtig verwischt.

Tipp
Reisen Sie viel, seien Sie neugierig und sammeln Sie wichtige Momente Ihres Lebens. So wächst Ihr Reichtum an inneren Bildern unaufhörlich.

Sanfte Übergänge Mit Kohlestiften entstand das beeindruckende Porträt eines Mähnenlöwen. Kohle macht es möglich, die starken Effekte in der Mähne und im Gesicht zielsicher zu gestalten. Das Tüpfelchen auf dem i sind die hellen grauen Stellen an den Wangen. Sie wurden nachträglich mit einer weißen Zeichenkreide über die Kohle gelegt.

Tuschefüller Die Besonderheit des Tuschefüllers sind die identischen Striche. Durch die spezielle Bauart des Füllers werden alle Striche gleich stark. Wenn Sie allerdings schnelle parallele Striche zeichnen, können Sie den optischen Eindruck bestimmen: Je enger nebeneinander die Striche stehen, desto dunkler wirken die Haarpartien. Zum Zeichnen einzelner Haare oder so klarer Streifen wie bei diesem Zebra ist dieses Zeichengerät unübertroffen.

SCHLUSSGEDANKEN

Wählen Sie in erster Linie Motive, die Ihnen am Herzen liegen. Nur dann haben Sie ganz selbstverständlich die Liebe und Geduld, um so lange an einem Bild zu arbeiten, bis es wirklich fertig und gut gelungen ist. Für Stillleben arrangieren Sie z. B. persönliche Andenken. Als Landschaften wählen Sie ein Motiv voll schöner Erinnerungen. Auch wenn es keinerlei Ersatz für (viel) Üben gibt, so zeigt sich doch die Liebe zu einem Motiv im Bild. Wenn Sie sich bei der Motivwahl von Ihren Hobbys, Interessen und persönlichen Ambitionen leiten lassen, werden Sie große Zufriedenheit erfahren. Viel Glück und viel Freude am Zeichnen!

Kugelschreiber Mit nichts als einem Kugelschreiber mittlerer Stärke entstand diese Löwin. Die Linien variieren Sie über die Stärke, mit der Sie beim Zeichnen aufdrücken. Auch wie Sie den Stift halten (▶ Seite 8) wirkt sich aus. Vergleichen Sie den unterschiedlichen Charakter der Striche hier mit denen im Porträt des Zebras. Wichtig bei Kugelschreibern: Legen Sie ein Blatt Papier unter den Handballen, um die Zeichnung beim Arbeiten nicht zu verschmieren.

Register

IMPRESSUM

© Walter Foster Publishing, Inc. Artwork auf

Seite 1, 2 (Hund), 3 (Junge), 4, 18, 24, 25, 27, 28, 29, 45, 46, 47, 74, 75, 77, 80, 81, 100, 101, 114, 115, 151, 152, 153, 174, 175, 184, 185, 210, 211, 216–218, 232, 233; Vorsatz und Umschlag hinten (Traube) © 1999, 2003, 2005, 2009 Michael Butkus

Seite 84, 85, 87, 112, 116, 118, 126–130, 136, 132–133, 140, 141, 146–149, 155, 172, 187 © 1989, 1997, 1998, 2003, 2009 Walter T. Foster

Seite 19, 191–199 © 2004, 2005, 2009 Ken Goldman

Seite 156–161, 163–165, 168–171, 173, 180, 181, 183, 188, 189, 222, 223, 225–229 und Umschlag hinten (Mädchen) © 2006, 2007, 2009 Debra Kauffman Yaun

Seite 131, 137, 142–145 © 1989, 1998, 2003, 2005, 2009 Michele Maltseff

Seite 2 (Rose, Baum), 3 (Glas), 5, 11 (Blatt), 12–17, 20–23, 26, 30–44, 48–73, 76, 78, 79, 88, 89, 92–97, 117, 120, 121, 150, 154, 162, 166, 167, 176–179, 182, 186, 190, 200–209, 212, 213, 219–221, 224, 230, 231, 234–237, 240 und Umschlag vorne (Frau, Baum); Umschlag hinten (Menschen im Raum, Bewegungsstudie, Fuchsie, Ananas) und Buchrücken © 1989, 1997, 2001, 2003, 2004, 2005, 2009 William F. Powell

Seite 82, 83, 86, 90, 91, 98, 99, 102–109, 110, 111, 113, 119, 122–125, 134, 135, 138, 139, Nachsatz und Umschlag vorne (Pferd) © 1989, 1998, 2003, 2005, 2009 Mia Tavonatti © 1989, 1998, 2003, 2005, 2009 Mia Tavonatti

Seite 6, 7, 8, 9, 10, 11, 214, 215 Walter Foster Publishing, Inc. © 2005

Coverfoto: frechverlag GmbH, 70499 Stuttgart; Fotostudio Ullrich & Co., Renningen
Fotos Innenteil: Walter Foster Publishing, Inc.

KONZEPT, ÜBERSETZUNG UND LEKTORAT: Verena Zemme, AKKABA Text- und Presseagentur, Miesbach
UMSCHLAG- UND INNENGESTALTUNG: Petra Theilfarth
SATZ: Arnold & Domnick, Leipzig
DRUCK UND BINDUNG: Neografia, Slowakei

© der deutschsprachigen Ausgabe 2009, frechverlag GmbH, 70499 Stuttgart

12. Auflage 2011

ISBN 978-3-7724-6062-3 • Best.-Nr. 6062